KB101180
연산 능력 강화
기초력 완성
개념 기억력 강화

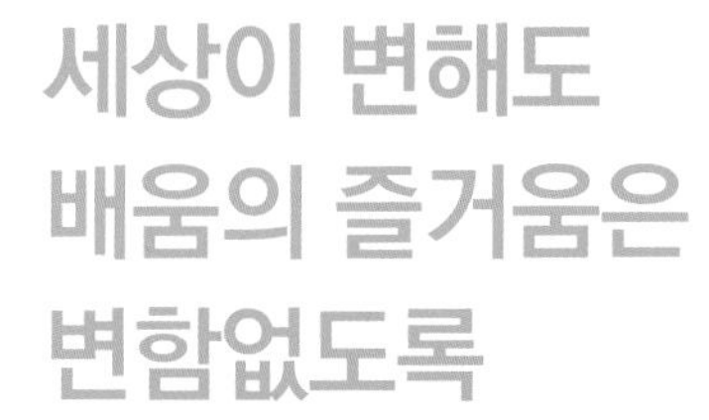

시대는 빠르게 변해도
배움의 즐거움은
변함없어야 하기에

어제의 비상은
남다른 교재부터
결이 다른 콘텐츠
전에 없던 교육 플랫폼까지

변함없는 혁신으로
교육 문화 환경의 새로운 전형을
실현해왔습니다.

비상은 오늘, 다시 한번
새로운 교육 문화 환경을 실현하기 위한
또 하나의 혁신을 시작합니다.

오늘의 내가 어제의 나를 초월하고
오늘의 교육이 어제의 교육을 초월하여
배움의 즐거움을 지속하는 혁신,

바로, 메타인지 기반 완전 학습을.

상상을 실현하는 교육 문화 기업 비상

메타인지 기반 완전 학습

초월을 뜻하는 meta와 생각을 뜻하는 인지가 결합한 메타인지는
자신이 알고 모르는 것을 스스로 구분하고 학습계획을 세우도록 하는
궁극의 학습 능력입니다. 비상의 메타인지 기반 완전 학습 시스템은
잠들어 있는 메타인지를 깨워 공부를 100% 내 것으로 만들도록 합니다.

변화와 관계, 도형과 측정, 자료와 가능성

색깔별로 각 주제의 학습 내용을 알 수 있어요!

규칙 / 도형과 측정의 기초 / 시각과 시간 / 표와 그래프 / 비 / 길이 / 들이 / 무게 / 가능성 / 원 / 원기둥, 원뿔, 구 / 원주와 원의 넓이 / 평면도형 / 평면도형의 둘레와 넓이 / 입체도형 / 입체도형의 겉넓이와 부피

변화와 관계

1학년
1-2 규칙 찾기
- 규칙 찾기
- 규칙 만들기
- 규칙을 만들어 무늬 꾸미기
- 수 배열, 수 배열표에서 규칙 찾기
- 규칙을 여러 가지 방법으로 나타내기

2학년
2-2 규칙 찾기
- 무늬에서 색깔과 모양의 규칙 찾기
- 무늬에서 방향과 수의 규칙 찾기
- 쌓은 모양에서 규칙 찾기
- 덧셈표, 곱셈표에서 규칙 찾기
- 생활에서 규칙 찾기

4학년
4-1 규칙 찾기
- 수의 배열에서 규칙 찾기
- 모양의 배열에서 규칙 찾기
- 등호를 사용한 식으로 나타내기
- 계산식에서 규칙 찾기

5학년
5-1 규칙과 대응
- 두 양 사이의 관계
- 대응 관계를 식으로 나타내는 방법
- 생활 속에서 대응 관계를 찾아 식으로 나타내기

6학년
6-1 비와 비율
- 두 수의 비교 / 비
- 비율 / 백분율

6-2 비례식과 비례배분
- 비의 성질
- 간단한 자연수의 비로 나타내기
- 비례식
- 비례배분

도형과 측정

1학년
1-1 여러 가지 모양
- □, ▭, ○ 모양 찾기
- □, ▭, ○ 모양 알아보기
- □, ▭, ○ 모양으로 만들기

1-1 비교하기
- 길이의 비교
- 무게의 비교
- 넓이의 비교
- 들이의 비교

1-2 모양과 시각
- □, △, ○ 모양 찾기
- □, △, ○ 모양 알아보기
- □, △, ○ 모양으로 꾸미기
- 몇 시
- 몇 시 30분

2학년
2-1 여러 가지 도형
- △, □, ○을 알아보기
- 칠교판으로 모양 만들기
- 쌓은 모양 알아보기
- 여러 가지 모양으로 쌓기

2-1 길이 재기
- 길이를 비교하는 방법
- 여러 가지 단위로 길이 재기
- 1 cm
- 자로 길이 재기
- 길이 어림하기

2-2 길이 재기
- 1 m
- 자로 길이 재기
- 길이의 합과 차

2-2 시각과 시간
- 몇 시 몇 분
- 여러 가지 방법으로 시각 읽기
- 1시간
- 걸린 시간
- 하루의 시간
- 달력

3학년
3-1 평면도형
- 선분, 반직선, 직선
- 각, 직각
- 직각삼각형
- 직사각형 / 정사각형

3-1 길이와 시간
- 1 mm, 1 km
- 1초
- 시간의 덧셈과 뺄셈

3-2 원
- 원의 중심, 반지름, 지름
- 원의 성질
- 컴퍼스를 이용하여 원 그리기

3-2 들이와 무게
- 들이의 비교
- 들이의 단위 L, mL
- 들이의 덧셈과 뺄셈
- 무게의 비교
- 무게의 단위 g, kg, t
- 무게의 덧셈과 뺄셈

4학년
4-1 각도
- 각의 크기 비교, 각의 크기 구하기
- 예각, 둔각
- 각도의 합과 차
- 삼각형의 세 각의 크기의 합
- 사각형의 네 각의 크기의 합

4-1 평면도형의 이동
- 점의 이동
- 평면도형 밀기, 뒤집기, 돌리기

4-2 삼각형
- 이등변삼각형과 그 성질
- 정삼각형과 그 성질
- 예각삼각형, 둔각삼각형

4-2 사각형
- 수직
- 평행, 평행선 사이의 거리
- 사다리꼴, 평행사변형, 마름모

4-2 다각형
- 다각형, 정다각형
- 대각선
- 모양 만들기, 모양 채우기

5학년
5-1 다각형의 둘레와 넓이
- 정다각형, 사각형의 둘레
- $1\ cm^2$, $1\ m^2$, $1\ km^2$
- 직사각형, 평행사변형의 넓이
- 삼각형의 넓이
- 마름모, 사다리꼴의 넓이

5-2 합동과 대칭
- 도형의 합동과 그 성질
- 선대칭도형과 그 성질
- 점대칭도형과 그 성질

5-2 직육면체
- 직육면체, 정육면체
- 직육면체의 성질
- 직육면체의 겨냥도
- 정육면체와 직육면체의 전개도

6학년
6-1 각기둥과 각뿔
- 각기둥, 각기둥의 전개도
- 각뿔

6-1 직육면체의 부피와 겉넓이
- 부피의 단위 m^3
- 직육면체의 부피와 겉넓이

6-2 공간과 입체
- 어느 방향에서 본 모양인지 알아보기
- 쌓기나무로 쌓은 모양과 위에서 본 모양을 보고 쌓기나무의 개수 알아보기
- 위, 앞, 옆에서 본 모양을 보고 쌓기나무의 개수 알아보기
- 위에서 본 모양에 수를 써서 쌓기나무의 개수 알아보기
- 층별로 나타낸 모양을 보고 쌓기나무의 개수 알아보기

6-2 원의 넓이
- 원주와 지름의 관계
- 원주율
- 원주와 지름 구하기
- 원의 넓이

6-2 원기둥, 원뿔, 구
- 원기둥, 원기둥의 전개도
- 원뿔
- 구

자료와 가능성

2학년
2-1 분류하기
- 분류하기 / 기준에 따라 분류하기
- 분류하여 세어 보기
- 분류한 결과 말하기

2-2 표와 그래프
- 자료를 분류하여 표로 나타내기
- 자료를 분류하여 그래프로 나타내기
- 표와 그래프를 보고 알 수 있는 내용

3학년
3-2 그림그래프
- 그림그래프
- 그림그래프로 나타내기

4학년
4-1 막대그래프
- 막대그래프
- 막대그래프에서 알 수 있는 것
- 막대그래프 그리기

4-2 꺾은선그래프
- 꺾은선그래프
- 꺾은선그래프에서 알 수 있는 것
- 꺾은선그래프 그리기

5학년
5-2 평균과 가능성
- 평균
- 일이 일어날 가능성

6학년
6-1 여러 가지 그래프
- 띠그래프
- 원그래프
- 그래프 해석하기
- 여러 가지 그래프 비교하기

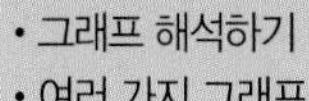

+ 교과서에 따라 3~4학년군, 5~6학년 내에서 학기별로 수록된 단원 또는 학습 내용의 순서가 다를 수 있습니다.

초등수학 영역별 계통도

수와 연산

색깔별로 각 주제의 학습 내용을 알 수 있어요!

범례		
자연수	자연수의 혼합 계산	분수의 곱셈과 나눗셈
자연수의 덧셈과 뺄셈	분수의 덧셈과 뺄셈	소수의 곱셈과 나눗셈
자연수의 곱셈과 나눗셈	소수의 덧셈과 뺄셈	

1학년

1-1 9까지의 수
- 1부터 9까지의 수
- 수로 순서 나타내기
- 수의 순서
- 1만큼 더 큰 수, 1만큼 더 작은 수 / 0
- 수의 크기 비교

1-1 덧셈과 뺄셈
- 9까지의 수 모으기와 가르기
- 덧셈 알아보기, 덧셈하기
- 뺄셈 알아보기, 뺄셈하기
- 0이 있는 덧셈과 뺄셈

1-1 50까지의 수
- 10 / 십몇
- 19까지의 수 모으기와 가르기
- 10개씩 묶어 세기 / 50까지의 수 세기
- 수의 순서
- 수의 크기 비교

1-2 100까지의 수
- 60, 70, 80, 90
- 99까지의 수
- 수의 순서
- 수의 크기 비교
- 짝수와 홀수

1-2 덧셈과 뺄셈
- 계산 결과가 한 자리 수인 세 수의 덧셈과 뺄셈
- 10이 되는 더하기
- 10에서 빼기
- 두 수의 합이 10인 세 수의 덧셈

- 받아올림이 있는 (몇)+(몇)
- 받아내림이 있는 (십몇)−(몇)

- 받아올림이 없는 (몇십몇)+(몇), (몇십)+(몇십), (몇십몇)+(몇십몇)
- 받아내림이 없는 (몇십몇)−(몇), (몇십)−(몇십), (몇십몇)−(몇십몇)

2학년

2-1 세 자리 수
- 100 / 몇백
- 세 자리 수
- 각 자리의 숫자가 나타내는 값
- 뛰어 세기
- 수의 크기 비교

2-1 덧셈과 뺄셈
- 받아올림이 있는 (두 자리 수)+(한 자리 수), (두 자리 수)+(두 자리 수)
- 받아내림이 있는 (두 자리 수)−(한 자리 수), (몇십)−(몇십몇), (두 자리 수)−(두 자리 수)
- 세 수의 계산
- 덧셈과 뺄셈의 관계를 식으로 나타내기
- □가 사용된 덧셈식을 만들고 □의 값 구하기
- □가 사용된 뺄셈식을 만들고 □의 값 구하기

2-1 곱셈
- 여러 가지 방법으로 세어 보기
- 묶어 세기
- 몇의 몇 배
- 곱셈 알아보기
- 곱셈식

2-2 네 자리 수
- 1000 / 몇천
- 네 자리 수
- 각 자리의 숫자가 나타내는 값
- 뛰어 세기
- 수의 크기 비교

2-2 곱셈구구
- 2단 곱셈구구
- 5단 곱셈구구
- 3단, 6단 곱셈구구
- 4단, 8단 곱셈구구
- 7단 곱셈구구
- 9단 곱셈구구
- 1단 곱셈구구 / 0의 곱
- 곱셈표

3학년

3-1 덧셈과 뺄셈
- (세 자리 수)+(세 자리 수)
- (세 자리 수)−(세 자리 수)

3-1 나눗셈
- 똑같이 나누어 보기
- 곱셈과 나눗셈의 관계
- 나눗셈의 몫을 곱셈식으로 구하기
- 나눗셈의 몫을 곱셈구구로 구하기

3-1 곱셈
- (몇십)×(몇)
- (몇십몇)×(몇)

3-1 분수와 소수
- 똑같이 나누어 보기
- 분수
- 분모가 같은 분수의 크기 비교
- 단위분수의 크기 비교
- 소수
- 소수의 크기 비교

3-2 곱셈
- (세 자리 수)×(한 자리 수)
- (몇십)×(몇십), (몇십몇)×(몇십)
- (몇)×(몇십몇)
- (몇십몇)×(몇십몇)

3-2 나눗셈
- (몇십)÷(몇)
- (몇십몇)÷(몇)
- (세 자리 수)÷(한 자리 수)

3-2 분수
- 분수로 나타내기
- 분수만큼은 얼마인지 알아보기
- 진분수, 가분수, 자연수, 대분수
- 분모가 같은 분수의 크기 비교

4학년

4-1 큰 수
- 10000 / 다섯 자리 수
- 십만, 백만, 천만
- 억, 조
- 뛰어 세기
- 수의 크기 비교

4-1 곱셈과 나눗셈
- (세 자리 수)×(몇십)
- (세 자리 수)×(두 자리 수)
- (세 자리 수)÷(몇십)
- (두 자리 수)÷(두 자리 수), (세 자리 수)÷(두 자리 수)

4-2 분수의 덧셈과 뺄셈
- 두 진분수의 덧셈
- 두 진분수의 뺄셈, 1−(진분수)
- 대분수의 덧셈
- (자연수)−(분수)
- (대분수)−(대분수), (대분수)−(가분수)

4-2 소수의 덧셈과 뺄셈
- 소수 두 자리 수 / 소수 세 자리 수
- 소수의 크기 비교
- 소수 사이의 관계
- 소수 한 자리 수의 덧셈과 뺄셈
- 소수 두 자리 수의 덧셈과 뺄셈

5학년

5-1 자연수의 혼합 계산
- 덧셈과 뺄셈이 섞여 있는 식
- 곱셈과 나눗셈이 섞여 있는 식
- 덧셈, 뺄셈, 곱셈이 섞여 있는 식
- 덧셈, 뺄셈, 나눗셈이 섞여 있는 식
- 덧셈, 뺄셈, 곱셈, 나눗셈이 섞여 있는 식

5-1 약수와 배수
- 약수와 배수
- 약수와 배수의 관계
- 공약수와 최대공약수
- 공배수와 최소공배수

5-1 약분과 통분
- 크기가 같은 분수
- 약분
- 통분
- 분수의 크기 비교
- 분수와 소수의 크기 비교

5-1 분수의 덧셈과 뺄셈
- 진분수의 덧셈
- 대분수의 덧셈
- 진분수의 뺄셈
- 대분수의 뺄셈

5-2 수와 범위와 어림하기
- 이상, 이하, 초과, 미만
- 올림, 버림, 반올림

5-2 분수의 곱셈
- (분수)×(자연수)
- (자연수)×(분수)
- (진분수)×(진분수)
- (대분수)×(대분수)

5-2 소수의 곱셈
- (소수)×(자연수)
- (자연수)×(소수)
- (소수)×(소수)
- 곱의 소수점의 위치

6학년

6-1 분수의 나눗셈
- (자연수)÷(자연수)의 몫을 분수로 나타내기
- (분수)÷(자연수)
- (대분수)÷(자연수)

6-1 소수의 나눗셈
- (소수)÷(자연수)
- (자연수)÷(자연수)의 몫을 소수로 나타내기
- 몫의 소수점 위치 확인하기

6-2 분수의 나눗셈
- (분수)÷(분수)
- (분수)÷(분수)를 (분수)×(분수)로 나타내기
- (자연수)÷(분수), (가분수)÷(분수), (대분수)÷(분수)

6-2 소수의 나눗셈
- (소수)÷(소수)
- (자연수)÷(소수)
- 소수의 나눗셈의 몫을 반올림하여 나타내기

+ 교과서에 따라 3~4학년군, 5~6학년 내에서 학기별로 수록된 단원 또는 학습 내용의 순서가 다를 수 있습니다.

개념 + 연산

메인 북

초등수학

12 단계

6·2

구성과 특징

개념 + 드릴

기억에 오래 남는 **한 컷 개념**과 **계산력 강화를 위한 드릴 문제 4쪽**으로 수와 연산을 익혀요.

연산

계산력 강화 단원

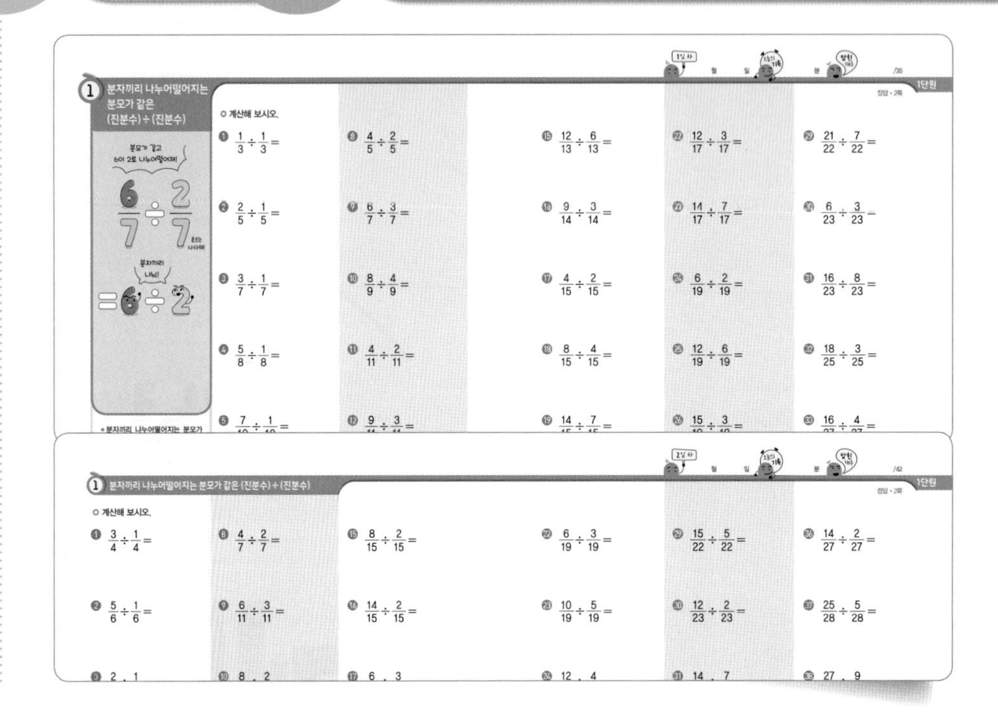

개념 + 익힘

기억에 오래 남는 **한 컷 개념**과 **기초 개념 강화를 위한 익힘 문제 2쪽**으로 도형, 측정 등을 익혀요.

도형, 측정 등

기초 개념 강화 단원

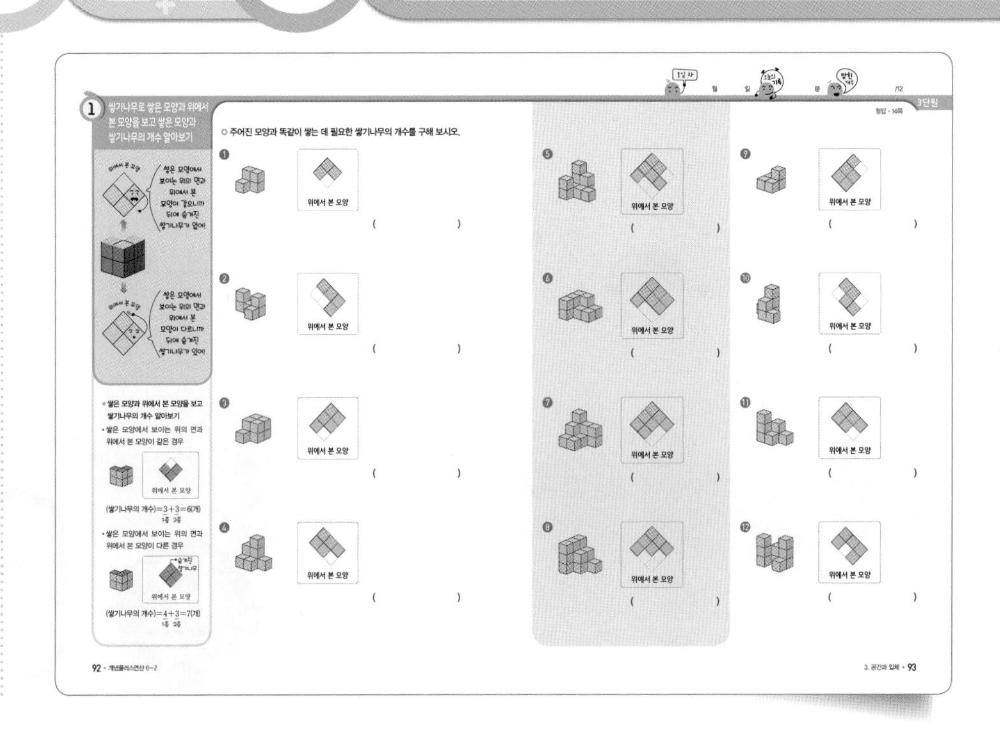

연산력을 강화해요!

적용

다양한 유형의 연산 문제에 **적용 능력**을 키워요.

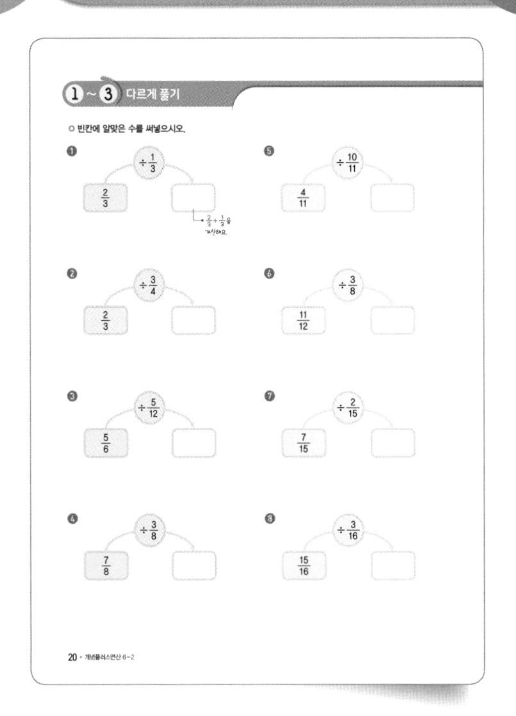

특강

비법 강의로 빠르고 정확한 **연산력을 강화**해요.

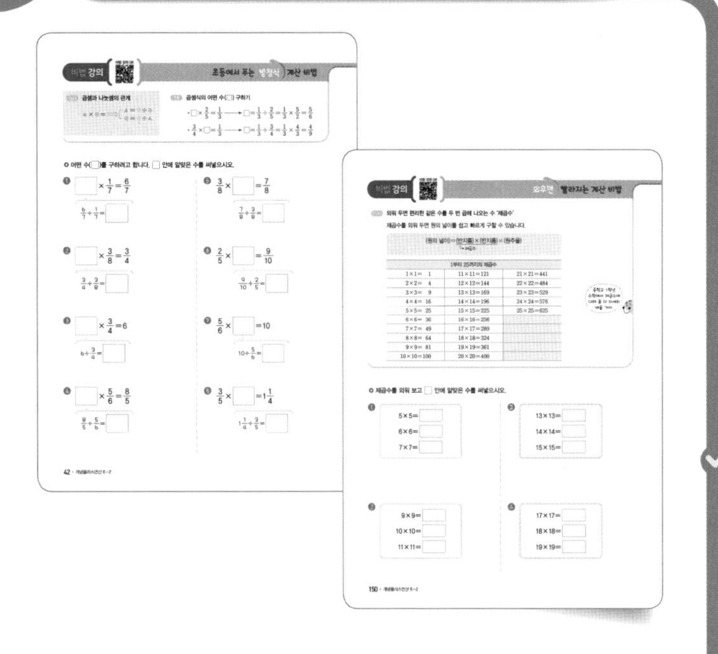

초등에서 푸는 방정식 □를 사용한 식에서 □의 값을 구하는 방법을 익혀요.

외우면 빨라지는 자주 나오는 계산의 결과를 외워 계산 시간을 줄여요.

평가로 마무리~!

평가

단원별로 **연산력을 평가**해요.

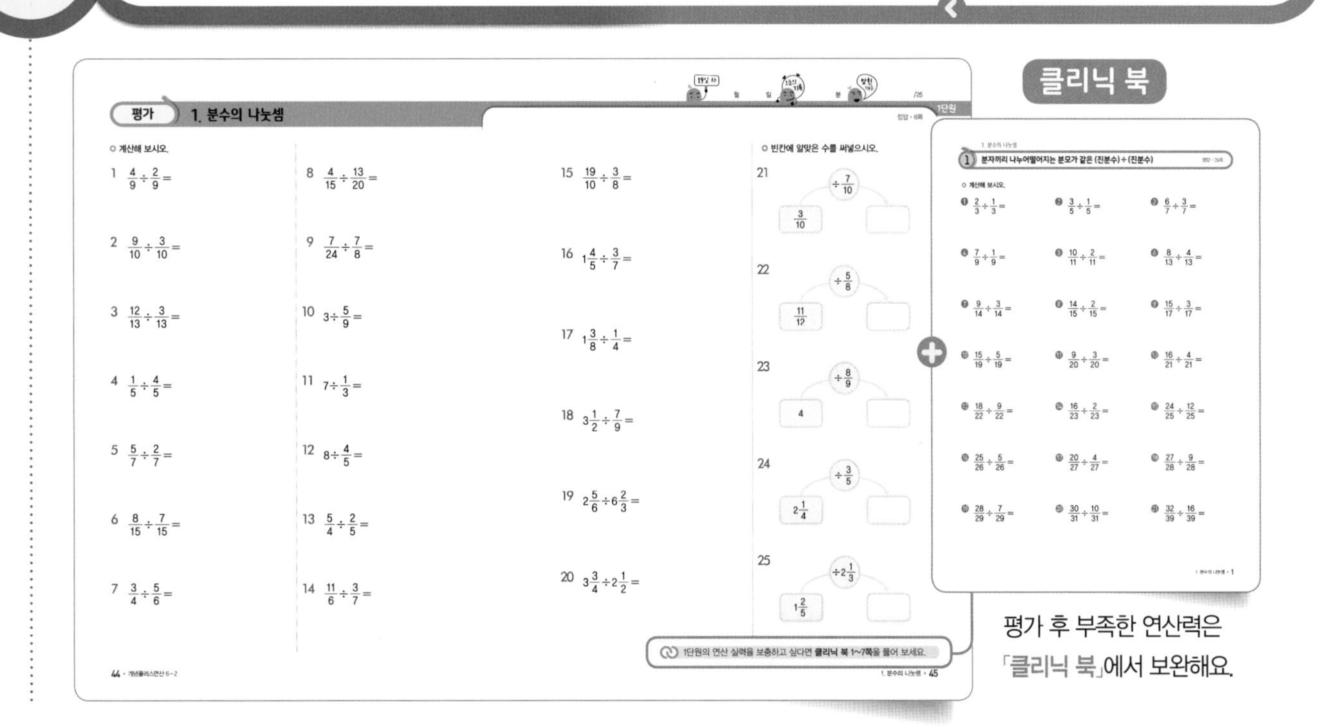

클리닉 북

평가 후 부족한 연산력은 「클리닉 북」에서 보완해요.

차례

6-2에서 배울 내용을 확인해요!

분수의 나눗셈

학습하는 데 걸린 시간을 작성해 봐요!

학습 내용	학습 회차	걸린 시간
1 분자끼리 나누어떨어지는 분모가 같은 (진분수)÷(진분수)	1일 차	/18분
	2일 차	/21분
2 분자끼리 나누어떨어지지 않는 분모가 같은 (진분수)÷(진분수)	3일 차	/18분
	4일 차	/21분
3 분모가 다른 (진분수)÷(진분수)	5일 차	/26분
	6일 차	/32분
1 ~ 3 다르게 풀기	7일 차	/13분
4 (자연수)÷(진분수)	8일 차	/26분
	9일 차	/32분
5 (가분수)÷(진분수)	10일 차	/26분
	11일 차	/32분
4 ~ 5 다르게 풀기	12일 차	/16분
6 (대분수)÷(진분수)	13일 차	/35분
	14일 차	/42분
7 (대분수)÷(대분수)	15일 차	/35분
	16일 차	/42분
6 ~ 7 다르게 풀기	17일 차	/20분
비법 강의 초등에서 푸는 방정식 계산 비법	18일 차	/13분
평가 1. 분수의 나눗셈	19일 차	/24분

1 분자끼리 나누어떨어지는 분모가 같은 (진분수)÷(진분수)

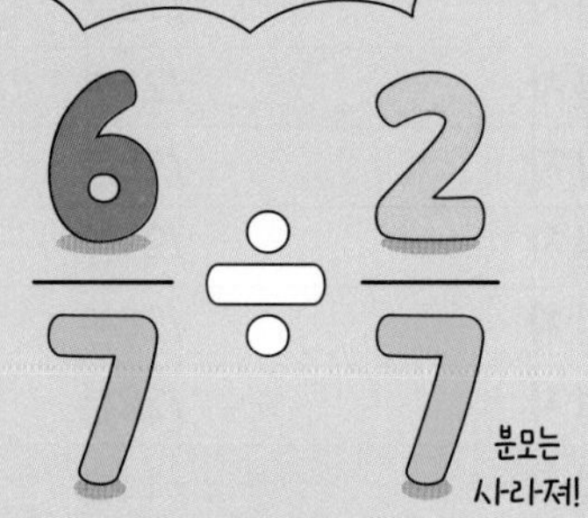

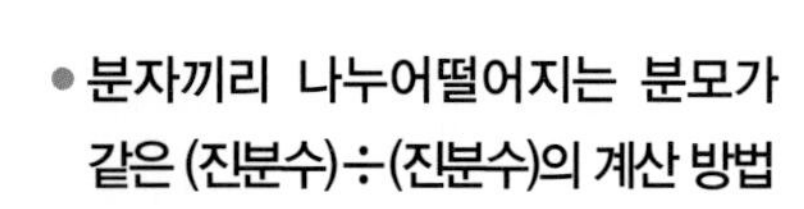

- 분자끼리 나누어떨어지는 분모가 같은 (진분수)÷(진분수)의 계산 방법

방법 1 분자끼리 나누어 계산합니다.

$$\frac{6}{7} \div \frac{2}{7} = 6 \div 2 = 3$$

방법 2 나누는 분수의 분모와 분자를 바꾸어 분수의 곱셈으로 나타내어 계산합니다.

$$\frac{6}{7} \div \frac{2}{7} = \frac{\overset{3}{\cancel{6}}}{\underset{1}{\cancel{7}}} \times \frac{\overset{1}{\cancel{7}}}{\underset{1}{\cancel{2}}} = 3$$

○ 계산해 보시오.

❶ $\frac{1}{3} \div \frac{1}{3} =$

❷ $\frac{2}{5} \div \frac{1}{5} =$

❸ $\frac{3}{7} \div \frac{1}{7} =$

❹ $\frac{5}{8} \div \frac{1}{8} =$

❺ $\frac{7}{10} \div \frac{1}{10} =$

❻ $\frac{8}{11} \div \frac{1}{11} =$

❼ $\frac{5}{12} \div \frac{1}{12} =$

❽ $\frac{4}{5} \div \frac{2}{5} =$

❾ $\frac{6}{7} \div \frac{3}{7} =$

❿ $\frac{8}{9} \div \frac{4}{9} =$

⓫ $\frac{4}{11} \div \frac{2}{11} =$

⓬ $\frac{9}{11} \div \frac{3}{11} =$

⓭ $\frac{10}{11} \div \frac{5}{11} =$

⓮ $\frac{6}{13} \div \frac{2}{13} =$

⑮ $\frac{12}{13} \div \frac{6}{13} =$

⑯ $\frac{9}{14} \div \frac{3}{14} =$

⑰ $\frac{4}{15} \div \frac{2}{15} =$

⑱ $\frac{8}{15} \div \frac{4}{15} =$

⑲ $\frac{14}{15} \div \frac{7}{15} =$

⑳ $\frac{15}{16} \div \frac{5}{16} =$

㉑ $\frac{8}{17} \div \frac{2}{17} =$

㉒ $\frac{12}{17} \div \frac{3}{17} =$

㉓ $\frac{14}{17} \div \frac{7}{17} =$

㉔ $\frac{6}{19} \div \frac{2}{19} =$

㉕ $\frac{12}{19} \div \frac{6}{19} =$

㉖ $\frac{15}{19} \div \frac{3}{19} =$

㉗ $\frac{10}{21} \div \frac{5}{21} =$

㉘ $\frac{18}{21} \div \frac{9}{21} =$

㉙ $\frac{21}{22} \div \frac{7}{22} =$

㉚ $\frac{6}{23} \div \frac{3}{23} =$

㉛ $\frac{16}{23} \div \frac{8}{23} =$

㉜ $\frac{18}{25} \div \frac{3}{25} =$

㉝ $\frac{16}{27} \div \frac{4}{27} =$

㉞ $\frac{20}{33} \div \frac{10}{33} =$

㉟ $\frac{36}{41} \div \frac{12}{41} =$

1 분자끼리 나누어떨어지는 분모가 같은 (진분수) ÷ (진분수)

○ 계산해 보시오.

❶ $\frac{3}{4} \div \frac{1}{4} =$

❷ $\frac{5}{6} \div \frac{1}{6} =$

❸ $\frac{2}{7} \div \frac{1}{7} =$

❹ $\frac{4}{9} \div \frac{1}{9} =$

❺ $\frac{9}{10} \div \frac{1}{10} =$

❻ $\frac{8}{13} \div \frac{1}{13} =$

❼ $\frac{7}{15} \div \frac{1}{15} =$

❽ $\frac{4}{7} \div \frac{2}{7} =$

❾ $\frac{6}{11} \div \frac{3}{11} =$

❿ $\frac{8}{11} \div \frac{2}{11} =$

⓫ $\frac{10}{11} \div \frac{2}{11} =$

⓬ $\frac{8}{13} \div \frac{4}{13} =$

⓭ $\frac{9}{13} \div \frac{3}{13} =$

⓮ $\frac{10}{13} \div \frac{5}{13} =$

⓯ $\frac{8}{15} \div \frac{2}{15} =$

⓰ $\frac{14}{15} \div \frac{2}{15} =$

⓱ $\frac{6}{17} \div \frac{3}{17} =$

⓲ $\frac{10}{17} \div \frac{2}{17} =$

⓳ $\frac{12}{17} \div \frac{6}{17} =$

⓴ $\frac{16}{17} \div \frac{8}{17} =$

㉑ $\frac{4}{19} \div \frac{2}{19} =$

㉒ $\frac{6}{19} \div \frac{3}{19} =$

㉓ $\frac{10}{19} \div \frac{5}{19} =$

㉔ $\frac{12}{19} \div \frac{4}{19} =$

㉕ $\frac{8}{21} \div \frac{2}{21} =$

㉖ $\frac{16}{21} \div \frac{8}{21} =$

㉗ $\frac{20}{21} \div \frac{5}{21} =$

㉘ $\frac{9}{22} \div \frac{3}{22} =$

㉙ $\frac{15}{22} \div \frac{5}{22} =$

㉚ $\frac{12}{23} \div \frac{2}{23} =$

㉛ $\frac{14}{23} \div \frac{7}{23} =$

㉜ $\frac{21}{25} \div \frac{3}{25} =$

㉝ $\frac{24}{25} \div \frac{8}{25} =$

㉞ $\frac{15}{26} \div \frac{3}{26} =$

㉟ $\frac{21}{26} \div \frac{7}{26} =$

㊱ $\frac{14}{27} \div \frac{2}{27} =$

㊲ $\frac{25}{28} \div \frac{5}{28} =$

㊳ $\frac{27}{29} \div \frac{9}{29} =$

㊴ $\frac{24}{31} \div \frac{4}{31} =$

㊵ $\frac{18}{37} \div \frac{6}{37} =$

㊶ $\frac{33}{40} \div \frac{11}{40} =$

㊷ $\frac{30}{49} \div \frac{15}{49} =$

2 분자끼리 나누어떨어지지 않는 분모가 같은 (진분수)÷(진분수)

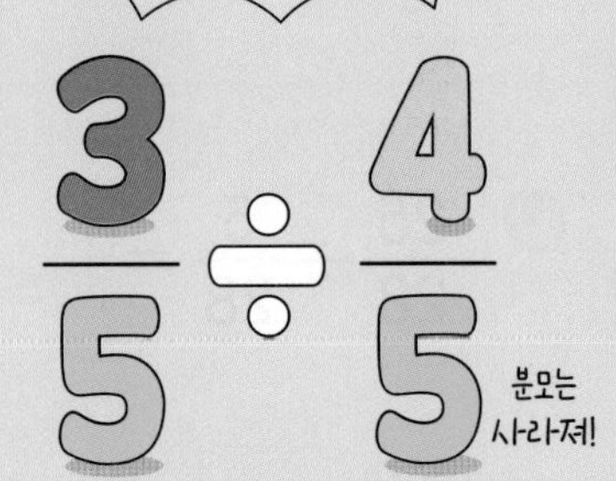

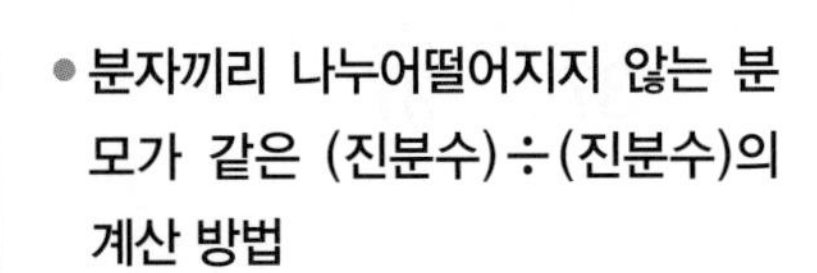

- **분자끼리 나누어떨어지지 않는 분모가 같은 (진분수)÷(진분수)의 계산 방법**

방법 1 분자끼리 나누어 계산하고 분자끼리 나누어떨어지지 않을 때에는 몫을 분수로 나타냅니다.

$$\frac{3}{5} \div \frac{4}{5} = 3 \div 4 = \frac{3}{4}$$

방법 2 나누는 분수의 분모와 분자를 바꾸어 분수의 곱셈으로 나타내어 계산합니다.

$$\frac{3}{5} \div \frac{4}{5} = \frac{3}{\cancel{5}_1} \times \frac{\cancel{5}^1}{4} = \frac{3}{4}$$

○ 계산해 보시오.

❶ $\frac{1}{5} \div \frac{3}{5} =$

❷ $\frac{1}{7} \div \frac{6}{7} =$

❸ $\frac{1}{8} \div \frac{7}{8} =$

❹ $\frac{7}{9} \div \frac{5}{9} =$

❺ $\frac{3}{10} \div \frac{9}{10} =$

❻ $\frac{2}{11} \div \frac{5}{11} =$

❼ $\frac{11}{12} \div \frac{7}{12} =$

❽ $\frac{2}{13} \div \frac{12}{13} =$

❾ $\frac{3}{14} \div \frac{5}{14} =$

❿ $\frac{13}{15} \div \frac{4}{15} =$

⓫ $\frac{9}{16} \div \frac{7}{16} =$

⓬ $\frac{2}{17} \div \frac{14}{17} =$

⓭ $\frac{17}{18} \div \frac{5}{18} =$

⓮ $\frac{10}{19} \div \frac{17}{19} =$

⑮ $\frac{8}{21} \div \frac{11}{21} =$

⑯ $\frac{16}{21} \div \frac{10}{21} =$

⑰ $\frac{5}{22} \div \frac{9}{22} =$

⑱ $\frac{6}{23} \div \frac{15}{23} =$

⑲ $\frac{20}{23} \div \frac{3}{23} =$

⑳ $\frac{18}{25} \div \frac{23}{25} =$

㉑ $\frac{19}{26} \div \frac{5}{26} =$

㉒ $\frac{21}{26} \div \frac{17}{26} =$

㉓ $\frac{11}{27} \div \frac{16}{27} =$

㉔ $\frac{13}{27} \div \frac{26}{27} =$

㉕ $\frac{23}{28} \div \frac{11}{28} =$

㉖ $\frac{14}{29} \div \frac{15}{29} =$

㉗ $\frac{17}{30} \div \frac{7}{30} =$

㉘ $\frac{15}{31} \div \frac{27}{31} =$

㉙ $\frac{9}{32} \div \frac{15}{32} =$

㉚ $\frac{27}{32} \div \frac{13}{32} =$

㉛ $\frac{16}{33} \div \frac{31}{33} =$

㉜ $\frac{18}{35} \div \frac{32}{35} =$

㉝ $\frac{23}{37} \div \frac{4}{37} =$

㉞ $\frac{35}{39} \div \frac{10}{39} =$

㉟ $\frac{17}{40} \div \frac{29}{40} =$

2 분자끼리 나누어떨어지지 않는 분모가 같은 (진분수)÷(진분수)

○ 계산해 보시오.

❶ $\frac{1}{3} \div \frac{2}{3} =$

❷ $\frac{1}{4} \div \frac{3}{4} =$

❸ $\frac{2}{5} \div \frac{3}{5} =$

❹ $\frac{6}{7} \div \frac{5}{7} =$

❺ $\frac{5}{8} \div \frac{3}{8} =$

❻ $\frac{2}{9} \div \frac{8}{9} =$

❼ $\frac{9}{10} \div \frac{7}{10} =$

❽ $\frac{10}{11} \div \frac{3}{11} =$

❾ $\frac{3}{13} \div \frac{5}{13} =$

❿ $\frac{8}{13} \div \frac{11}{13} =$

⓫ $\frac{13}{14} \div \frac{3}{14} =$

⓬ $\frac{4}{15} \div \frac{14}{15} =$

⓭ $\frac{7}{16} \div \frac{15}{16} =$

⓮ $\frac{3}{17} \div \frac{15}{17} =$

⓯ $\frac{10}{17} \div \frac{6}{17} =$

⓰ $\frac{12}{19} \div \frac{17}{19} =$

⓱ $\frac{11}{20} \div \frac{3}{20} =$

⓲ $\frac{5}{21} \div \frac{20}{21} =$

⓳ $\frac{19}{22} \div \frac{7}{22} =$

⓴ $\frac{11}{23} \div \frac{22}{23} =$

㉑ $\frac{18}{23} \div \frac{4}{23} =$

㉒ $\frac{7}{24} \div \frac{13}{24} =$

㉓ $\frac{13}{24} \div \frac{5}{24} =$

㉔ $\frac{4}{25} \div \frac{24}{25} =$

㉕ $\frac{21}{25} \div \frac{16}{25} =$

㉖ $\frac{17}{26} \div \frac{25}{26} =$

㉗ $\frac{23}{26} \div \frac{19}{26} =$

㉘ $\frac{22}{27} \div \frac{14}{27} =$

㉙ $\frac{26}{27} \div \frac{4}{27} =$

㉚ $\frac{17}{28} \div \frac{3}{28} =$

㉛ $\frac{25}{28} \div \frac{23}{28} =$

㉜ $\frac{12}{29} \div \frac{16}{29} =$

㉝ $\frac{7}{30} \div \frac{19}{30} =$

㉞ $\frac{28}{31} \div \frac{20}{31} =$

㉟ $\frac{11}{32} \div \frac{15}{32} =$

㊱ $\frac{16}{33} \div \frac{20}{33} =$

㊲ $\frac{21}{34} \div \frac{13}{34} =$

㊳ $\frac{31}{36} \div \frac{29}{36} =$

㊴ $\frac{27}{38} \div \frac{31}{38} =$

㊵ $\frac{20}{41} \div \frac{3}{41} =$

㊶ $\frac{14}{45} \div \frac{22}{45} =$

㊷ $\frac{17}{48} \div \frac{41}{48} =$

3 분모가 다른 (진분수)÷(진분수)

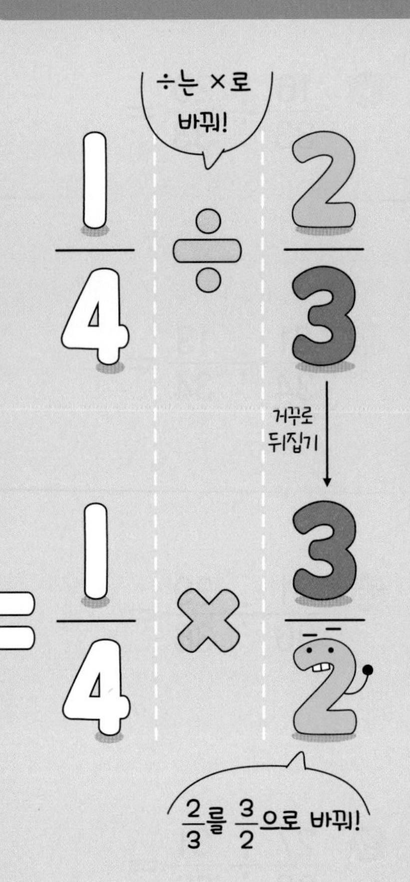

- 분모가 다른 (진분수)÷(진분수)의 계산 방법

방법 1 통분하여 분자끼리 나누어 계산합니다.

$\frac{1}{4}\div\frac{2}{3}=\frac{3}{12}\div\frac{8}{12}=3\div8=\frac{3}{8}$

방법 2 나누는 분수의 분모와 분자를 바꾸어 분수의 곱셈으로 나타내어 계산합니다.

$\frac{1}{4}\div\frac{2}{3}=\frac{1}{4}\times\frac{3}{2}=\frac{3}{8}$

○ 계산해 보시오.

❶ $\frac{1}{2}\div\frac{1}{4}=$

❷ $\frac{1}{2}\div\frac{2}{3}=$

❸ $\frac{2}{3}\div\frac{1}{5}=$

❹ $\frac{1}{4}\div\frac{5}{6}=$

❺ $\frac{3}{4}\div\frac{1}{2}=$

❻ $\frac{3}{5}\div\frac{3}{10}=$

❼ $\frac{4}{5}\div\frac{2}{7}=$

❽ $\frac{5}{6}\div\frac{3}{8}=$

❾ $\frac{2}{7}\div\frac{2}{9}=$

❿ $\frac{6}{7}\div\frac{3}{14}=$

⓫ $\frac{5}{8}\div\frac{9}{10}=$

⓬ $\frac{2}{9}\div\frac{2}{3}=$

⓭ $\frac{4}{9}\div\frac{6}{7}=$

⓮ $\frac{3}{10}\div\frac{3}{4}=$

⑮ $\frac{9}{10} \div \frac{3}{20} =$

⑯ $\frac{8}{11} \div \frac{4}{5} =$

⑰ $\frac{5}{12} \div \frac{3}{10} =$

⑱ $\frac{7}{12} \div \frac{2}{9} =$

⑲ $\frac{2}{13} \div \frac{3}{4} =$

⑳ $\frac{12}{13} \div \frac{2}{5} =$

㉑ $\frac{13}{14} \div \frac{6}{7} =$

㉒ $\frac{4}{15} \div \frac{5}{8} =$

㉓ $\frac{14}{15} \div \frac{7}{30} =$

㉔ $\frac{5}{16} \div \frac{9}{10} =$

㉕ $\frac{2}{17} \div \frac{2}{3} =$

㉖ $\frac{5}{17} \div \frac{2}{5} =$

㉗ $\frac{3}{18} \div \frac{3}{4} =$

㉘ $\frac{17}{18} \div \frac{5}{9} =$

㉙ $\frac{4}{19} \div \frac{2}{7} =$

㉚ $\frac{15}{19} \div \frac{5}{6} =$

㉛ $\frac{15}{22} \div \frac{3}{44} =$

㉜ $\frac{27}{28} \div \frac{9}{14} =$

㉝ $\frac{7}{30} \div \frac{3}{5} =$

㉞ $\frac{25}{32} \div \frac{5}{12} =$

㉟ $\frac{32}{35} \div \frac{4}{15} =$

3 분모가 다른 (진분수) ÷ (진분수)

○ 계산해 보시오.

❶ $\frac{1}{2} \div \frac{1}{3} =$

❷ $\frac{1}{3} \div \frac{3}{5} =$

❸ $\frac{3}{4} \div \frac{1}{8} =$

❹ $\frac{1}{5} \div \frac{3}{4} =$

❺ $\frac{2}{5} \div \frac{1}{7} =$

❻ $\frac{4}{5} \div \frac{2}{3} =$

❼ $\frac{5}{6} \div \frac{1}{4} =$

❽ $\frac{3}{7} \div \frac{5}{6} =$

❾ $\frac{4}{7} \div \frac{9}{14} =$

❿ $\frac{5}{7} \div \frac{5}{8} =$

⓫ $\frac{3}{8} \div \frac{3}{4} =$

⓬ $\frac{5}{8} \div \frac{2}{3} =$

⓭ $\frac{7}{8} \div \frac{11}{12} =$

⓮ $\frac{5}{9} \div \frac{3}{10} =$

⓯ $\frac{7}{9} \div \frac{2}{3} =$

⓰ $\frac{8}{9} \div \frac{11}{18} =$

⓱ $\frac{7}{10} \div \frac{7}{20} =$

⓲ $\frac{9}{10} \div \frac{4}{5} =$

⓳ $\frac{3}{11} \div \frac{6}{7} =$

⓴ $\frac{6}{11} \div \frac{3}{22} =$

㉑ $\frac{5}{12} \div \frac{5}{8} =$

㉒ $\frac{11}{12} \div \frac{9}{10} =$

㉓ $\frac{4}{13} \div \frac{5}{6} =$

㉔ $\frac{6}{13} \div \frac{8}{11} =$

㉕ $\frac{3}{14} \div \frac{6}{7} =$

㉖ $\frac{5}{14} \div \frac{7}{8} =$

㉗ $\frac{13}{15} \div \frac{3}{10} =$

㉘ $\frac{9}{16} \div \frac{11}{12} =$

㉙ $\frac{15}{16} \div \frac{5}{32} =$

㉚ $\frac{10}{17} \div \frac{5}{7} =$

㉛ $\frac{18}{19} \div \frac{3}{38} =$

㉜ $\frac{16}{21} \div \frac{2}{3} =$

㉝ $\frac{4}{22} \div \frac{3}{4} =$

㉞ $\frac{11}{24} \div \frac{7}{12} =$

㉟ $\frac{5}{27} \div \frac{5}{9} =$

㊱ $\frac{8}{29} \div \frac{4}{7} =$

㊲ $\frac{5}{34} \div \frac{8}{17} =$

㊳ $\frac{7}{36} \div \frac{2}{15} =$

㊴ $\frac{3}{38} \div \frac{3}{19} =$

㊵ $\frac{5}{42} \div \frac{13}{14} =$

㊶ $\frac{3}{44} \div \frac{2}{11} =$

㊷ $\frac{21}{50} \div \frac{9}{20} =$

1 ~ 3 다르게 풀기

○ 빈칸에 알맞은 수를 써넣으시오.

❶

$\div \frac{1}{3}$

$\frac{2}{3}$ → ☐

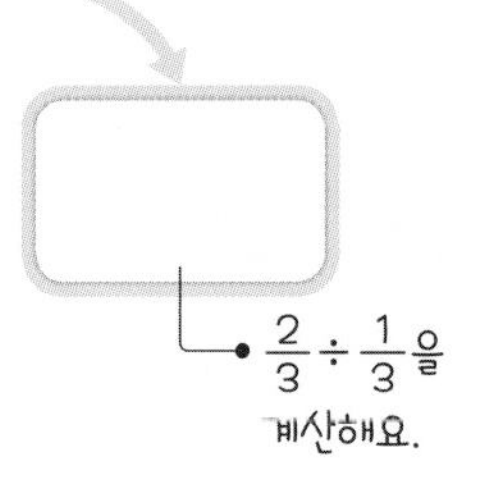

❷

$\div \frac{3}{4}$

$\frac{2}{3}$ → ☐

❸

$\div \frac{5}{12}$

$\frac{5}{6}$ → ☐

❹

$\div \frac{3}{8}$

$\frac{7}{8}$ → ☐

❺

$\div \frac{10}{11}$

$\frac{4}{11}$ → ☐

❻

$\div \frac{3}{8}$

$\frac{11}{12}$ → ☐

❼

$\div \frac{2}{15}$

$\frac{7}{15}$ → ☐

❽

$\div \frac{3}{16}$

$\frac{15}{16}$ → ☐

❾
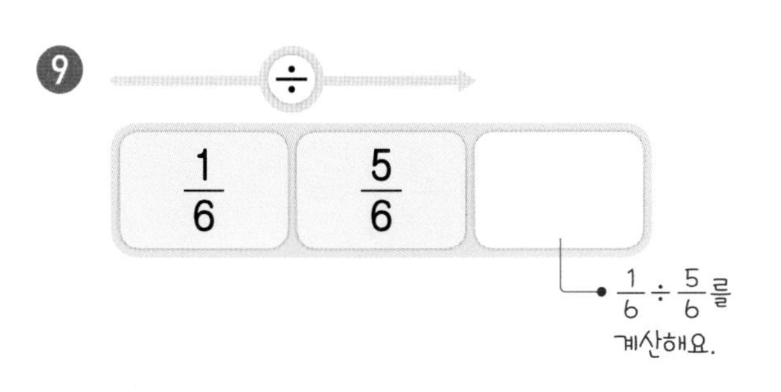

⓭
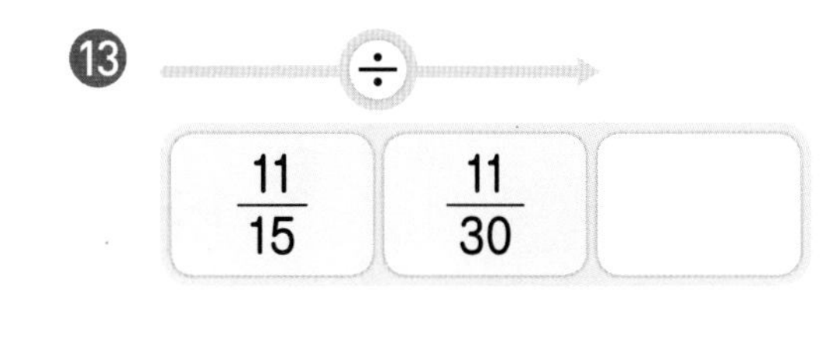

❿
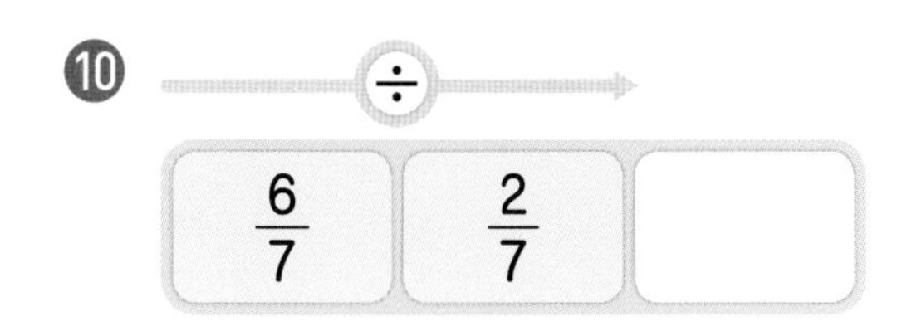

⓮
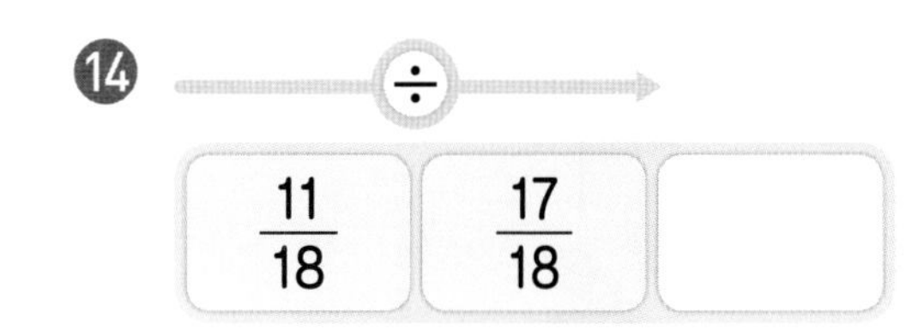

⓫
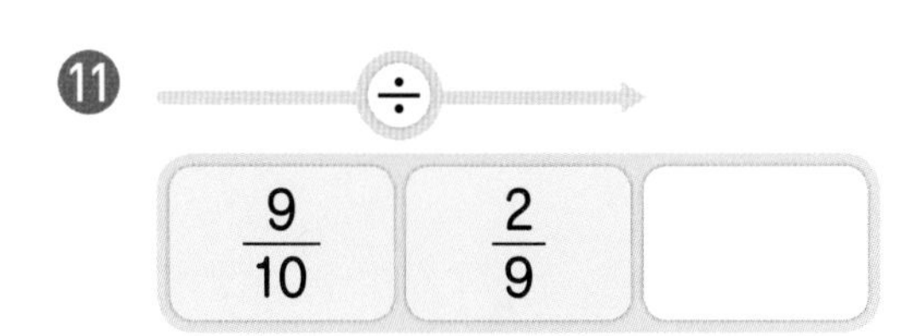

⓯
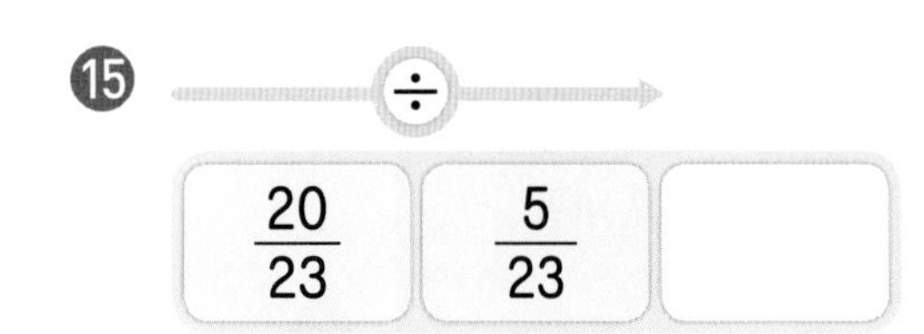

⓬
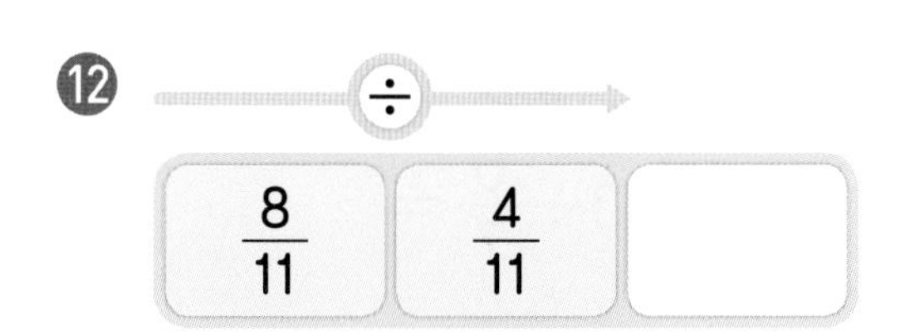

⓰
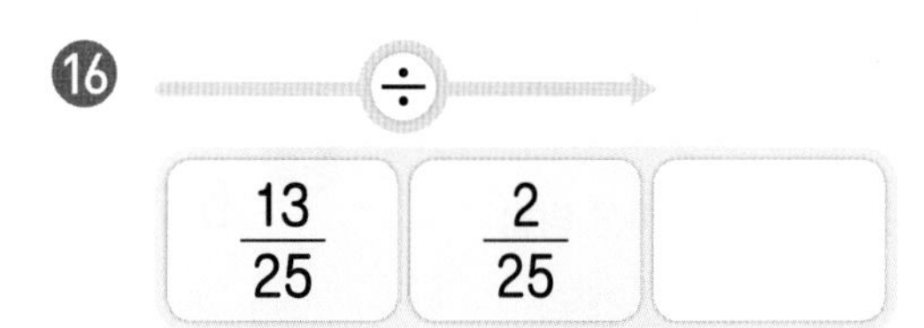

문장제 속 연산

⓱ 주스 $\frac{4}{5}$ L를 한 컵에 $\frac{1}{5}$ L씩 나누어 담으면 몇 개의 컵에 담을 수 있는지 구해 보시오.

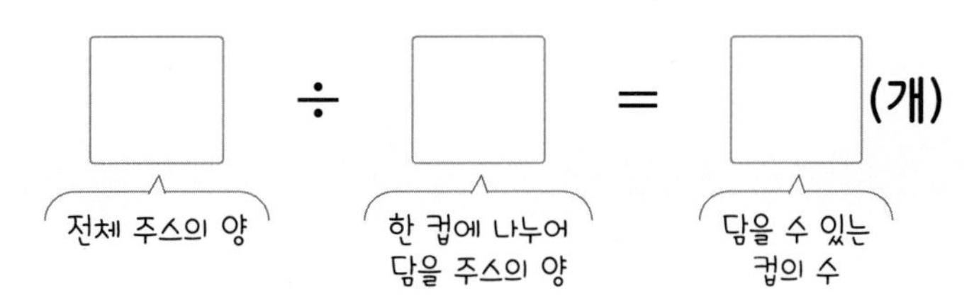

4 (자연수) ÷ (진분수)

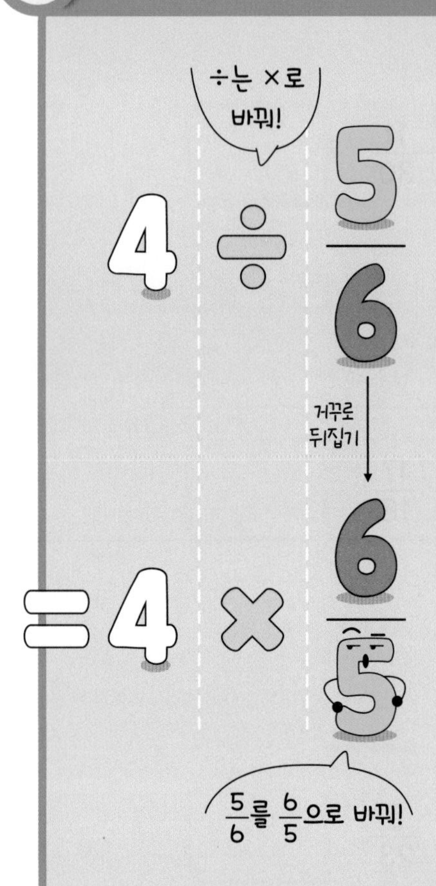

● (자연수)÷(진분수)의 계산 방법

• 자연수가 분자의 배수인 경우: 자연수를 나누는 분수의 분자로 나눈 다음 분모를 곱하여 계산합니다.

$6 \div \frac{3}{4} = (6 \div 3) \times 4 = 2 \times 4 = 8$

• 자연수가 분자의 배수가 아닌 경우: 나누는 분수의 분모와 분자를 바꾸어 분수의 곱셈으로 나타내어 계산합니다.

$4 \div \frac{5}{6} = 4 \times \frac{6}{5} = \frac{24}{5} = 4\frac{4}{5}$

○ 계산해 보시오.

❶ $1 \div \frac{1}{3} =$

❷ $2 \div \frac{1}{4} =$

❸ $3 \div \frac{1}{6} =$

❹ $4 \div \frac{1}{5} =$

❺ $5 \div \frac{1}{3} =$

❻ $6 \div \frac{1}{2} =$

❼ $7 \div \frac{1}{7} =$

❽ $1 \div \frac{3}{4} =$

❾ $2 \div \frac{2}{5} =$

❿ $2 \div \frac{3}{8} =$

⓫ $3 \div \frac{3}{5} =$

⓬ $3 \div \frac{6}{7} =$

⓭ $4 \div \frac{4}{7} =$

⓮ $4 \div \frac{5}{8} =$

⑮ $5\div\frac{2}{3}=$

⑯ $5\div\frac{5}{8}=$

⑰ $5\div\frac{10}{11}=$

⑱ $6\div\frac{2}{5}=$

⑲ $6\div\frac{3}{10}=$

⑳ $6\div\frac{9}{13}=$

㉑ $7\div\frac{3}{4}=$

㉒ $7\div\frac{4}{5}=$

㉓ $8\div\frac{3}{5}=$

㉔ $8\div\frac{4}{11}=$

㉕ $9\div\frac{3}{7}=$

㉖ $9\div\frac{2}{9}=$

㉗ $10\div\frac{5}{8}=$

㉘ $10\div\frac{9}{10}=$

㉙ $12\div\frac{6}{13}=$

㉚ $14\div\frac{2}{3}=$

㉛ $18\div\frac{4}{5}=$

㉜ $20\div\frac{2}{7}=$

㉝ $24\div\frac{3}{4}=$

㉞ $27\div\frac{6}{7}=$

㉟ $32\div\frac{8}{9}=$

4 (자연수) ÷ (진분수)

○ 계산해 보시오.

❶ $2\div\frac{1}{5}=$

❷ $3\div\frac{1}{2}=$

❸ $4\div\frac{1}{3}=$

❹ $5\div\frac{1}{6}=$

❺ $6\div\frac{1}{4}=$

❻ $7\div\frac{1}{2}=$

❼ $8\div\frac{1}{7}=$

❽ $1\div\frac{2}{3}=$

❾ $1\div\frac{5}{6}=$

❿ $2\div\frac{3}{5}=$

⓫ $2\div\frac{7}{8}=$

⓬ $3\div\frac{2}{3}=$

⓭ $3\div\frac{3}{4}=$

⓮ $3\div\frac{5}{6}=$

⓯ $4\div\frac{2}{5}=$

⓰ $4\div\frac{7}{8}=$

⓱ $4\div\frac{9}{10}=$

⓲ $5\div\frac{2}{5}=$

⓳ $5\div\frac{6}{7}=$

⓴ $6\div\frac{3}{7}=$

㉑ $6\div\frac{9}{11}=$

㉒ $7 \div \frac{2}{7} =$

㉓ $7 \div \frac{5}{8} =$

㉔ $8 \div \frac{8}{9} =$

㉕ $8 \div \frac{6}{11} =$

㉖ $9 \div \frac{3}{4} =$

㉗ $10 \div \frac{7}{8} =$

㉘ $10 \div \frac{5}{11} =$

㉙ $11 \div \frac{5}{6} =$

㉚ $12 \div \frac{4}{9} =$

㉛ $14 \div \frac{7}{10} =$

㉜ $15 \div \frac{10}{13} =$

㉝ $16 \div \frac{3}{4} =$

㉞ $18 \div \frac{6}{11} =$

㉟ $21 \div \frac{3}{13} =$

㊱ $24 \div \frac{6}{7} =$

㊲ $25 \div \frac{2}{3} =$

㊳ $27 \div \frac{3}{5} =$

㊴ $28 \div \frac{4}{7} =$

㊵ $30 \div \frac{7}{8} =$

㊶ $36 \div \frac{6}{7} =$

㊷ $40 \div \frac{8}{13} =$

5 (가분수)÷(진분수)

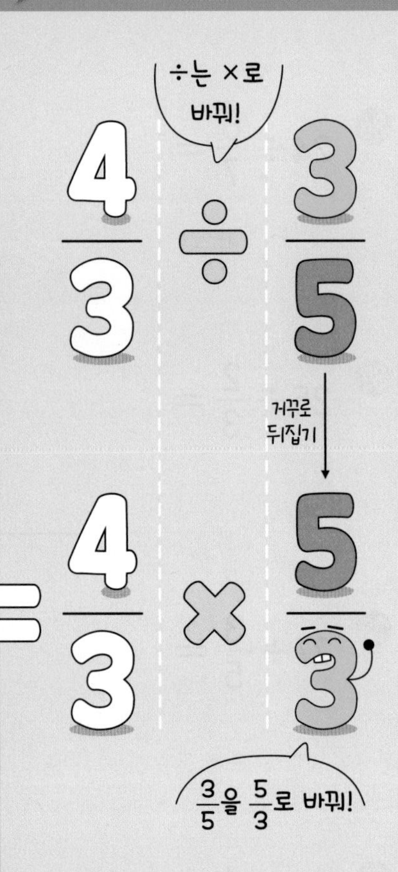

$$\frac{4}{3} \div \frac{3}{5} = \frac{4}{3} \times \frac{5}{3}$$

• (가분수)÷(진분수)의 계산 방법

방법 1 통분하여 분자끼리 나누어 계산합니다.

$$\frac{4}{3} \div \frac{3}{5} = \frac{20}{15} \div \frac{9}{15} = 20 \div 9 = \frac{20}{9} = 2\frac{2}{9}$$

방법 2 나누는 분수의 분모와 분자를 바꾸어 분수의 곱셈으로 나타내어 계산합니다.

$$\frac{4}{3} \div \frac{3}{5} = \frac{4}{3} \times \frac{5}{3} = \frac{20}{9} = 2\frac{2}{9}$$

○ 계산해 보시오.

❶ $\frac{3}{2} \div \frac{2}{3} =$

❷ $\frac{5}{2} \div \frac{1}{6} =$

❸ $\frac{7}{2} \div \frac{3}{4} =$

❹ $\frac{9}{2} \div \frac{4}{5} =$

❺ $\frac{4}{3} \div \frac{8}{9} =$

❻ $\frac{5}{3} \div \frac{2}{5} =$

❼ $\frac{7}{3} \div \frac{5}{6} =$

❽ $\frac{8}{3} \div \frac{2}{9} =$

❾ $\frac{5}{4} \div \frac{3}{8} =$

❿ $\frac{7}{4} \div \frac{2}{3} =$

⓫ $\frac{9}{4} \div \frac{3}{8} =$

⓬ $\frac{11}{4} \div \frac{1}{7} =$

⓭ $\frac{6}{5} \div \frac{9}{10} =$

⓮ $\frac{9}{5} \div \frac{3}{4} =$

⑮ $\frac{12}{5} \div \frac{2}{3} =$

⑯ $\frac{7}{6} \div \frac{1}{4} =$

⑰ $\frac{11}{6} \div \frac{5}{7} =$

⑱ $\frac{13}{6} \div \frac{2}{5} =$

⑲ $\frac{17}{6} \div \frac{1}{3} =$

⑳ $\frac{8}{7} \div \frac{5}{6} =$

㉑ $\frac{9}{7} \div \frac{7}{10} =$

㉒ $\frac{10}{7} \div \frac{5}{8} =$

㉓ $\frac{12}{7} \div \frac{6}{11} =$

㉔ $\frac{9}{8} \div \frac{3}{16} =$

㉕ $\frac{11}{8} \div \frac{4}{9} =$

㉖ $\frac{13}{8} \div \frac{7}{10} =$

㉗ $\frac{15}{8} \div \frac{1}{5} =$

㉘ $\frac{10}{9} \div \frac{2}{15} =$

㉙ $\frac{11}{9} \div \frac{1}{3} =$

㉚ $\frac{13}{9} \div \frac{3}{4} =$

㉛ $\frac{14}{9} \div \frac{5}{6} =$

㉜ $\frac{11}{10} \div \frac{4}{7} =$

㉝ $\frac{17}{10} \div \frac{5}{14} =$

㉞ $\frac{19}{10} \div \frac{4}{15} =$

㉟ $\frac{21}{10} \div \frac{5}{12} =$

5 (가분수) ÷ (진분수)

○ 계산해 보시오.

❶ $\frac{5}{2} \div \frac{3}{4} =$

❷ $\frac{9}{2} \div \frac{5}{6} =$

❸ $\frac{11}{2} \div \frac{2}{3} =$

❹ $\frac{13}{2} \div \frac{7}{8} =$

❺ $\frac{4}{3} \div \frac{1}{6} =$

❻ $\frac{5}{3} \div \frac{2}{9} =$

❼ $\frac{10}{3} \div \frac{5}{7} =$

❽ $\frac{11}{3} \div \frac{1}{4} =$

❾ $\frac{7}{4} \div \frac{7}{10} =$

❿ $\frac{9}{4} \div \frac{4}{5} =$

⓫ $\frac{13}{4} \div \frac{13}{18} =$

⓬ $\frac{15}{4} \div \frac{5}{9} =$

⓭ $\frac{6}{5} \div \frac{2}{3} =$

⓮ $\frac{8}{5} \div \frac{5}{6} =$

⓯ $\frac{11}{5} \div \frac{3}{8} =$

⓰ $\frac{12}{5} \div \frac{1}{3} =$

⓱ $\frac{7}{6} \div \frac{7}{12} =$

⓲ $\frac{13}{6} \div \frac{5}{8} =$

⓳ $\frac{17}{6} \div \frac{3}{4} =$

⓴ $\frac{19}{6} \div \frac{2}{3} =$

㉑ $\frac{9}{7} \div \frac{7}{9} =$

정답 • 5쪽

㉒ $\frac{10}{7} \div \frac{1}{4} =$

㉓ $\frac{12}{7} \div \frac{2}{21} =$

㉔ $\frac{15}{7} \div \frac{4}{5} =$

㉕ $\frac{9}{8} \div \frac{2}{3} =$

㉖ $\frac{13}{8} \div \frac{1}{6} =$

㉗ $\frac{15}{8} \div \frac{5}{16} =$

㉘ $\frac{19}{8} \div \frac{1}{4} =$

㉙ $\frac{14}{9} \div \frac{7}{10} =$

㉚ $\frac{20}{9} \div \frac{5}{6} =$

㉛ $\frac{22}{9} \div \frac{2}{3} =$

㉜ $\frac{25}{9} \div \frac{8}{15} =$

㉝ $\frac{13}{10} \div \frac{4}{5} =$

㉞ $\frac{21}{10} \div \frac{7}{20} =$

㉟ $\frac{23}{10} \div \frac{3}{8} =$

㊱ $\frac{33}{10} \div \frac{1}{2} =$

㊲ $\frac{12}{11} \div \frac{5}{7} =$

㊳ $\frac{14}{11} \div \frac{2}{9} =$

㊴ $\frac{20}{11} \div \frac{5}{6} =$

㊵ $\frac{13}{12} \div \frac{3}{4} =$

㊶ $\frac{25}{12} \div \frac{1}{3} =$

㊷ $\frac{31}{12} \div \frac{3}{8} =$

4 ~ 5 다르게 풀기

○ 빈칸에 알맞은 수를 써넣으시오.

1. 
$\div \frac{1}{5}$

1 → □

$1 \div \frac{1}{5}$을 계산해요.

2. $\div \frac{4}{9}$

$\frac{5}{2}$ → □

3. 
$\div \frac{3}{4}$

2 → □

4. $\div \frac{4}{5}$

$\frac{4}{3}$ → □

5. $\div \frac{3}{10}$

$\frac{6}{5}$ → □

6. $\div \frac{2}{7}$

4 → □

7. $\div \frac{1}{8}$

$\frac{11}{6}$ → □

8. $\div \frac{4}{9}$

5 → □

⑨
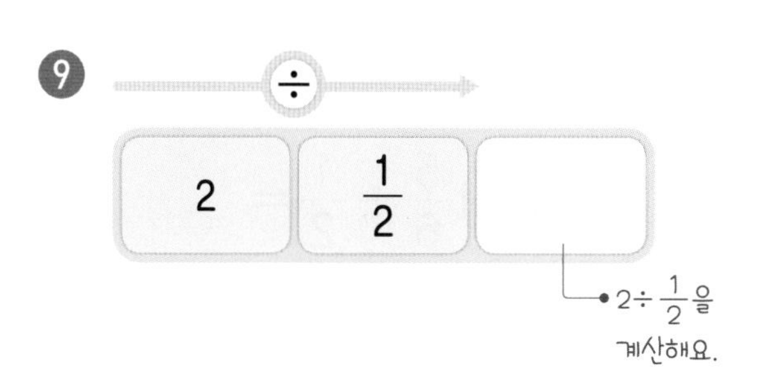

⑬
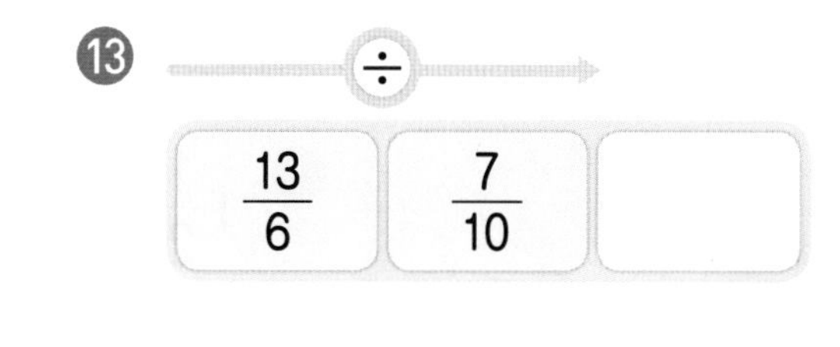

⑩
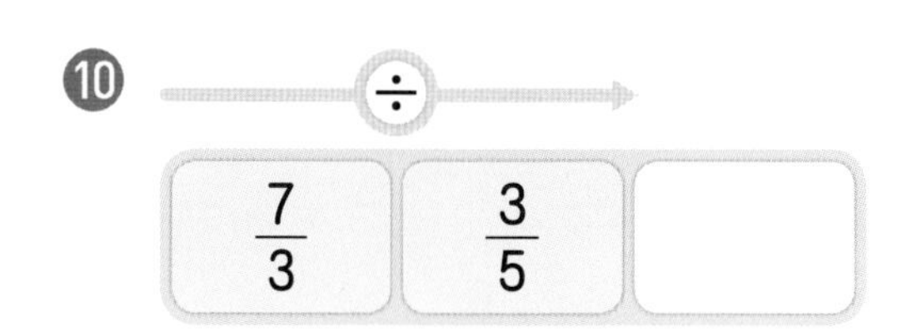

⑭
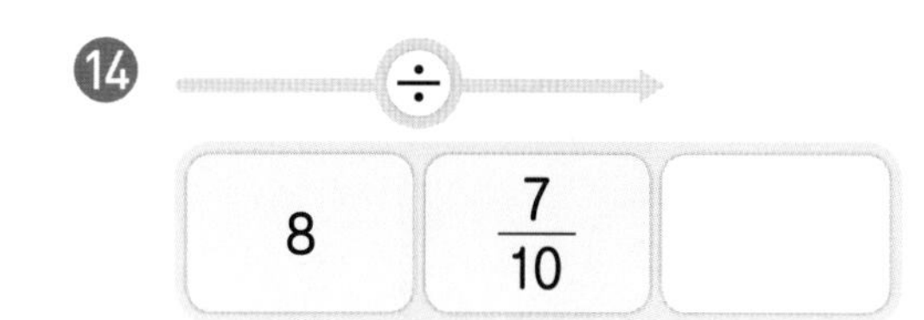

⑪
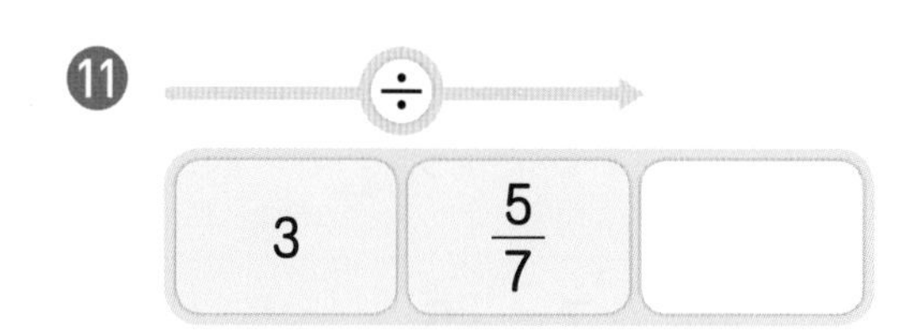

⑮
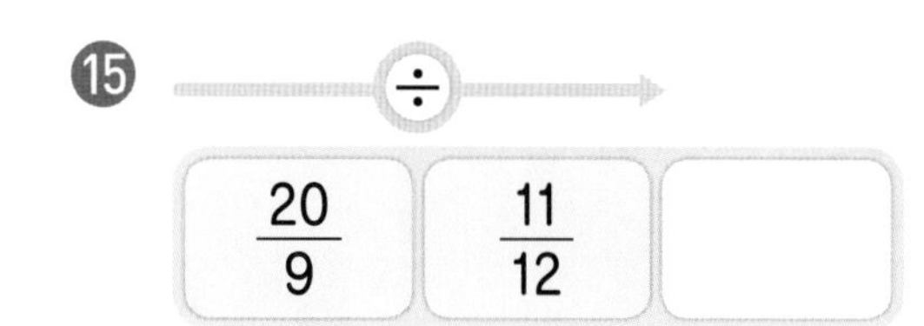

⑫
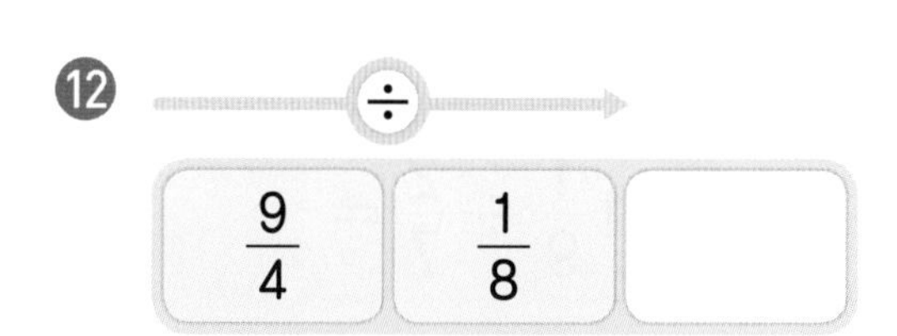

⑯
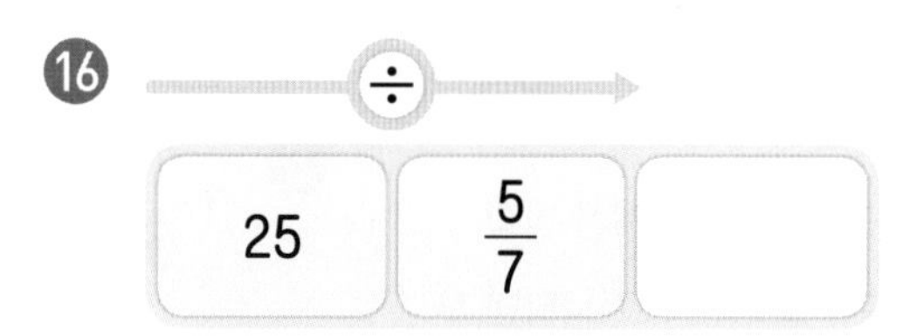

문장제 속 연산

⑰ 지혜가 귤 6 kg을 따는 데 $\frac{3}{5}$시간이 걸렸습니다. 지혜가 1시간 동안 딸 수 있는 귤의 무게는 몇 kg인지 구해 보시오.

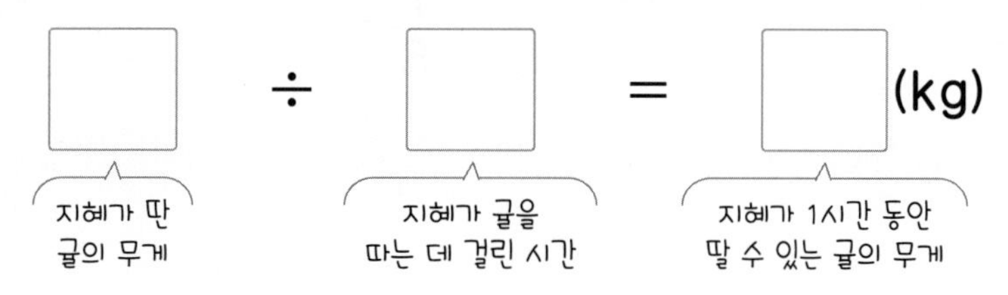

6 (대분수)÷(진분수)

• (대분수)÷(진분수)의 계산 방법

방법 1 대분수를 가분수로 나타낸 후 통분하여 계산합니다.

$$1\frac{2}{3}\div\frac{3}{4}=\frac{5}{3}\div\frac{3}{4}=\frac{20}{12}\div\frac{9}{12}$$
$$=20\div9=\frac{20}{9}=2\frac{2}{9}$$

방법 2 대분수를 가분수로 나타낸 후 분수의 곱셈으로 나타내어 계산합니다.

$$1\frac{2}{3}\div\frac{3}{4}=\frac{5}{3}\div\frac{3}{4}=\frac{5}{3}\times\frac{4}{3}$$
$$=\frac{20}{9}=2\frac{2}{9}$$

○ 계산해 보시오.

❶ $1\frac{1}{2}\div\frac{2}{3}=$

❷ $1\frac{2}{3}\div\frac{5}{6}=$

❸ $1\frac{1}{4}\div\frac{1}{3}=$

❹ $1\frac{3}{4}\div\frac{2}{5}=$

❺ $1\frac{1}{5}\div\frac{3}{7}=$

❻ $1\frac{3}{5}\div\frac{4}{9}=$

❼ $1\frac{1}{6}\div\frac{7}{8}=$

❽ $1\frac{5}{6}\div\frac{1}{2}=$

❾ $1\frac{2}{7}\div\frac{2}{3}=$

❿ $1\frac{3}{8}\div\frac{4}{5}=$

⓫ $1\frac{7}{8}\div\frac{5}{6}=$

⓬ $1\frac{1}{9}\div\frac{2}{7}=$

⓭ $2\frac{1}{2}\div\frac{1}{4}=$

⓮ $2\frac{2}{3}\div\frac{5}{6}=$

⑮ $2\frac{2}{5} \div \frac{1}{6} =$

⑯ $2\frac{3}{5} \div \frac{5}{9} =$

⑰ $2\frac{4}{5} \div \frac{2}{3} =$

⑱ $2\frac{5}{6} \div \frac{3}{4} =$

⑲ $2\frac{1}{7} \div \frac{3}{8} =$

⑳ $2\frac{6}{7} \div \frac{1}{2} =$

㉑ $2\frac{1}{8} \div \frac{4}{5} =$

㉒ $2\frac{5}{8} \div \frac{3}{7} =$

㉓ $3\frac{1}{3} \div \frac{5}{6} =$

㉔ $3\frac{3}{4} \div \frac{3}{8} =$

㉕ $3\frac{1}{5} \div \frac{3}{4} =$

㉖ $3\frac{3}{5} \div \frac{2}{3} =$

㉗ $3\frac{1}{6} \div \frac{1}{5} =$

㉘ $3\frac{1}{7} \div \frac{2}{9} =$

㉙ $3\frac{5}{7} \div \frac{3}{4} =$

㉚ $3\frac{1}{8} \div \frac{1}{6} =$

㉛ $3\frac{1}{9} \div \frac{2}{3} =$

㉜ $3\frac{8}{9} \div \frac{5}{8} =$

㉝ $4\frac{2}{3} \div \frac{5}{6} =$

㉞ $4\frac{2}{5} \div \frac{7}{10} =$

㉟ $5\frac{1}{2} \div \frac{3}{4} =$

6 (대분수)÷(진분수)

○ 계산해 보시오.

❶ $1\frac{1}{2} \div \frac{3}{4} =$

❷ $1\frac{2}{3} \div \frac{1}{2} =$

❸ $1\frac{1}{4} \div \frac{2}{5} =$

❹ $1\frac{3}{4} \div \frac{7}{8} =$

❺ $1\frac{2}{5} \div \frac{2}{3} =$

❻ $1\frac{4}{5} \div \frac{5}{6} =$

❼ $1\frac{5}{6} \div \frac{1}{7} =$

❽ $1\frac{1}{7} \div \frac{4}{9} =$

❾ $1\frac{3}{7} \div \frac{2}{5} =$

❿ $1\frac{5}{8} \div \frac{1}{4} =$

⓫ $2\frac{1}{3} \div \frac{5}{6} =$

⓬ $2\frac{2}{3} \div \frac{4}{9} =$

⓭ $2\frac{3}{4} \div \frac{2}{3} =$

⓮ $2\frac{1}{5} \div \frac{6}{7} =$

⓯ $2\frac{2}{5} \div \frac{1}{2} =$

⓰ $2\frac{4}{5} \div \frac{7}{8} =$

⓱ $2\frac{1}{6} \div \frac{2}{3} =$

⓲ $2\frac{2}{7} \div \frac{8}{9} =$

⓳ $2\frac{3}{7} \div \frac{3}{4} =$

⓴ $2\frac{4}{7} \div \frac{2}{5} =$

㉑ $2\frac{3}{8} \div \frac{1}{4} =$

㉒ $2\frac{7}{8} \div \frac{2}{3} =$

㉓ $2\frac{5}{9} \div \frac{1}{6} =$

㉔ $2\frac{8}{9} \div \frac{4}{5} =$

㉕ $3\frac{2}{3} \div \frac{5}{9} =$

㉖ $3\frac{1}{4} \div \frac{3}{7} =$

㉗ $3\frac{2}{5} \div \frac{1}{8} =$

㉘ $3\frac{3}{5} \div \frac{9}{10} =$

㉙ $3\frac{4}{5} \div \frac{1}{4} =$

㉚ $3\frac{5}{6} \div \frac{3}{8} =$

㉛ $3\frac{1}{7} \div \frac{1}{3} =$

㉜ $3\frac{2}{7} \div \frac{2}{5} =$

㉝ $3\frac{3}{7} \div \frac{2}{3} =$

㉞ $3\frac{6}{7} \div \frac{3}{8} =$

㉟ $3\frac{1}{8} \div \frac{3}{4} =$

㊱ $3\frac{3}{8} \div \frac{1}{6} =$

㊲ $3\frac{5}{9} \div \frac{4}{7} =$

㊳ $4\frac{1}{2} \div \frac{3}{4} =$

㊴ $4\frac{3}{4} \div \frac{7}{8} =$

㊵ $4\frac{2}{5} \div \frac{2}{3} =$

㊶ $5\frac{1}{3} \div \frac{4}{9} =$

㊷ $5\frac{3}{5} \div \frac{3}{10} =$

7 (대분수)÷(대분수)

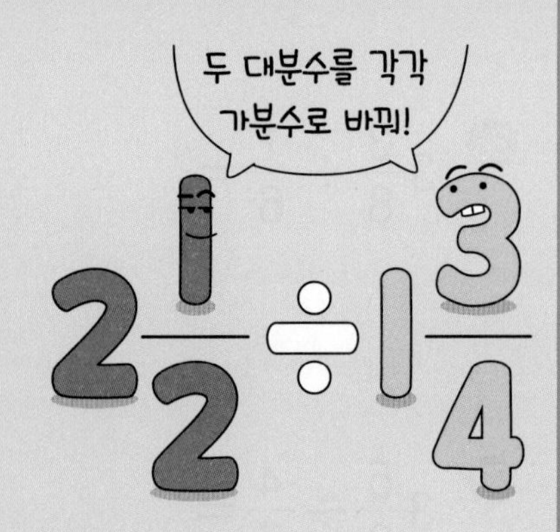

$$2\frac{1}{2}\div1\frac{3}{4}$$

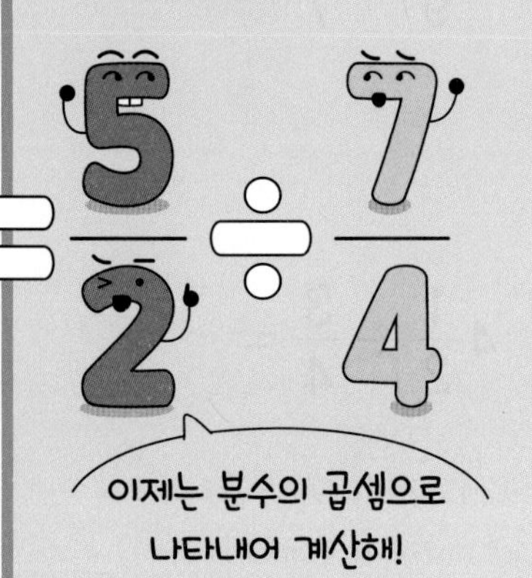

$$=\frac{5}{2}\div\frac{7}{4}$$

• (대분수)÷(대분수)의 계산 방법

방법 1 대분수를 가분수로 나타낸 후 통분하여 계산합니다.

$$2\frac{1}{2}\div1\frac{3}{4}=\frac{5}{2}\div\frac{7}{4}=\frac{10}{4}\div\frac{7}{4}$$
$$=10\div7=\frac{10}{7}=1\frac{3}{7}$$

방법 2 대분수를 가분수로 나타낸 후 분수의 곱셈으로 나타내어 계산합니다.

$$2\frac{1}{2}\div1\frac{3}{4}=\frac{5}{2}\div\frac{7}{4}=\frac{5}{\cancel{2}_{1}}\times\frac{\cancel{4}^{2}}{7}$$
$$=\frac{10}{7}=1\frac{3}{7}$$

○ 계산해 보시오.

❶ $1\frac{1}{3}\div3\frac{1}{2}=$

❷ $1\frac{2}{3}\div1\frac{5}{6}=$

❸ $1\frac{3}{4}\div1\frac{7}{8}=$

❹ $1\frac{1}{5}\div1\frac{2}{7}=$

❺ $1\frac{2}{5}\div2\frac{2}{3}=$

❻ $1\frac{4}{5}\div3\frac{3}{4}=$

❼ $1\frac{1}{6}\div2\frac{1}{2}=$

❽ $1\frac{5}{6}\div3\frac{2}{3}=$

❾ $1\frac{2}{7}\div2\frac{2}{5}=$

❿ $1\frac{4}{7}\div1\frac{2}{9}=$

⓫ $1\frac{7}{8}\div2\frac{1}{6}=$

⓬ $1\frac{5}{9}\div3\frac{1}{7}=$

⓭ $2\frac{1}{2}\div1\frac{7}{8}=$

⓮ $2\frac{1}{3}\div5\frac{1}{4}=$

⑮ $2\frac{2}{5} \div 3\frac{1}{2} =$

⑯ $2\frac{4}{5} \div 1\frac{1}{9} =$

⑰ $2\frac{5}{6} \div 2\frac{2}{5} =$

⑱ $2\frac{2}{7} \div 1\frac{1}{8} =$

⑲ $2\frac{5}{7} \div 1\frac{2}{3} =$

⑳ $2\frac{6}{7} \div 3\frac{3}{4} =$

㉑ $2\frac{1}{8} \div 8\frac{1}{2} =$

㉒ $2\frac{2}{9} \div 6\frac{2}{3} =$

㉓ $3\frac{1}{3} \div 1\frac{1}{9} =$

㉔ $3\frac{2}{3} \div 2\frac{1}{4} =$

㉕ $3\frac{1}{4} \div 1\frac{5}{8} =$

㉖ $3\frac{3}{5} \div 2\frac{1}{7} =$

㉗ $3\frac{4}{5} \div 1\frac{4}{9} =$

㉘ $3\frac{1}{6} \div 1\frac{3}{5} =$

㉙ $3\frac{3}{7} \div 2\frac{1}{4} =$

㉚ $3\frac{4}{7} \div 1\frac{7}{8} =$

㉛ $3\frac{3}{8} \div 7\frac{1}{2} =$

㉜ $3\frac{7}{9} \div 2\frac{1}{6} =$

㉝ $4\frac{1}{2} \div 1\frac{1}{4} =$

㉞ $4\frac{1}{6} \div 3\frac{1}{3} =$

㉟ $5\frac{1}{4} \div 2\frac{5}{8} =$

7 (대분수) ÷ (대분수)

○ 계산해 보시오.

1. $1\frac{1}{2} \div 1\frac{1}{3} =$

2. $1\frac{2}{3} \div 2\frac{1}{2} =$

3. $1\frac{1}{4} \div 1\frac{3}{5} =$

4. $1\frac{3}{4} \div 3\frac{4}{7} =$

5. $1\frac{2}{5} \div 1\frac{1}{4} =$

6. $1\frac{3}{5} \div 2\frac{1}{3} =$

7. $1\frac{5}{6} \div 1\frac{3}{5} =$

8. $1\frac{1}{7} \div 1\frac{5}{6} =$

9. $1\frac{3}{7} \div 2\frac{4}{5} =$

10. $1\frac{5}{7} \div 2\frac{2}{3} =$

11. $1\frac{1}{8} \div 2\frac{2}{7} =$

12. $1\frac{3}{8} \div 2\frac{1}{9} =$

13. $2\frac{2}{3} \div 5\frac{1}{2} =$

14. $2\frac{1}{4} \div 1\frac{1}{8} =$

15. $2\frac{1}{5} \div 1\frac{2}{3} =$

16. $2\frac{3}{5} \div 3\frac{1}{4} =$

17. $2\frac{1}{6} \div 2\frac{1}{7} =$

18. $2\frac{1}{7} \div 1\frac{7}{8} =$

19. $2\frac{3}{7} \div 1\frac{1}{5} =$

20. $2\frac{4}{7} \div 2\frac{1}{3} =$

21. $2\frac{3}{8} \div 1\frac{4}{5} =$

㉒ $2\frac{5}{8} \div 1\frac{1}{6} =$

㉓ $2\frac{7}{8} \div 1\frac{3}{7} =$

㉔ $2\frac{1}{9} \div 2\frac{1}{3} =$

㉕ $2\frac{4}{9} \div 5\frac{1}{2} =$

㉖ $3\frac{1}{2} \div 1\frac{3}{4} =$

㉗ $3\frac{3}{4} \div 2\frac{2}{5} =$

㉘ $3\frac{1}{5} \div 1\frac{5}{8} =$

㉙ $3\frac{2}{5} \div 5\frac{2}{3} =$

㉚ $3\frac{5}{6} \div 5\frac{3}{4} =$

㉛ $3\frac{1}{7} \div 2\frac{1}{5} =$

㉜ $3\frac{2}{7} \div 5\frac{3}{4} =$

㉝ $3\frac{5}{7} \div 6\frac{1}{2} =$

㉞ $3\frac{6}{7} \div 2\frac{1}{4} =$

㉟ $3\frac{1}{8} \div 1\frac{2}{3} =$

㊱ $3\frac{7}{8} \div 7\frac{3}{4} =$

㊲ $3\frac{1}{9} \div 2\frac{4}{5} =$

㊳ $3\frac{8}{9} \div 3\frac{1}{8} =$

㊴ $4\frac{2}{3} \div 3\frac{1}{2} =$

㊵ $4\frac{1}{4} \div 5\frac{2}{3} =$

㊶ $5\frac{1}{2} \div 2\frac{3}{4} =$

㊷ $5\frac{5}{6} \div 2\frac{6}{7} =$

6 ~ 7 다르게 풀기

○ 빈칸에 알맞은 수를 써넣으시오.

❶
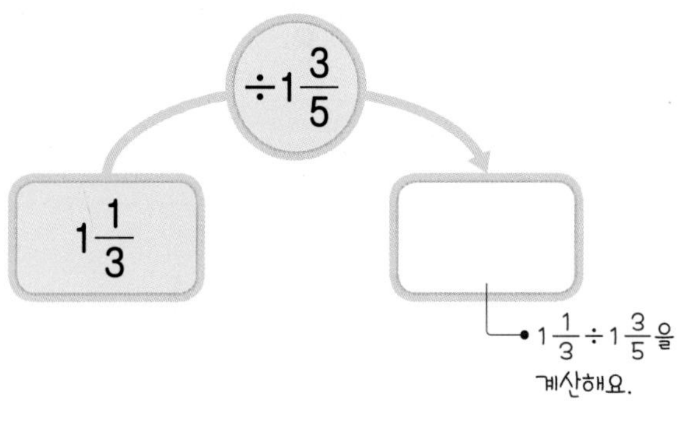

❷
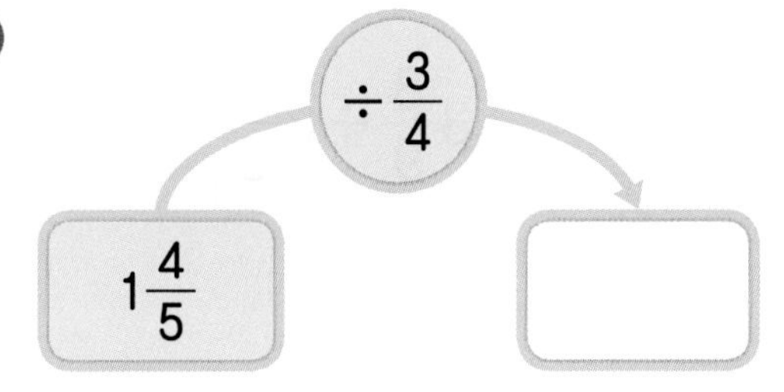

❸
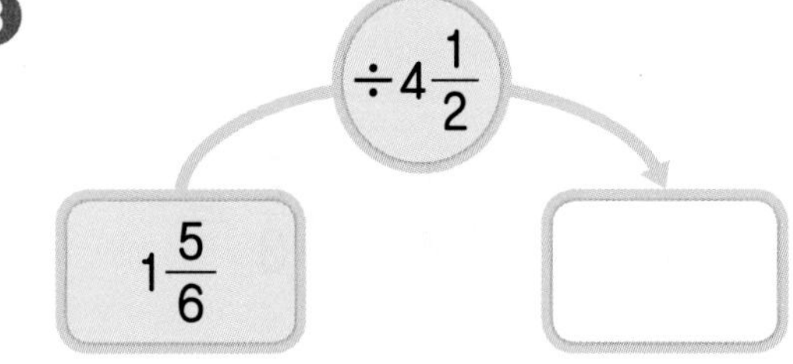

❹
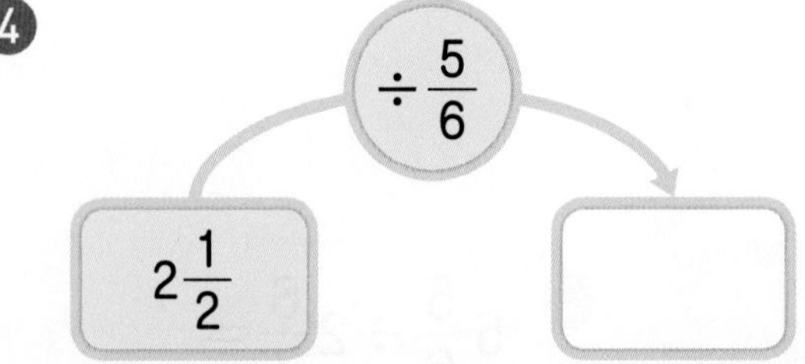

❺
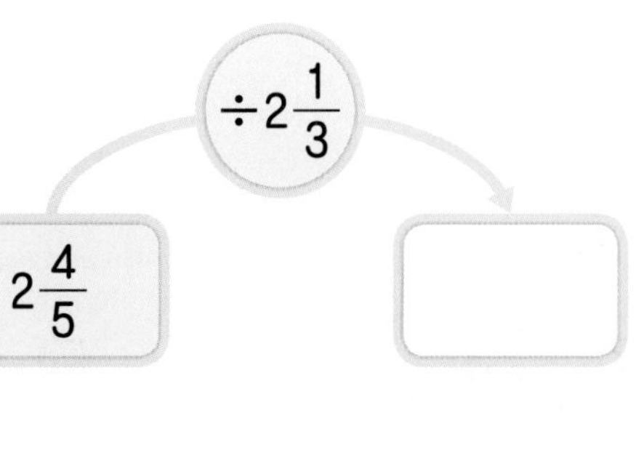

❻
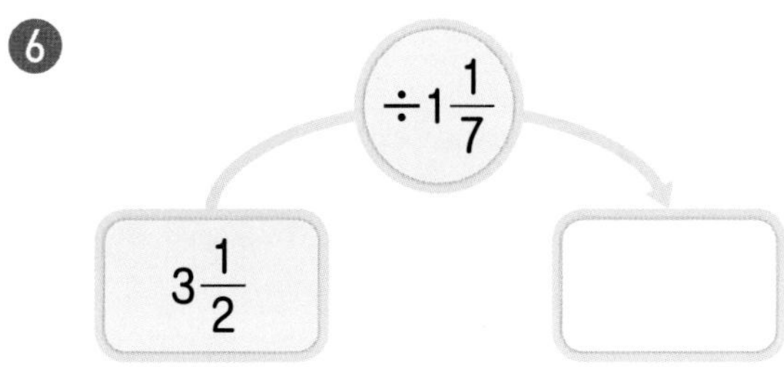

❼
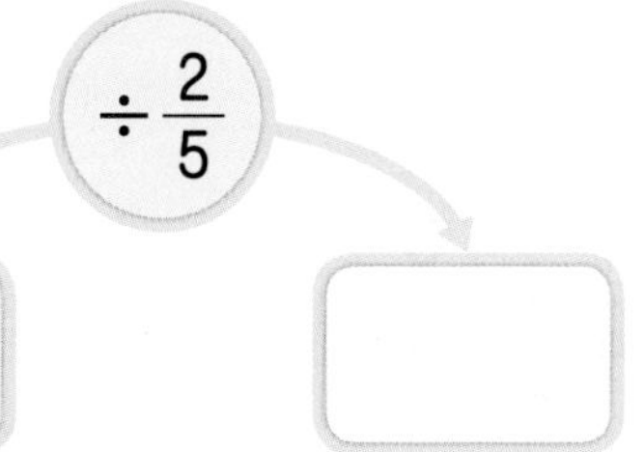

❽
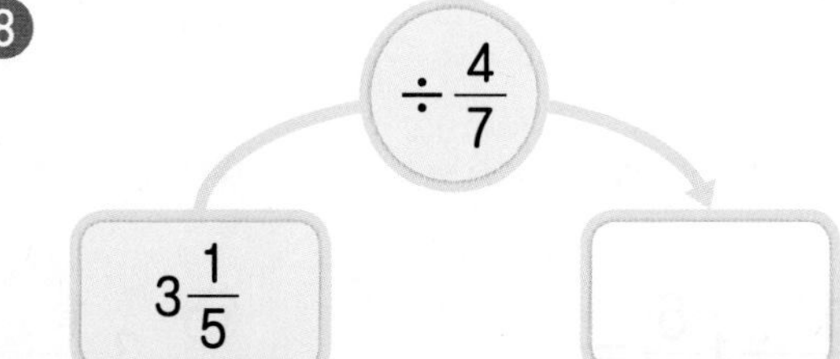

9
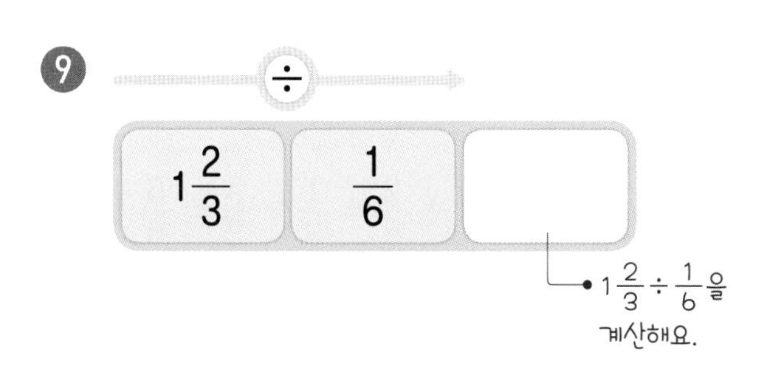

13
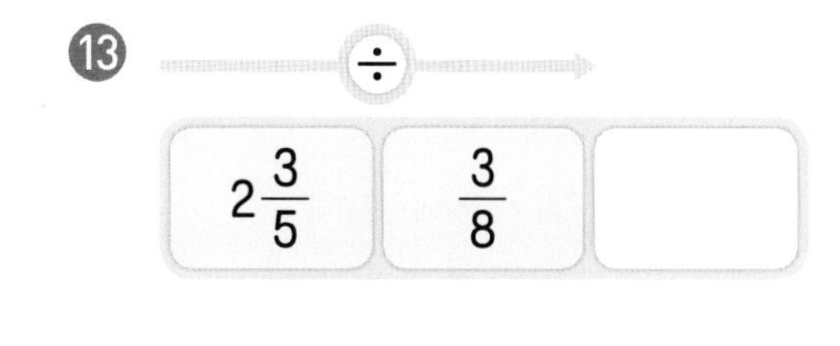

10
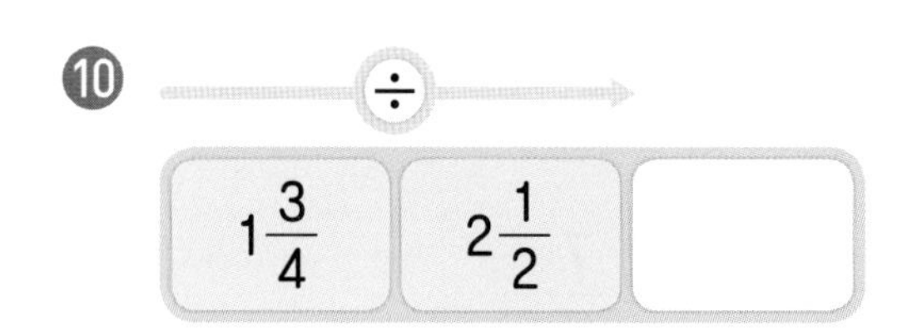

14
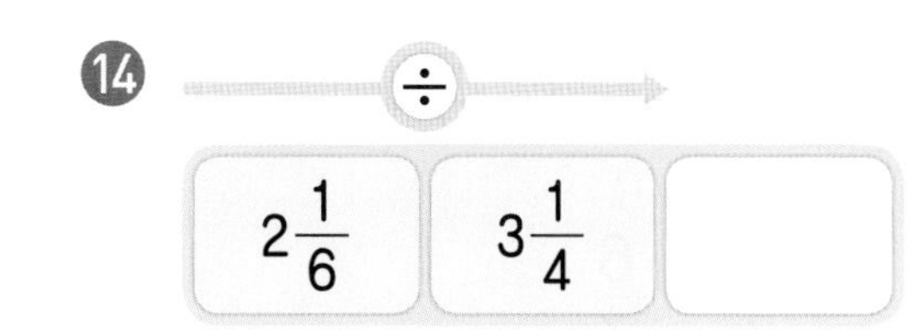

11
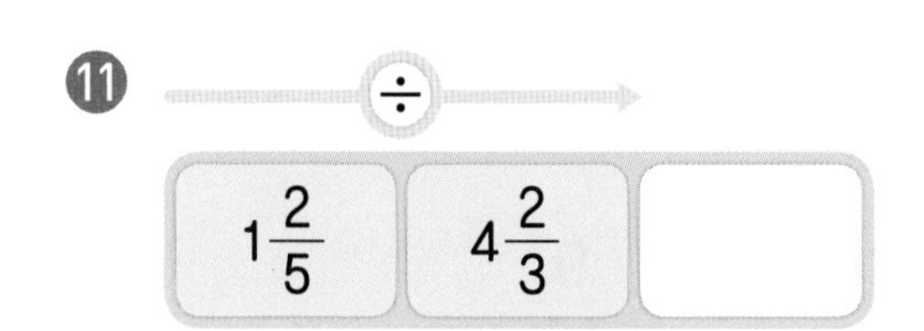

15
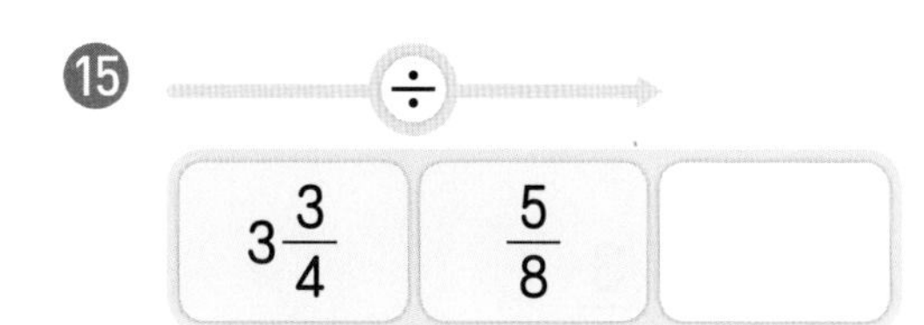

12

÷

$2\frac{1}{3}$ | $\frac{2}{7}$ |

16
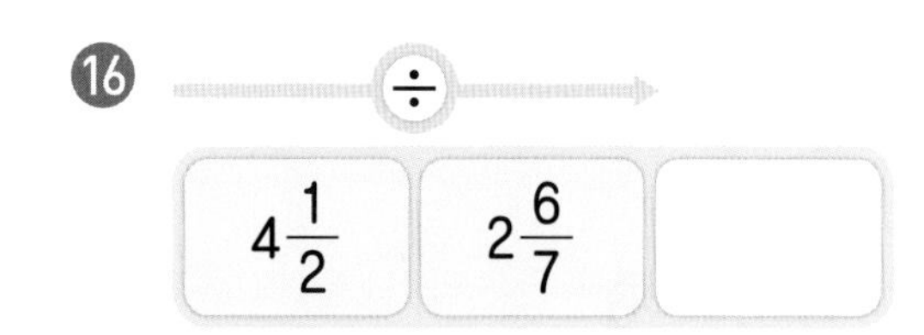

문장제 속 연산

17 넓이가 $6\frac{5}{12}$ cm^2인 직사각형이 있습니다. 이 직사각형의 가로가 $2\frac{3}{4}$ cm일 때 세로는 몇 cm인지 구해 보시오.

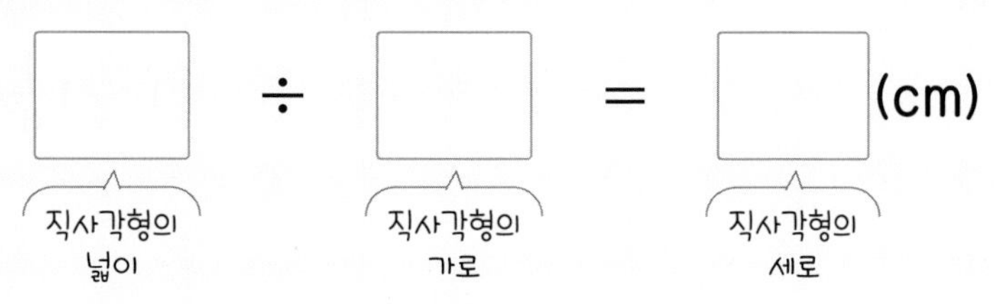

초등에서 푸는 방정식 계산 비법

원리 곱셈과 나눗셈의 관계

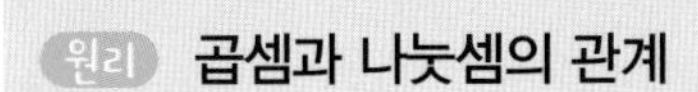

적용 곱셈식의 어떤 수(□) 구하기

- $\square \times \frac{2}{5} = \frac{1}{3} \longrightarrow \square = \frac{1}{3} \div \frac{2}{5} = \frac{1}{3} \times \frac{5}{2} = \frac{5}{6}$
- $\frac{3}{4} \times \square = \frac{1}{3} \longrightarrow \square = \frac{1}{3} \div \frac{3}{4} = \frac{1}{3} \times \frac{4}{3} = \frac{4}{9}$

○ 어떤 수(□)를 구하려고 합니다. □ 안에 알맞은 수를 써넣으시오.

❶ $\square \times \frac{1}{7} = \frac{6}{7}$

$\frac{6}{7} \div \frac{1}{7} = \square$

❷ $\square \times \frac{3}{8} = \frac{3}{4}$

$\frac{3}{4} \div \frac{3}{8} = \square$

❸ $\square \times \frac{3}{4} = 6$

$6 \div \frac{3}{4} = \square$

❹ $\square \times \frac{5}{6} = \frac{8}{5}$

$\frac{8}{5} \div \frac{5}{6} = \square$

❺ $\frac{3}{8} \times \square = \frac{7}{8}$

$\frac{7}{8} \div \frac{3}{8} = \square$

❻ $\frac{2}{5} \times \square = \frac{9}{10}$

$\frac{9}{10} \div \frac{2}{5} = \square$

❼ $\frac{5}{6} \times \square = 10$

$10 \div \frac{5}{6} = \square$

❽ $\frac{3}{5} \times \square = 1\frac{1}{4}$

$1\frac{1}{4} \div \frac{3}{5} = \square$

❾ $\square \times \frac{2}{9} = \frac{8}{9}$

$\frac{8}{9} \div \frac{2}{9} = \square$

❿ $\square \times \frac{7}{15} = \frac{13}{15}$

$\frac{13}{15} \div \frac{7}{15} = \square$

⓫ $\square \times \frac{1}{12} = \frac{1}{4}$

$\frac{1}{4} \div \frac{1}{12} = \square$

⓬ $\square \times \frac{2}{5} = 10$

$10 \div \frac{2}{5} = \square$

⓭ $\square \times \frac{6}{7} = 3\frac{3}{5}$

$3\frac{3}{5} \div \frac{6}{7} = \square$

⓮ $\frac{3}{13} \times \square = \frac{9}{13}$

$\frac{9}{13} \div \frac{3}{13} = \square$

⓯ $\frac{1}{4} \times \square = \frac{2}{5}$

$\frac{2}{5} \div \frac{1}{4} = \square$

⓰ $\frac{7}{12} \times \square = 8$

$8 \div \frac{7}{12} = \square$

⓱ $\frac{7}{8} \times \square = \frac{21}{16}$

$\frac{21}{16} \div \frac{7}{8} = \square$

⓲ $1\frac{7}{8} \times \square = 2\frac{7}{9}$

$2\frac{7}{9} \div 1\frac{7}{8} = \square$

평가 1. 분수의 나눗셈

○ 계산해 보시오.

1 $\frac{4}{9} \div \frac{2}{9} =$

2 $\frac{9}{10} \div \frac{3}{10} =$

3 $\frac{12}{13} \div \frac{3}{13} =$

4 $\frac{1}{5} \div \frac{4}{5} =$

5 $\frac{5}{7} \div \frac{2}{7} =$

6 $\frac{8}{15} \div \frac{7}{15} =$

7 $\frac{3}{4} \div \frac{5}{6} =$

8 $\frac{4}{15} \div \frac{13}{20} =$

9 $\frac{7}{24} \div \frac{7}{8} =$

10 $3 \div \frac{5}{9} =$

11 $7 \div \frac{1}{3} =$

12 $8 \div \frac{4}{5} =$

13 $\frac{5}{4} \div \frac{2}{5} =$

14 $\frac{11}{6} \div \frac{3}{7} =$

15 $\frac{19}{10} \div \frac{3}{8} =$

16 $1\frac{4}{5} \div \frac{3}{7} =$

17 $1\frac{3}{8} \div \frac{1}{4} =$

18 $3\frac{1}{2} \div \frac{7}{9} =$

19 $2\frac{5}{6} \div 6\frac{2}{3} =$

20 $3\frac{3}{4} \div 2\frac{1}{2} =$

○ 빈칸에 알맞은 수를 써넣으시오.

21 $\frac{3}{10}$ → $\div \frac{7}{10}$ → ☐

22 $\frac{11}{12}$ → $\div \frac{5}{8}$ → ☐

23
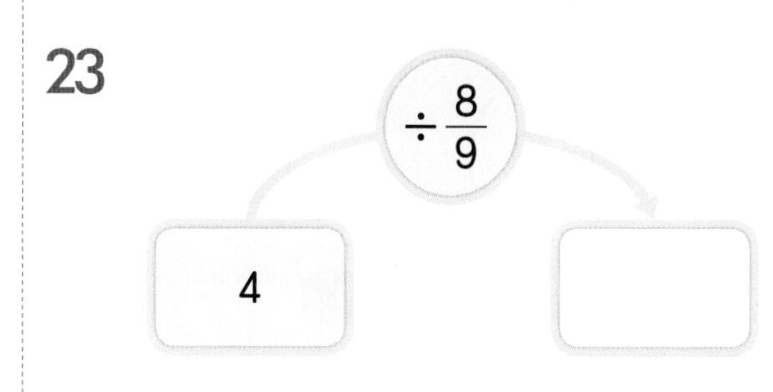

24 $2\frac{1}{4}$ → $\div \frac{3}{5}$ → ☐

25 $1\frac{2}{5}$ → $\div 2\frac{1}{3}$ → ☐

1단원의 연산 실력을 보충하고 싶다면 **클리닉 북 1~7쪽**을 풀어 보세요.

2 소수의 나눗셈

학습하는 데 걸린 시간을 작성해 봐요!

학습 내용	학습 회차	걸린 시간
1 자연수의 나눗셈을 이용한 (소수)÷(소수)	1일 차	/5분
	2일 차	/7분
2 (소수 한 자리 수)÷(소수 한 자리 수)	3일 차	/11분
	4일 차	/16분
3 (소수 두 자리 수)÷(소수 두 자리 수)	5일 차	/12분
	6일 차	/17분
1 ~ 3 다르게 풀기	7일 차	/9분
4 (소수 두 자리 수)÷(소수 한 자리 수)	8일 차	/13분
	9일 차	/19분
5 (자연수)÷(소수 한 자리 수)	10일 차	/13분
	11일 차	/18분
6 (자연수)÷(소수 두 자리 수)	12일 차	/15분
	13일 차	/20분
4 ~ 6 다르게 풀기	14일 차	/10분
7 몫을 반올림하여 나타내기	15일 차	/13분
	16일 차	/13분
8 나누어 주고 남는 양	17일 차	/12분
	18일 차	/14분
7 ~ 8 다르게 풀기	19일 차	/11분
비법 강의 초등에서 푸는 방정식 계산 비법	20일 차	/9분
평가 2. 소수의 나눗셈	21일 차	/19분

1 자연수의 나눗셈을 이용한 (소수)÷(소수)

나누어지는 수와 나누는 수에 똑같이 10배 또는 100배 하여 (자연수)÷(자연수)로 계산하면 돼!

11.4÷0.6

10배↓ ↓10배

114÷6=19

몫이 같아!

11.4÷0.6=19

- 자연수의 나눗셈을 이용하여 (소수)÷(소수)를 계산하는 방법

• (소수 한 자리 수)÷(소수 한 자리 수)
나누어지는 수와 나누는 수에 똑같이 10배를 하여 (자연수)÷(자연수)로 계산합니다.

11.4 ÷ 0.6
10배 10배
114 ÷ 6 = 19
⇨ 11.4÷0.6=19

• (소수 두 자리 수)÷(소수 두 자리 수)
나누어지는 수와 나누는 수에 똑같이 100배를 하여 (자연수)÷(자연수)로 계산합니다.

1.14 ÷ 0.06
100배 100배
114 ÷ 6 = 19
⇨ 1.14÷0.06=19

○ 자연수의 나눗셈을 이용하여 소수의 나눗셈을 계산해 보시오.

1
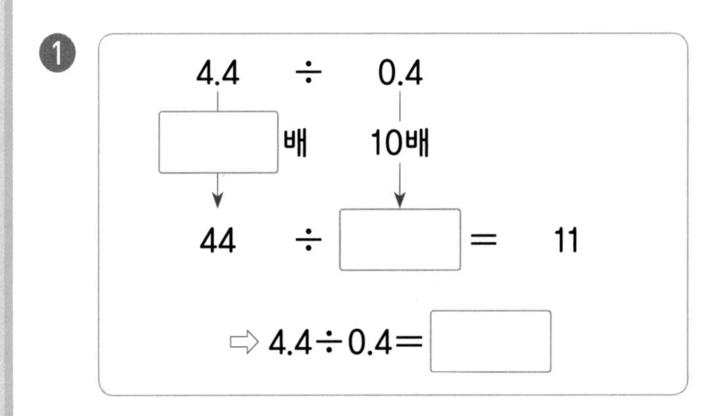

2
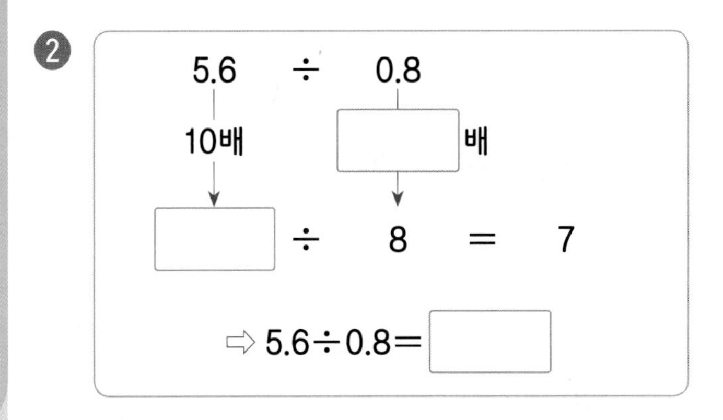

3
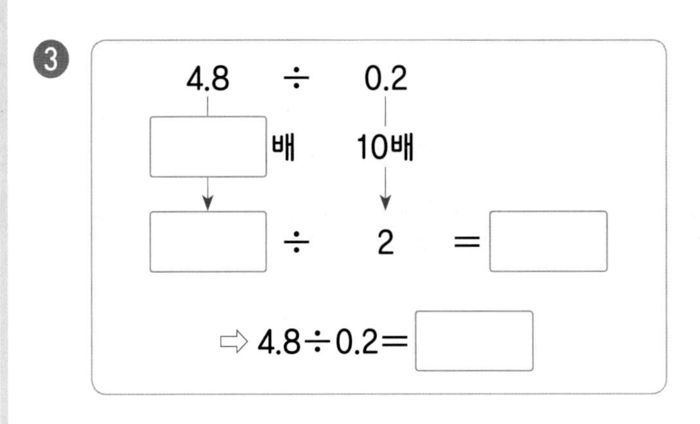

4
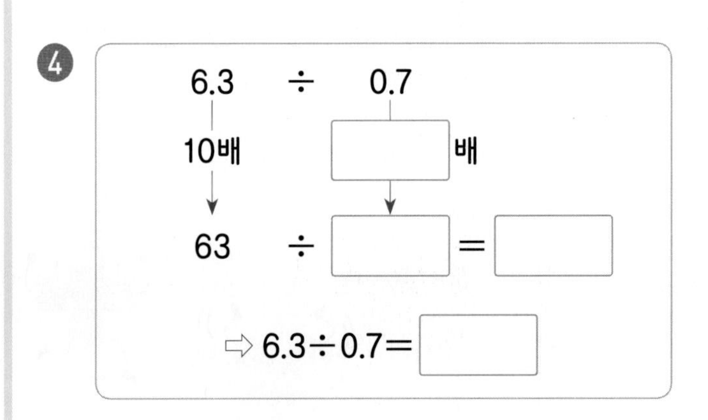

❺
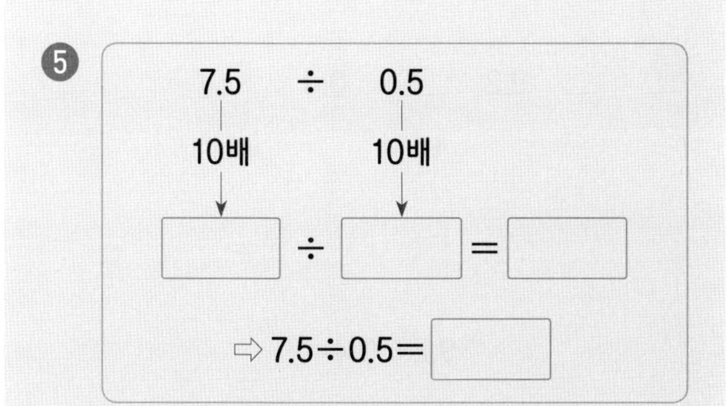
7.5 ÷ 0.5
10배 10배
÷ =
⇨ 7.5÷0.5=

❻
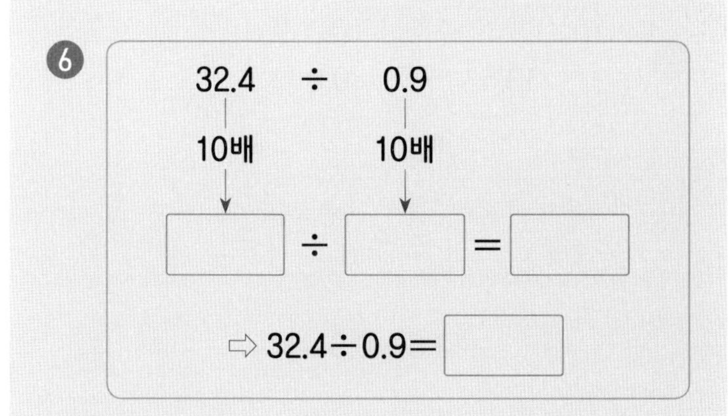
32.4 ÷ 0.9
10배 10배
÷ =
⇨ 32.4÷0.9=

❼
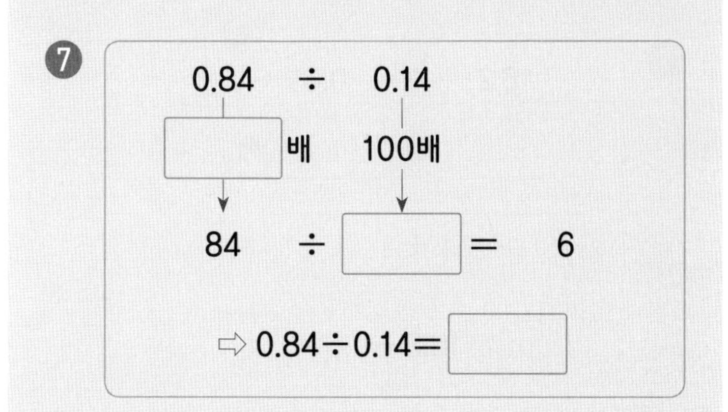
0.84 ÷ 0.14
배 100배
84 ÷ = 6
⇨ 0.84÷0.14=

❽
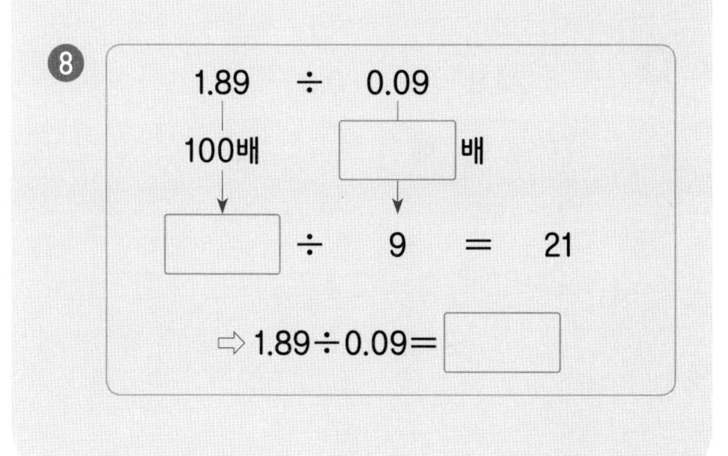
1.89 ÷ 0.09
100배 배
÷ 9 = 21
⇨ 1.89÷0.09=

❾
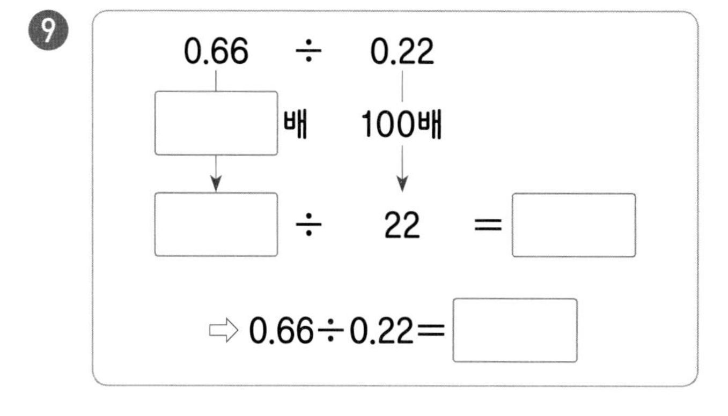
0.66 ÷ 0.22
배 100배
÷ 22 =
⇨ 0.66÷0.22=

❿
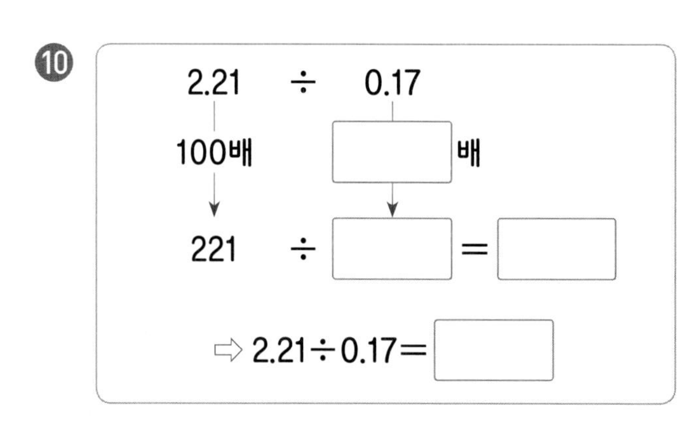
2.21 ÷ 0.17
100배 배
221 ÷ =
⇨ 2.21÷0.17=

⓫
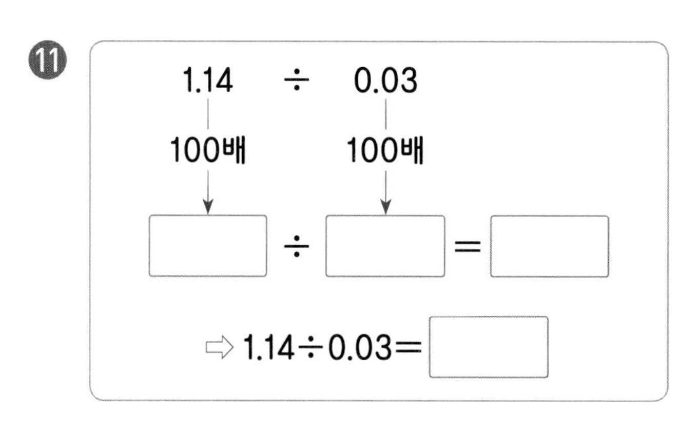
1.14 ÷ 0.03
100배 100배
÷ =
⇨ 1.14÷0.03=

⓬
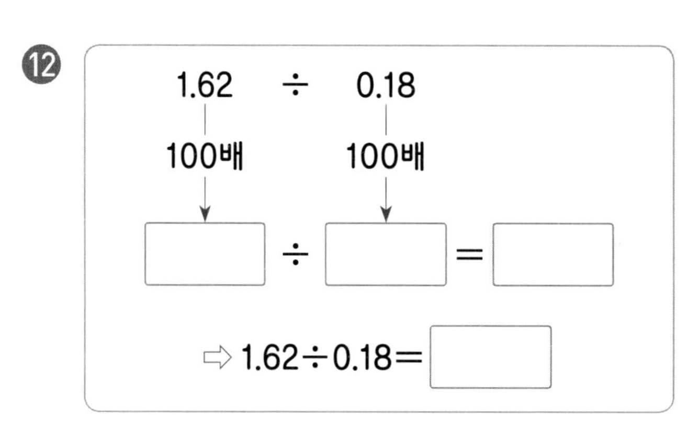
1.62 ÷ 0.18
100배 100배
÷ =
⇨ 1.62÷0.18=

1 자연수의 나눗셈을 이용한 (소수)÷(소수)

○ 자연수의 나눗셈을 이용하여 소수의 나눗셈을 계산해 보시오.

❶
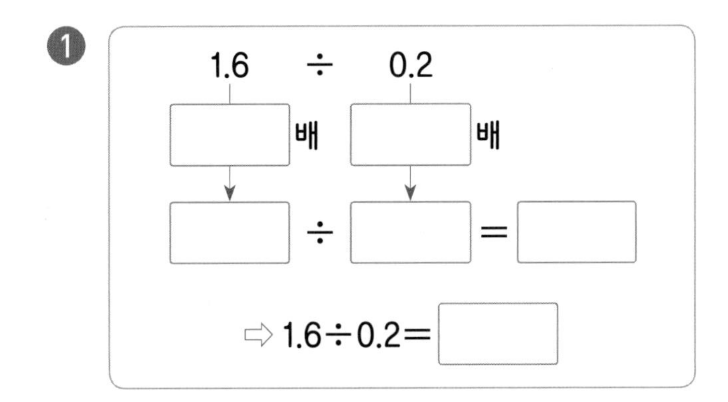

❷
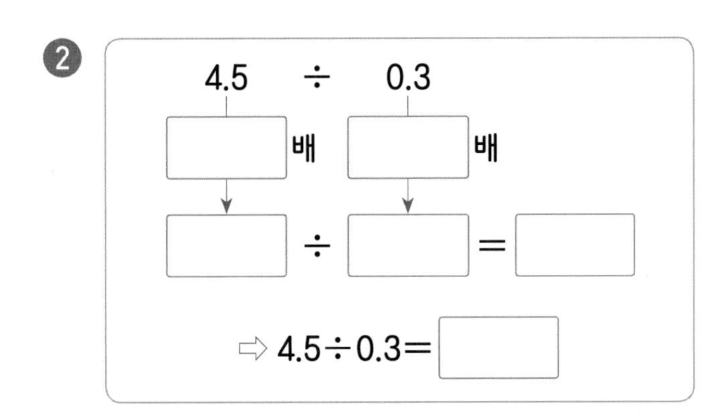

❸
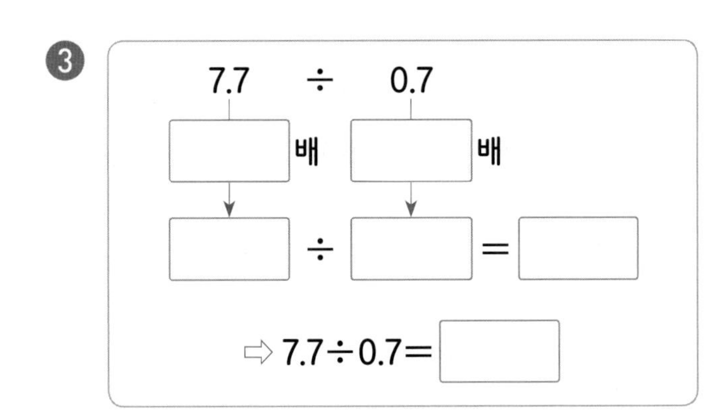

❹
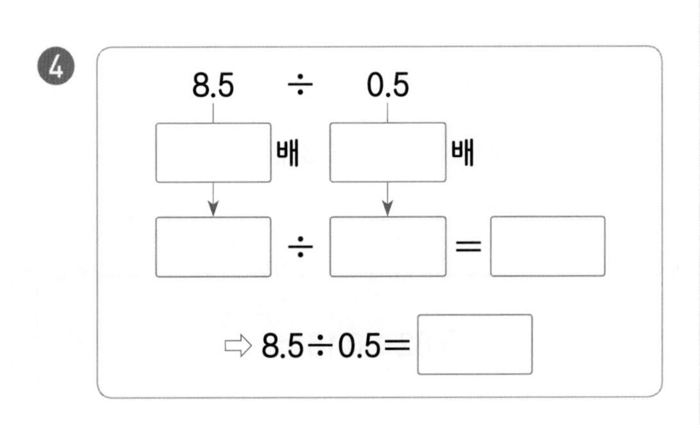

❺
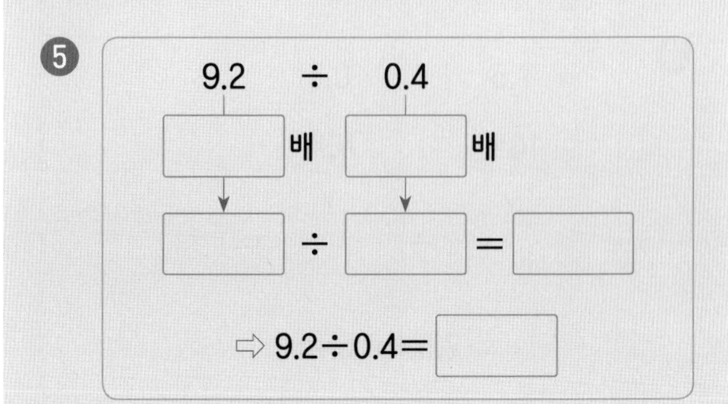

❻
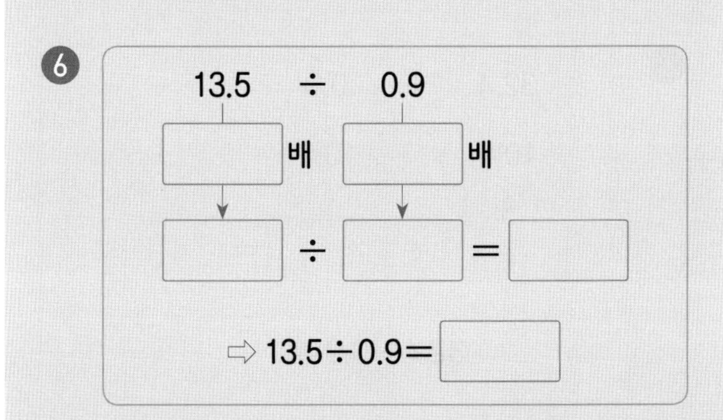

❼
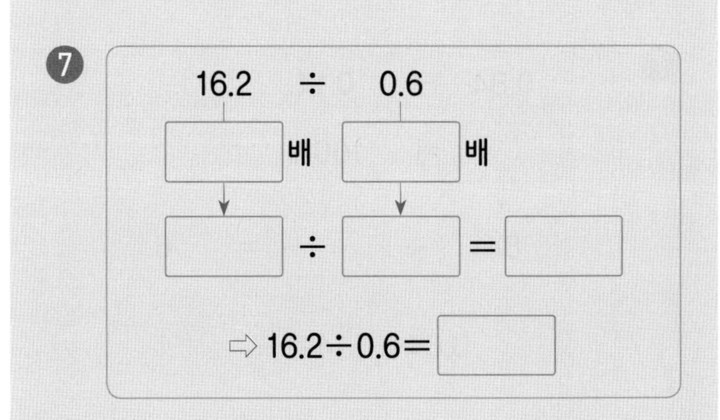

❽
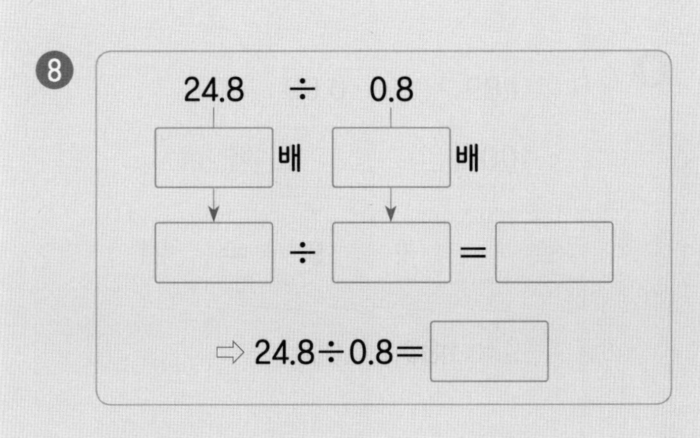

9
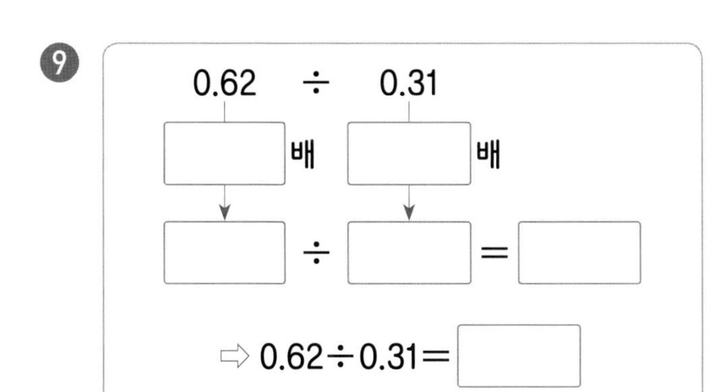

10
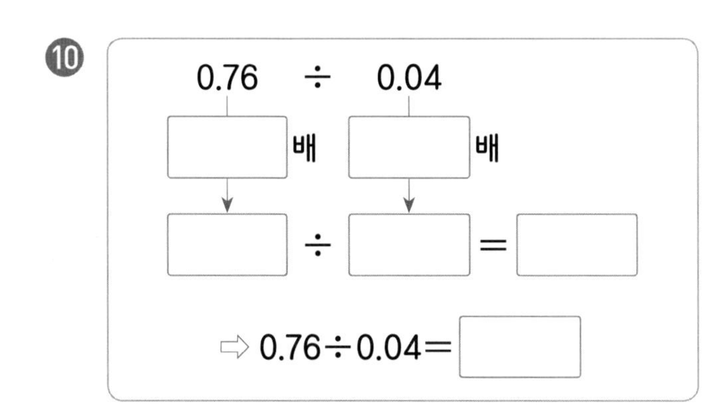

11
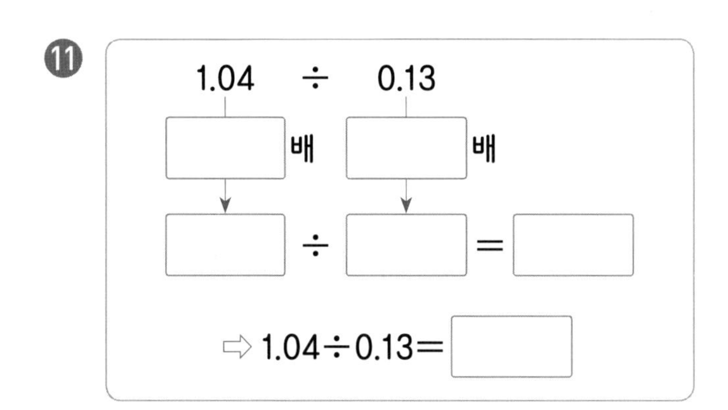

12
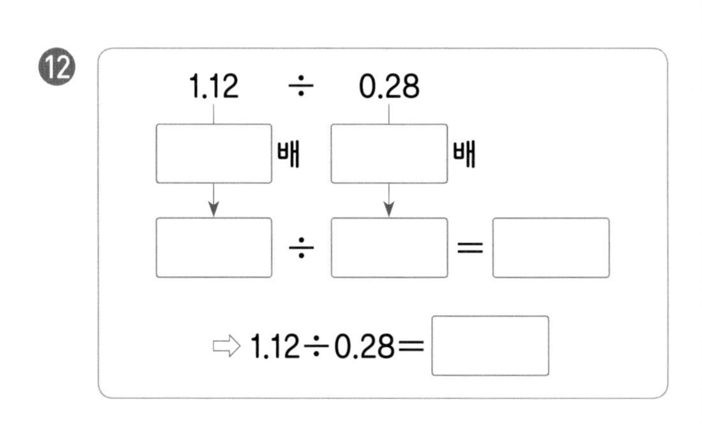

13
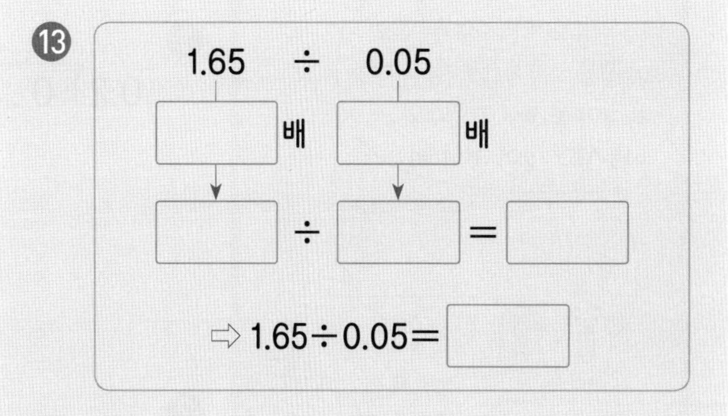

14
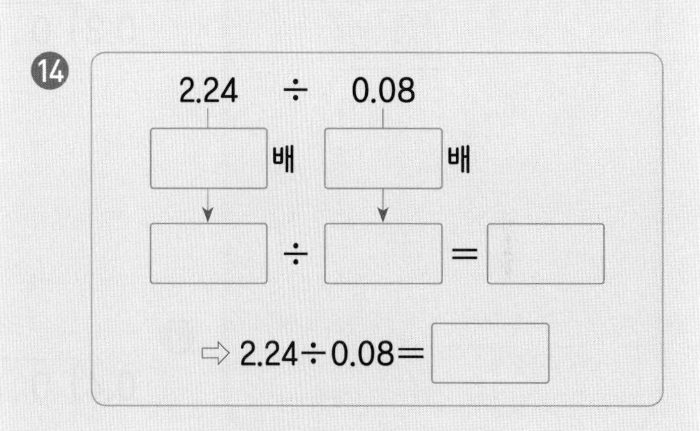

15
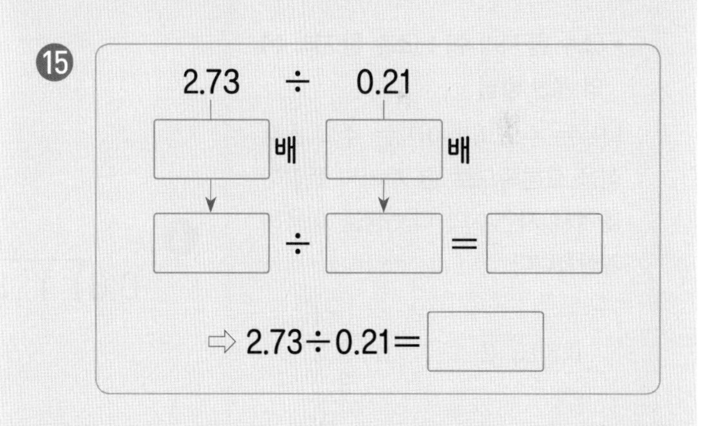

16
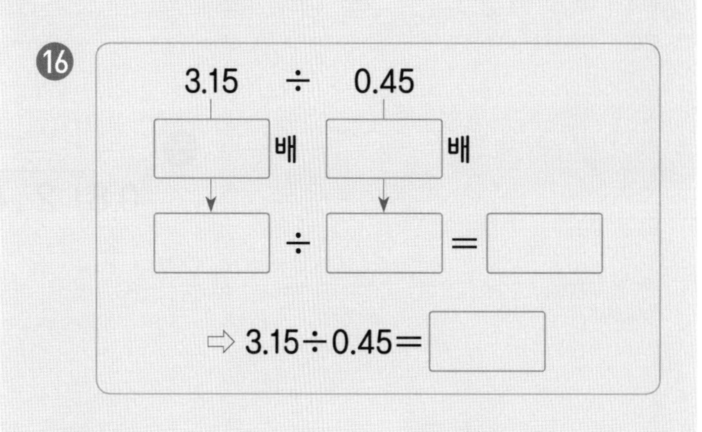

2 (소수 한 자리 수)÷(소수 한 자리 수)

• (소수 한 자리 수)÷(소수 한 자리 수)의 계산 방법

나누는 수와 나누어지는 수의 소수점을 오른쪽으로 한 자리씩 똑같이 옮겨서 자연수의 나눗셈을 이용해 계산합니다.

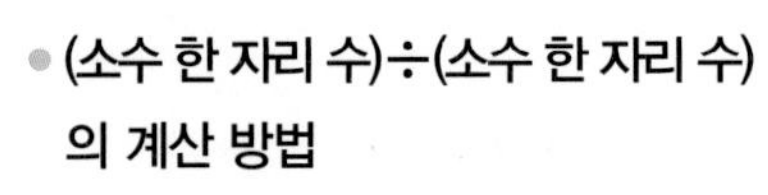

○ 계산해 보시오.

❶ $0.2\overline{)\,0.4}$

❷ $0.3\overline{)\,0.6}$

❸ $0.4\overline{)\,0.8}$

❹ $0.6\overline{)\,1.8}$

❺ $0.8\overline{)\,2.4}$

❻ $0.9\overline{)\,2.7}$

❼ $1.1\overline{)\,4.4}$

❽ $1.2\overline{)\,7.2}$

❾ $1.3\overline{)\,9.1}$

❿ $1.7\overline{)\,13.6}$

⓫ $1.9\overline{)22.8}$

⓬ $2.1\overline{)23.1}$

⓭ $2.4\overline{)38.4}$

⓮ $2.7\overline{)40.5}$

⓯ $3.6\overline{)46.8}$

⓰ $3.8\overline{)60.8}$

⓱ $4.3\overline{)81.7}$

⓲ $4.5\overline{)94.5}$

⓳ $5.3\overline{)95.4}$

⓴ $5.8\overline{)98.6}$

㉑ $6.1\overline{)140.3}$

㉒ $6.2\overline{)161.2}$

㉓ $7.3\overline{)182.5}$

㉔ $7.6\overline{)220.4}$

㉕ $8.3\overline{)265.6}$

2 (소수 한 자리 수) ÷ (소수 한 자리 수)

○ 계산해 보시오.

❶ $0.3\overline{)\,1.5}$

❷ $0.7\overline{)\,2.8}$

❸ $0.8\overline{)\,4.8}$

❹ $1.1\overline{)\,5.5}$

❺ $1.4\overline{)\,9.8}$

❻ $1.5\overline{)\,13.5}$

❼ $1.8\overline{)\,14.4}$

❽ $2.5\overline{)\,32.5}$

❾ $2.7\overline{)\,29.7}$

❿ $3.2\overline{)\,73.6}$

⓫ $5.2\overline{)\,93.6}$

⓬ $6.3\overline{)\,81.9}$

⓭ $7.1\overline{)\,156.2}$

⓮ $8.8\overline{)\,167.2}$

⓯ $9.2\overline{)\,248.4}$

⑯ $0.6 \div 0.2 =$

⑰ $1.8 \div 0.9 =$

⑱ $2.4 \div 0.4 =$

⑲ $4.2 \div 0.6 =$

⑳ $4.5 \div 1.5 =$

㉑ $5.7 \div 1.9 =$

㉒ $6.5 \div 1.3 =$

㉓ $10.5 \div 3.5 =$

㉔ $11.9 \div 1.7 =$

㉕ $12.8 \div 1.6 =$

㉖ $14.8 \div 3.7 =$

㉗ $25.2 \div 2.1 =$

㉘ $30.8 \div 2.8 =$

㉙ $37.4 \div 2.2 =$

㉚ $54.6 \div 4.2 =$

㉛ $70.4 \div 4.4 =$

㉜ $89.6 \div 6.4 =$

㉝ $108.3 \div 5.7 =$

㉞ $142.5 \div 9.5 =$

㉟ $172.2 \div 8.2 =$

㊱ $268.6 \div 7.9 =$

3 (소수 두 자리 수) ÷(소수 두 자리 수)

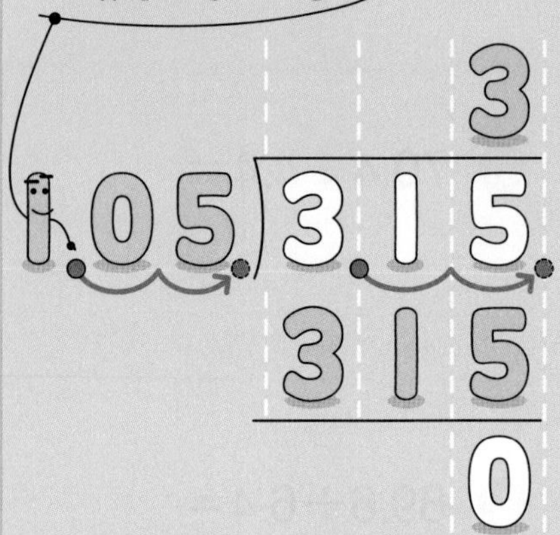

- (소수 두 자리 수)÷(소수 두 자리 수)의 계산 방법

나누는 수와 나누어지는 수의 소수점을 오른쪽으로 두 자리씩 똑같이 옮겨서 자연수의 나눗셈을 이용해 계산합니다.

$1.05\overline{)3.15} \Rightarrow 105\overline{)315}$, 몫 3, $315 - 315 = 0$

○ 계산해 보시오.

❶ $0.02\overline{)0.08}$

❷ $0.03\overline{)0.09}$

❸ $0.06\overline{)0.36}$

❹ $0.11\overline{)0.77}$

❺ $0.28\overline{)1.12}$

❻ $0.39\overline{)1.17}$

❼ $0.47\overline{)3.76}$

❽ $0.58\overline{)4.06}$

❾ $0.73\overline{)4.38}$

❿ $0.99\overline{)8.91}$

⑪ $1.15\overline{)12.65}$

⑯ $2.14\overline{)38.52}$

㉑ $3.17\overline{)72.91}$

⑫ $1.48\overline{)17.76}$

⑰ $2.22\overline{)42.18}$

㉒ $3.53\overline{)77.66}$

⑬ $1.59\overline{)20.67}$

⑱ $2.48\overline{)47.12}$

㉓ $4.09\overline{)85.89}$

⑭ $1.74\overline{)24.36}$

⑲ $2.56\overline{)43.52}$

㉔ $5.53\overline{)132.72}$

⑮ $1.88\overline{)39.48}$

⑳ $2.68\overline{)56.28}$

㉕ $7.12\overline{)199.36}$

3 (소수 두 자리 수)÷(소수 두 자리 수)

○ 계산해 보시오.

❶ $0.05\overline{)0.25}$

❷ $0.08\overline{)0.72}$

❸ $0.16\overline{)0.64}$

❹ $0.24\overline{)1.68}$

❺ $0.63\overline{)5.04}$

❻ $0.81\overline{)8.91}$

❼ $1.04\overline{)16.64}$

❽ $1.37\overline{)19.18}$

❾ $1.92\overline{)21.12}$

❿ $2.13\overline{)31.95}$

⓫ $2.47\overline{)46.93}$

⓬ $3.23\overline{)58.14}$

⓭ $5.78\overline{)69.36}$

⓮ $6.16\overline{)141.68}$

⓯ $8.04\overline{)257.28}$

정답 • 9쪽

⑯ $0.08 \div 0.04 =$

⑰ $0.54 \div 0.09 =$

⑱ $0.88 \div 0.11 =$

⑲ $1.68 \div 0.56 =$

⑳ $3.42 \div 0.38 =$

㉑ $6.25 \div 1.25 =$

㉒ $9.31 \div 1.33 =$

㉓ $13.36 \div 1.67 =$

㉔ $15.68 \div 0.98 =$

㉕ $20.58 \div 1.47 =$

㉖ $28.88 \div 1.52 =$

㉗ $31.11 \div 1.83 =$

㉘ $38.76 \div 2.28 =$

㉙ $43.78 \div 1.99 =$

㉚ $57.75 \div 3.85 =$

㉛ $60.72 \div 2.64 =$

㉜ $72.45 \div 2.07 =$

㉝ $88.56 \div 4.92 =$

㉞ $123.45 \div 8.23 =$

㉟ $162.96 \div 6.79 =$

㊱ $247.05 \div 9.15 =$

1 ~ 3 다르게 풀기

○ 빈칸에 알맞은 수를 써넣으시오.

❶ 1.5 → $\div 0.5$ → ☐

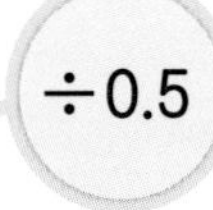

(1.5÷0.5를 계산해요.)

❷ 1.71 → $\div 0.19$ → ☐

❸ 4.92 → $\div 0.41$ → ☐

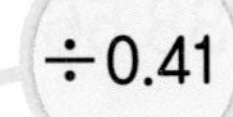

❹ 9.1 → $\div 1.3$ → ☐

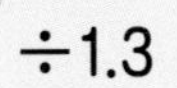

❺ 10.2 → $\div 1.7$ → ☐

❻ 29.28 → $\div 1.83$ → ☐

❼ 33.48 → $\div 3.72$ → ☐

❽ 67.2 → $\div 3.2$ → ☐

❾ 106.2 → $\div 5.9$ → ☐

❿ 112.56 → $\div 4.69$ → ☐

⑪
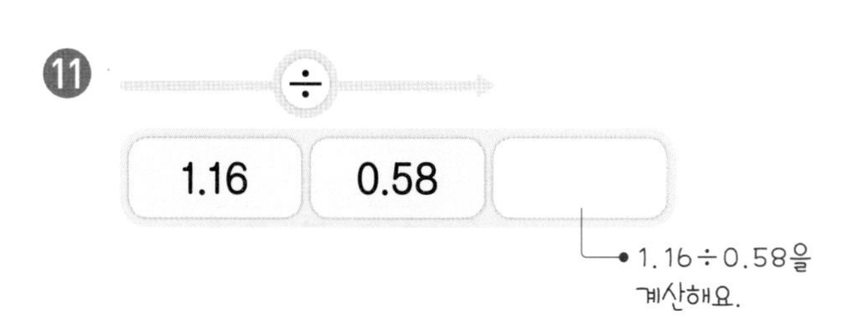

⑮
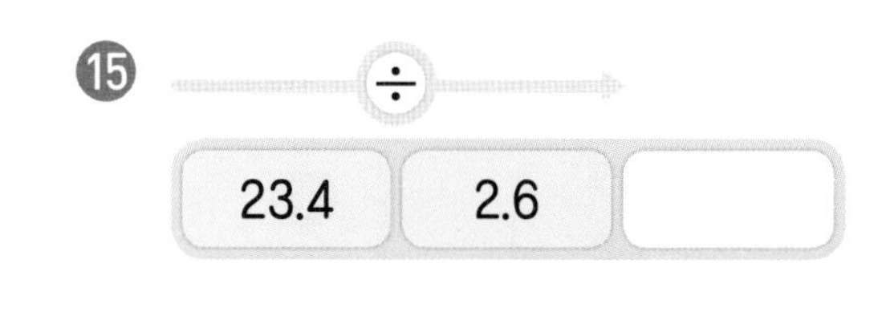

⑫
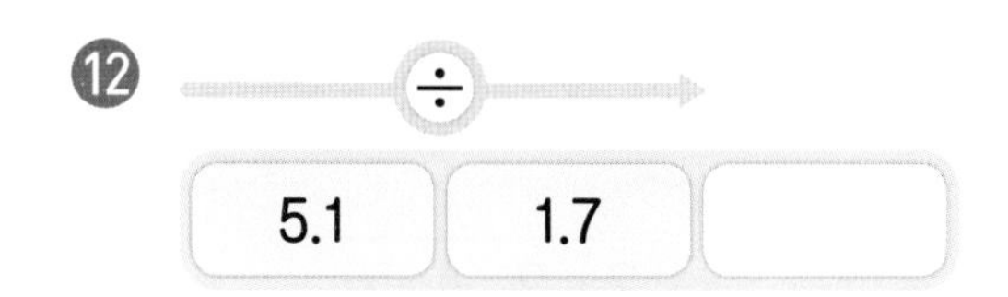

⑯
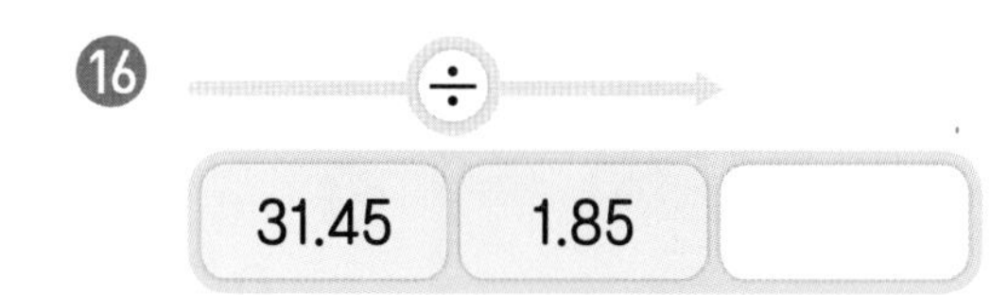

⑬
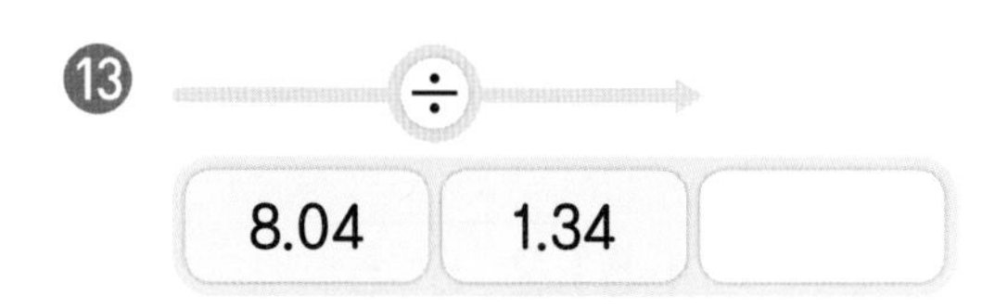

⑰
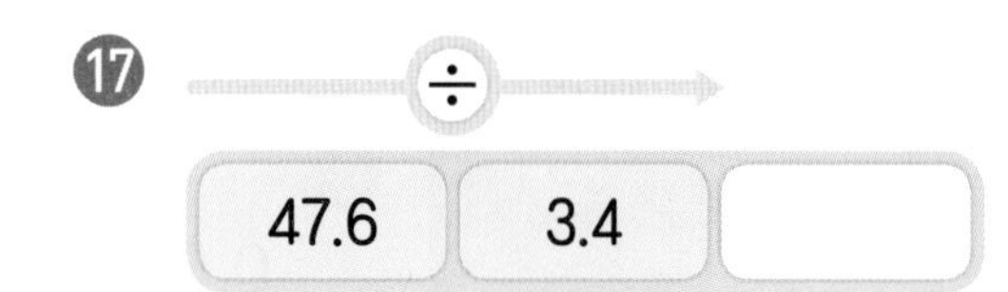

⑭
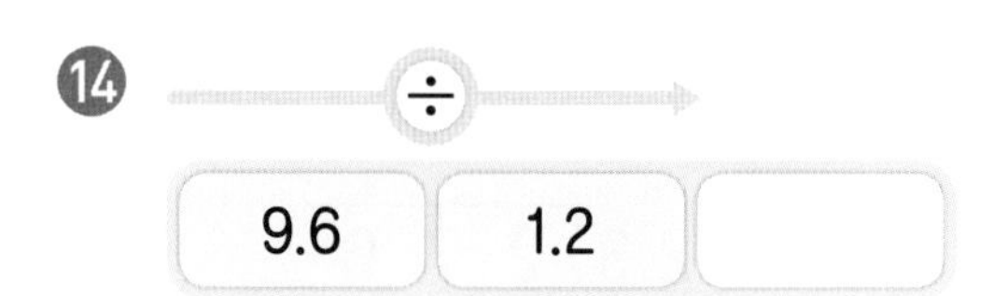

⑱
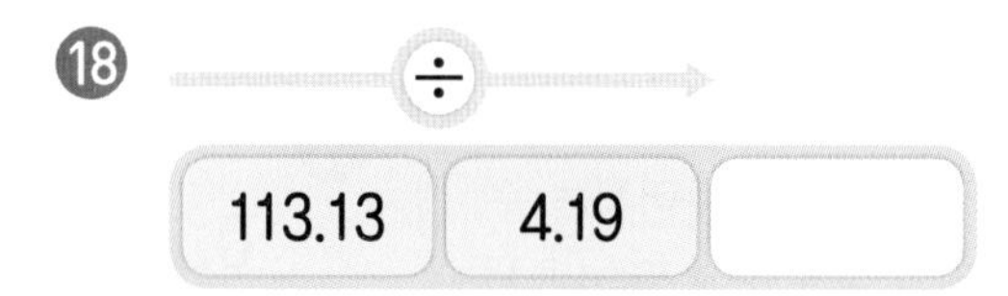

문장제 속 연산

⑲ 물 16.8 L를 물통 한 개에 1.2 L씩 모두 나누어 담으려고 합니다. 물통은 몇 개가 필요한지 구해 보시오.

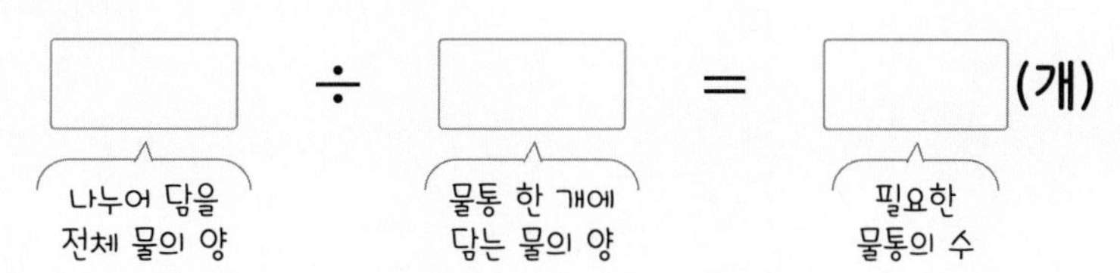

4 (소수 두 자리 수) ÷(소수 한 자리 수)

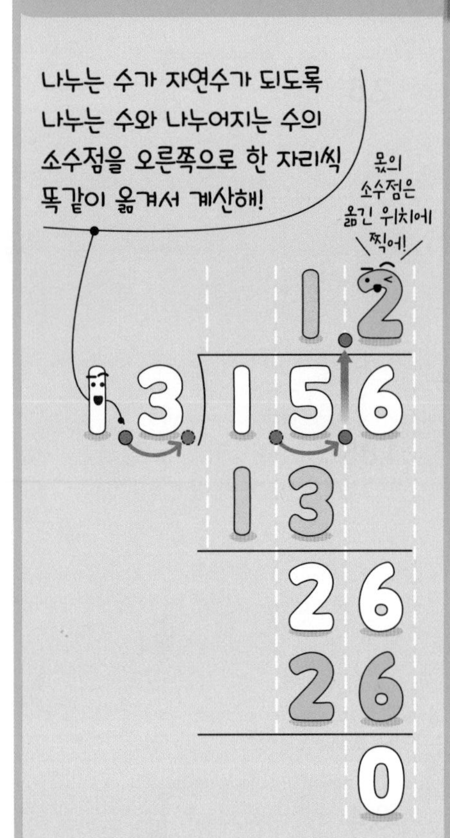

● (소수 두 자리 수)÷(소수 한 자리 수)의 계산 방법

나누는 수가 자연수가 되도록 나누는 수와 나누어지는 수의 소수점을 오른쪽으로 똑같이 옮겨서 계산합니다. 이때 몫의 소수점은 나누어지는 수의 옮긴 자리와 같은 곳에 찍습니다.

$1.3\overline{)1.56}$ ⇨ $13\overline{)15.6}$ = 1.2 (15.6 − 13 = 2.6, 2.6 − 2.6 = 0)

○ 계산해 보시오.

❶ $0.2\overline{)0.26}$

❷ $0.3\overline{)0.48}$

❸ $0.5\overline{)0.75}$

❹ $0.7\overline{)1.33}$

❺ $0.9\overline{)1.62}$

❻ $1.1\overline{)1.76}$

❼ $1.3\overline{)2.47}$

❽ $1.5\overline{)2.55}$

❾ $2.3\overline{)2.76}$

❿ $3.1\overline{)2.79}$

⑪ $3.2\overline{)7.04}$

⑫ $4.6\overline{)8.74}$

⑬ $6.7\overline{)16.08}$

⑭ $7.1\overline{)19.88}$

⑮ $8.9\overline{)22.25}$

⑯ $9.8\overline{)22.54}$

⑰ $10.3\overline{)26.78}$

⑱ $12.6\overline{)40.32}$

⑲ $14.5\overline{)50.75}$

⑳ $20.9\overline{)64.79}$

㉑ $26.7\overline{)74.76}$

㉒ $30.5\overline{)88.45}$

㉓ $35.1\overline{)115.83}$

㉔ $43.6\overline{)161.32}$

㉕ $47.2\overline{)207.68}$

4 (소수 두 자리 수) ÷ (소수 한 자리 수)

○ 계산해 보시오.

❶ $0.3\overline{)0.45}$

❻ $1.2\overline{)3.84}$

⓫ $19.3\overline{)79.13}$

❷ $0.4\overline{)0.92}$

❼ $1.7\overline{)4.93}$

⓬ $26.4\overline{)89.76}$

❸ $0.6\overline{)1.68}$

❽ $2.3\overline{)8.51}$

⓭ $31.2\overline{)87.36}$

❹ $0.8\overline{)2.32}$

❾ $4.8\overline{)20.64}$

⓮ $45.7\overline{)169.09}$

❺ $0.9\overline{)3.69}$

❿ $7.6\overline{)36.48}$

⓯ $51.6\overline{)216.72}$

⑯ $0.58 \div 0.2 =$

⑰ $0.95 \div 0.5 =$

⑱ $1.36 \div 0.4 =$

⑲ $1.96 \div 2.8 =$

⑳ $2.21 \div 1.3 =$

㉑ $2.64 \div 1.1 =$

㉒ $3.33 \div 0.9 =$

㉓ $3.43 \div 0.7 =$

㉔ $6.82 \div 3.1 =$

㉕ $7.44 \div 2.4 =$

㉖ $7.92 \div 8.8 =$

㉗ $9.12 \div 1.9 =$

㉘ $14.56 \div 5.6 =$

㉙ $15.54 \div 4.2 =$

㉚ $25.34 \div 18.1 =$

㉛ $35.84 \div 11.2 =$

㉜ $43.87 \div 10.7 =$

㉝ $68.31 \div 25.3 =$

㉞ $151.71 \div 38.9 =$

㉟ $193.32 \div 53.7 =$

㊱ $202.08 \div 42.1 =$

5 (자연수) ÷ (소수 한 자리 수)

나누는 소수 한 자리 수가
자연수가 되도록 나누는 수와
나누어지는 수의 소수점을
오른쪽으로 한 자리씩
옮겨서 계산해!

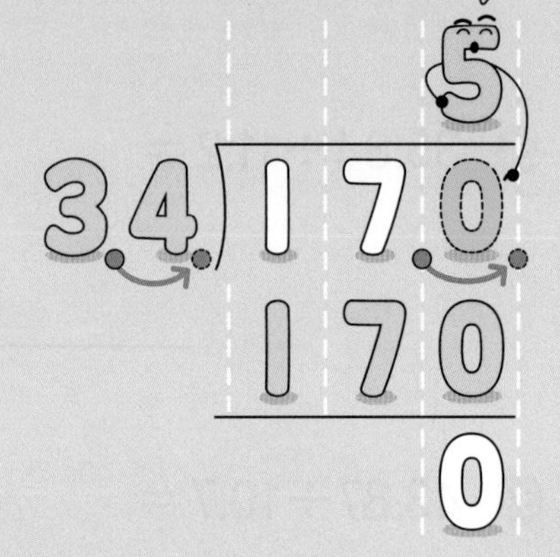

● (자연수)÷(소수 한 자리 수)의 계산 방법

나누는 수가 자연수가 되도록 나누는 수와 나누어지는 수의 소수점을 오른쪽으로 한 자리씩 옮겨서 계산합니다. 이때 자연수 뒤에 0이 1개 있다고 생각합니다.

$3.4\overline{)17.0}$ ⇨ $34\overline{)170}$ = 5, 170, 0

○ 계산해 보시오.

❶ 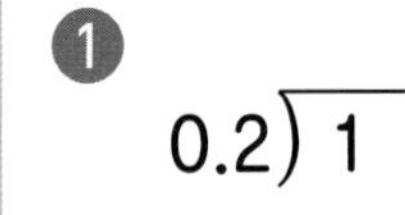
$0.2\overline{)1}$

❷ $0.4\overline{)2}$

❸ $0.5\overline{)4}$

❹ $1.4\overline{)7}$

❺ $1.6\overline{)8}$

❻ $1.8\overline{)9}$

❼ $2.4\overline{)12}$

❽ $2.5\overline{)15}$

❾ $2.8\overline{)42}$

❿ $3.2\overline{)32}$

⑪ $3.4\overline{)51}$

⑯ $4.8\overline{)96}$

㉑ $6.5\overline{)143}$

⑫ $3.5\overline{)56}$

⑰ $5.2\overline{)130}$

㉒ $6.6\overline{)165}$

⑬ $3.8\overline{)57}$

⑱ $5.5\overline{)143}$

㉓ $7.2\overline{)180}$

⑭ $4.2\overline{)63}$

⑲ $5.8\overline{)145}$

㉔ $7.5\overline{)210}$

⑮ $4.5\overline{)81}$

⑳ $6.2\overline{)217}$

㉕ $7.8\overline{)234}$

5 (자연수) ÷ (소수 한 자리 수)

○ 계산해 보시오.

❶ $0.5\overline{)2}$

❷ $0.6\overline{)3}$

❸ $1.2\overline{)6}$

❹ $1.5\overline{)9}$

❺ $2.6\overline{)13}$

❻ $2.8\overline{)14}$

❼ $3.4\overline{)17}$

❽ $3.5\overline{)42}$

❾ $3.8\overline{)57}$

❿ $4.5\overline{)81}$

⓫ $4.6\overline{)115}$

⓬ $5.8\overline{)116}$

⓭ $6.5\overline{)169}$

⓮ $7.4\overline{)185}$

⓯ $8.5\overline{)272}$

정답 • 11쪽

⑯ $1 \div 0.5 =$

⑰ $3 \div 0.2 =$

⑱ $6 \div 1.5 =$

⑲ $13 \div 2.6 =$

⑳ $17 \div 3.4 =$

㉑ $18 \div 1.2 =$

㉒ $21 \div 3.5 =$

㉓ $27 \div 1.8 =$

㉔ $33 \div 2.2 =$

㉕ $40 \div 2.5 =$

㉖ $48 \div 3.2 =$

㉗ $88 \div 4.4 =$

㉘ $105 \div 4.2 =$

㉙ $120 \div 4.8 =$

㉚ $121 \div 5.5 =$

㉛ $135 \div 4.5 =$

㉜ $155 \div 6.2 =$

㉝ $171 \div 3.8 =$

㉞ $231 \div 6.6 =$

㉟ $285 \div 7.5 =$

㊱ $328 \div 8.2 =$

6 (자연수) ÷ (소수 두 자리 수)

• (자연수)÷(소수 두 자리 수)의 계산 방법

나누는 수가 자연수가 되도록 나누는 수와 나누어지는 수의 소수점을 오른쪽으로 두 자리씩 옮겨서 계산합니다. 이때 자연수 뒤에 0이 2개 있다고 생각합니다.

$1.25\overline{)5.00} \Rightarrow 125\overline{)500}$, 몫 4, 500, 나머지 0

○ 계산해 보시오.

❶ $0.25\overline{)1}$

❷ $0.32\overline{)8}$

❸ $0.75\overline{)12}$

❹ $1.12\overline{)28}$

❺ $1.15\overline{)23}$

❻ $2.72\overline{)68}$

❼ $3.25\overline{)52}$

❽ $3.84\overline{)96}$

❾ $4.75\overline{)114}$

❿ $5.25\overline{)210}$

⑪ $0.25\overline{)4}$

⑫ $0.36\overline{)9}$

⑬ $0.52\overline{)13}$

⑭ $0.75\overline{)18}$

⑮ $0.85\overline{)34}$

⑯ $1.24\overline{)31}$

⑰ $1.25\overline{)40}$

⑱ $1.68\overline{)42}$

⑲ $1.75\overline{)77}$

⑳ $2.12\overline{)106}$

㉑ $2.25\overline{)63}$

㉒ $3.72\overline{)93}$

㉓ $4.25\overline{)102}$

㉔ $4.84\overline{)121}$

㉕ $5.75\overline{)207}$

6 (자연수) ÷ (소수 두 자리 수)

○ 계산해 보시오.

❶ $0.25\overline{)3}$

❷ $0.44\overline{)11}$

❸ $0.75\overline{)21}$

❹ $0.96\overline{)72}$

❺ $1.15\overline{)46}$

❻ $1.25\overline{)20}$

❼ $1.45\overline{)58}$

❽ $1.75\overline{)63}$

❾ $2.12\overline{)53}$

❿ $2.25\overline{)99}$

⓫ $3.25\overline{)104}$

⓬ $4.72\overline{)118}$

⓭ $4.75\overline{)133}$

⓮ $5.68\overline{)142}$

⓯ $6.25\overline{)200}$

⑯ $2 \div 0.25 =$

⑰ $5 \div 1.25 =$

⑱ $13 \div 0.52 =$

⑲ $21 \div 1.75 =$

⑳ $34 \div 1.36 =$

㉑ $44 \div 2.75 =$

㉒ $46 \div 1.15 =$

㉓ $56 \div 1.12 =$

㉔ $58 \div 2.32 =$

㉕ $60 \div 1.25 =$

㉖ $63 \div 0.84 =$

㉗ $78 \div 3.25 =$

㉘ $83 \div 3.32 =$

㉙ $90 \div 3.75 =$

㉚ $108 \div 4.32 =$

㉛ $118 \div 2.36 =$

㉜ $129 \div 1.72 =$

㉝ $136 \div 5.44 =$

㉞ $143 \div 3.25 =$

㉟ $198 \div 2.75 =$

㊱ $225 \div 6.25 =$

4 ~ 6 다르게 풀기

○ 빈칸에 알맞은 수를 써넣으시오.

❶

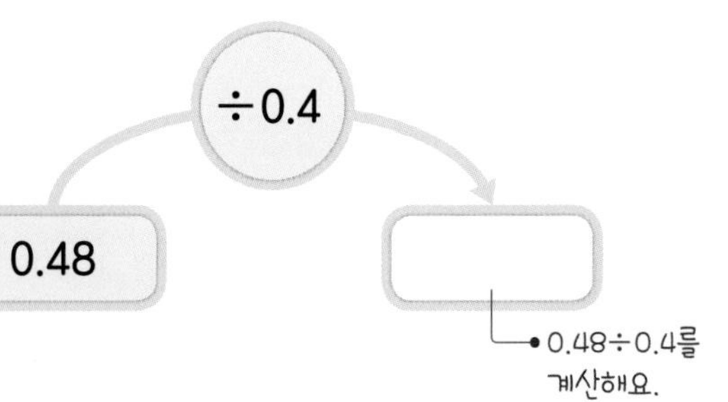

❷

÷0.2

5

❸

÷1.7

7.31

❹

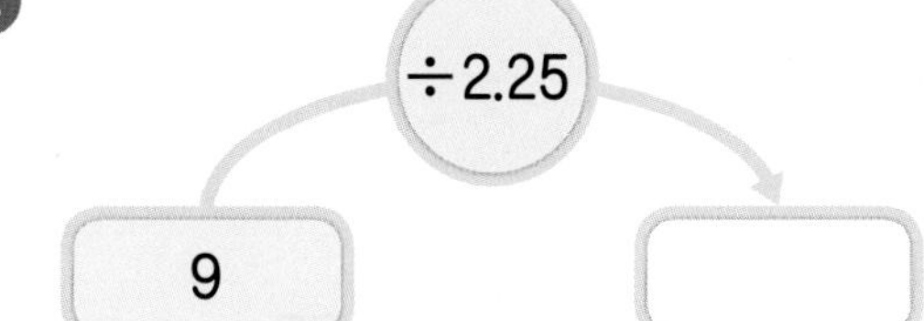

❺

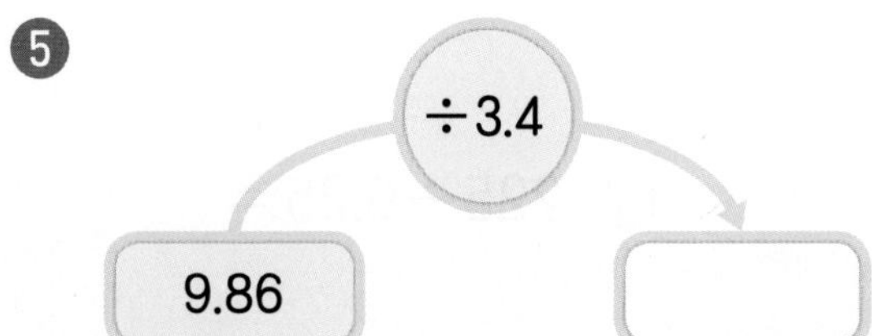

❻

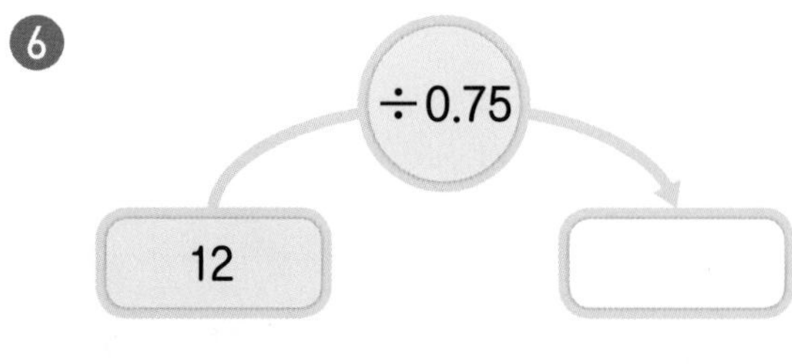

❼

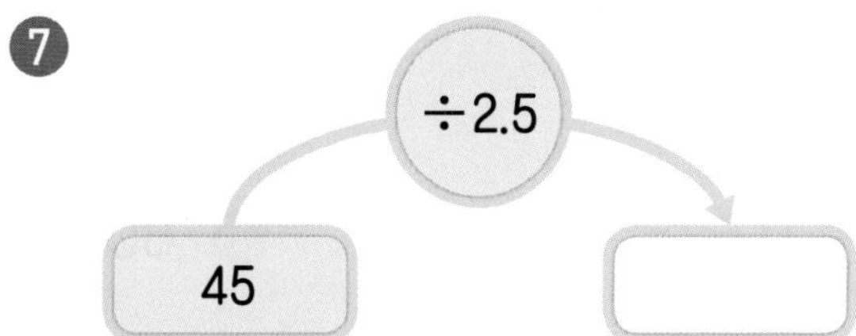

❽

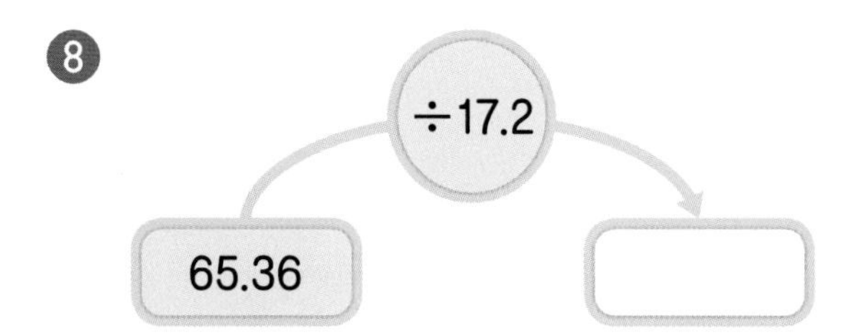

❾

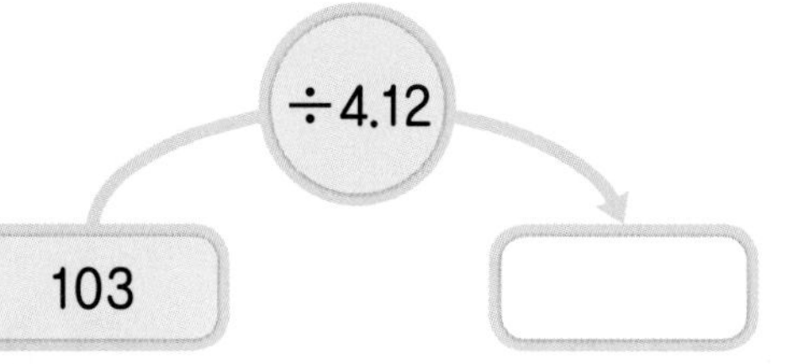

❿

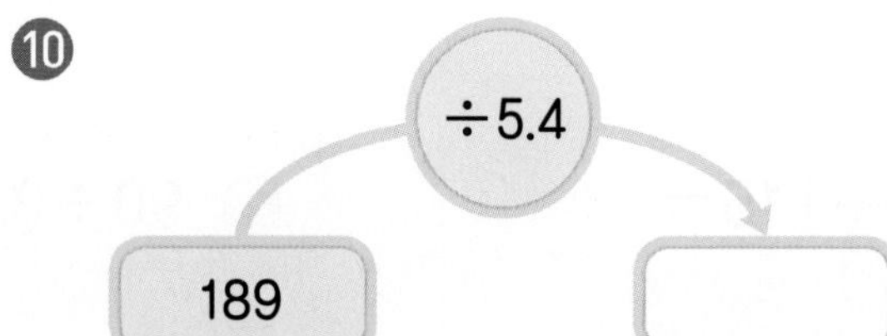

⑪

⑫
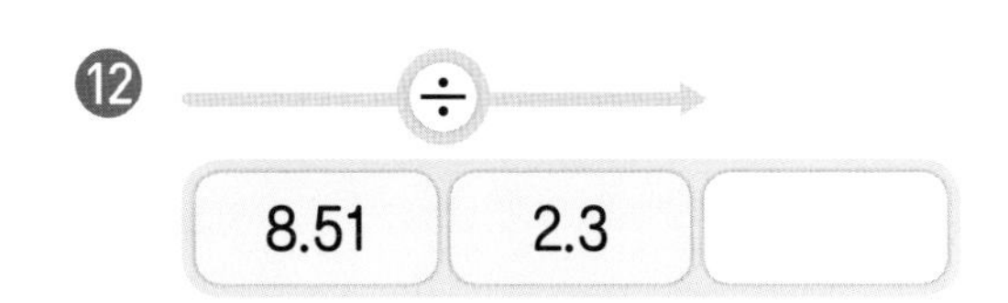

⑬
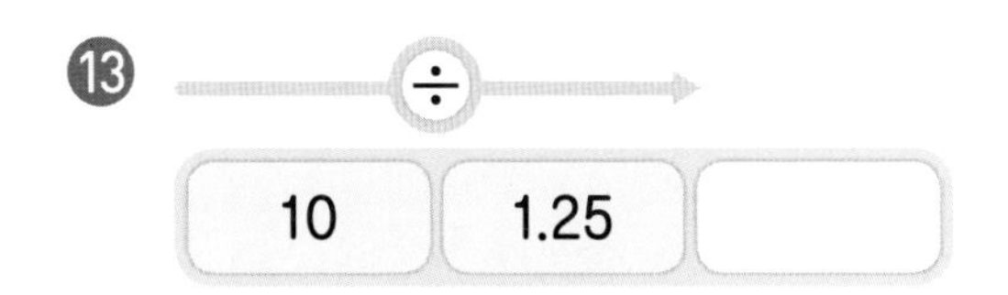

⑭
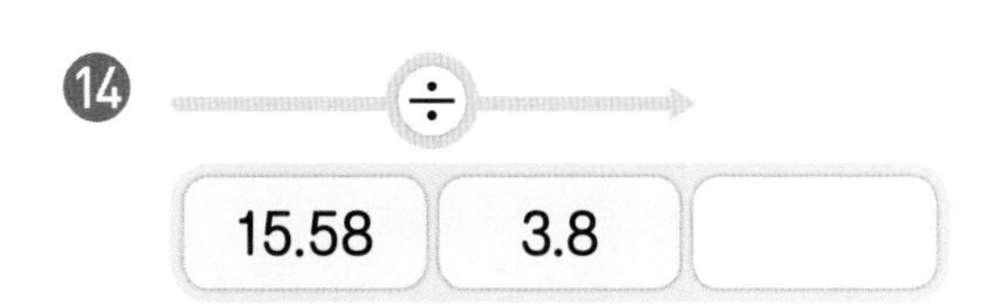

⑮
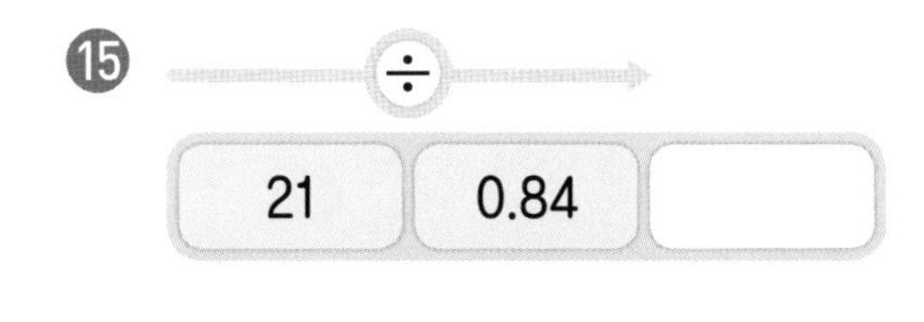

⑯
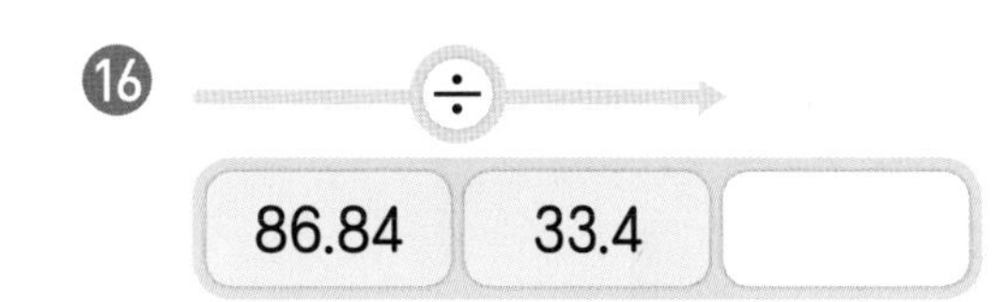

⑰
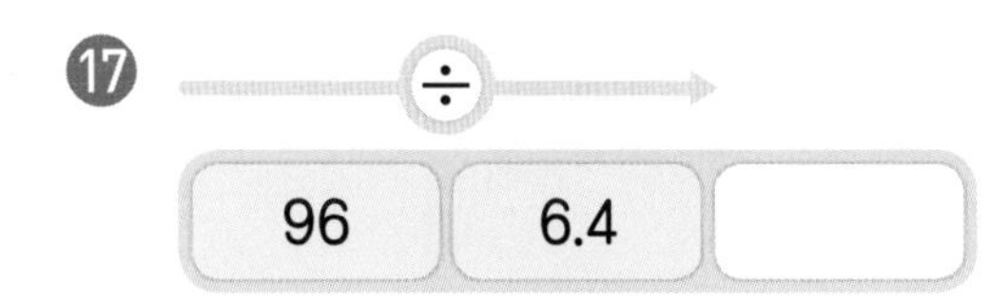

⑱
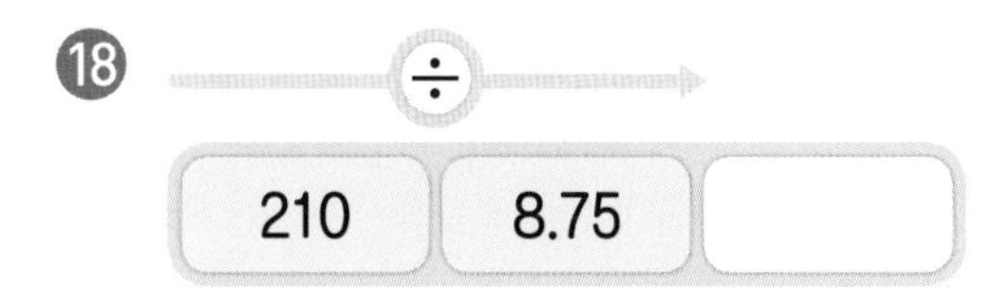

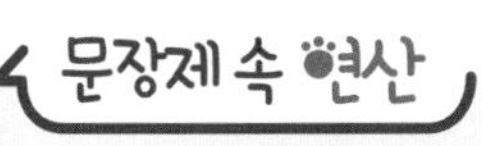

⑲ 꿀떡 한 개를 만드는 데 밀가루 15.5 g이 필요합니다. 밀가루 341 g으로 꿀떡을 몇 개까지 만들 수 있는지 구해 보시오.

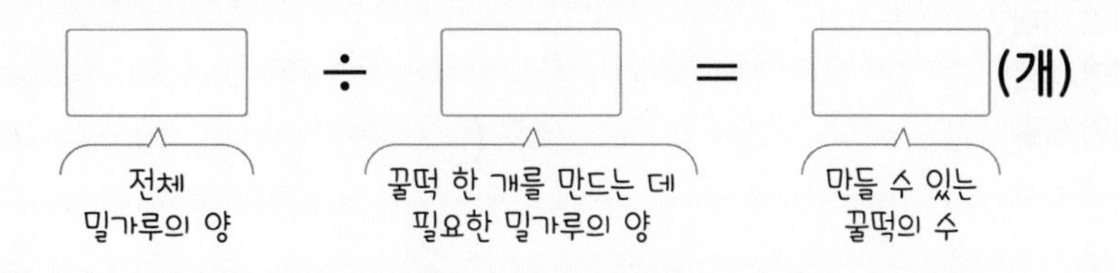

7 몫을 반올림하여 나타내기

나누어떨어지지 않는 나눗셈의 몫을 반올림하여 나타낼 수 있어!

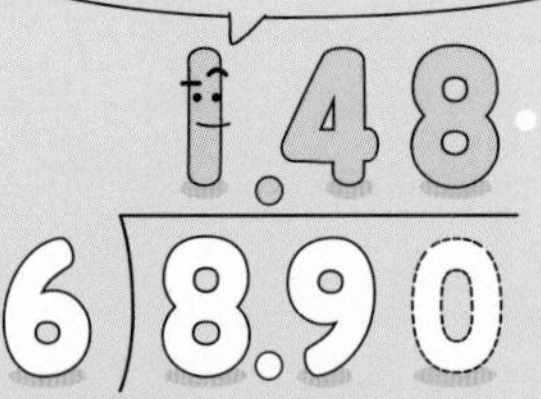

몫을 반올림하여 일의 자리까지 나타내기

몫을 반올림하여 소수 첫째 자리까지 나타내기

- 몫을 반올림하여 나타내기

몫이 간단한 소수로 구해지지 않을 경우 몫을 어림하여 나타낼 수 있습니다.

예 $8.9 \div 6$의 몫을 반올림하여 주어진 자리까지 나타내기

- 일의 자리까지 나타내기
  $8.9 \div 6 = 1.4 \cdots\cdots$ ⇨ 1
  (소수 첫째 자리 숫자가 4이므로 버립니다.)
- 소수 첫째 자리까지 나타내기
  $8.9 \div 6 = 1.48 \cdots\cdots$ ⇨ 1.5
  (소수 둘째 자리 숫자가 8이므로 올립니다.)
- 소수 둘째 자리까지 나타내기
  $8.9 \div 6 = 1.483 \cdots\cdots$ ⇨ 1.48
  (소수 셋째 자리 숫자가 3이므로 버립니다.)

참고 반올림(5−2, 1단원)

구하려는 자리 바로 아래 자리의 숫자가
- 0, 1, 2, 3, 4이면 버림
- 5, 6, 7, 8, 9이면 올림

○ 몫을 반올림하여 일의 자리까지 나타내어 보시오.

❶ $3\overline{)4}$

⇨ (　　　　　　)

❷ $6\overline{)5}$

⇨ (　　　　　　)

❸ $7\overline{)11}$

⇨ (　　　　　　)

❹ $9\overline{)25}$

⇨ (　　　　　　)

❺ $7\overline{)8.2}$

⇨ (　　　　　　)

❻ $15\overline{)37.7}$

⇨ (　　　　　　)

❼ $0.9\overline{)6.8}$

⇨ (　　　　　　)

❽ $8.3\overline{)45.1}$

⇨ (　　　　　　)

정답 • 12쪽

○ 몫을 반올림하여 소수 첫째 자리까지 나타내어 보시오.

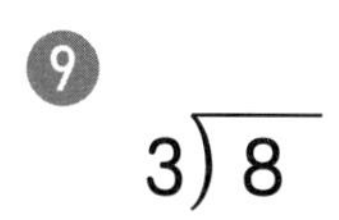

9 3)8

⇨ (   )

10 6)10

⇨ (   )

11 7)13

⇨ (   )

12 9)22

⇨ (   )

13 6)15.5

⇨ (   )

14 9)21.1

⇨ (   )

15 13)39.7

⇨ (   )

16 22)83.3

⇨ (   )

17 0.7)5.2

⇨ (   )

18 1.5)8.3

⇨ (   )

19 2.4)21.8

⇨ (   )

20 9.8)75.3

⇨ (   )

7 몫을 반올림하여 나타내기

○ 몫을 반올림하여 소수 둘째 자리까지 나타내어 보시오.

❶ $3\overline{)2}$

⇨ (　　　　　　)

❷ $6\overline{)28}$

⇨ (　　　　　　)

❸ $7\overline{)36}$

⇨ (　　　　　　)

❹ $9\overline{)8.3}$

⇨ (　　　　　　)

❺ $15\overline{)32.6}$

⇨ (　　　　　　)

❻ $23\overline{)69.3}$

⇨ (　　　　　　)

❼ $0.7\overline{)6.2}$

⇨ (　　　　　　)

❽ $1.3\overline{)8.3}$

⇨ (　　　　　　)

❾ $9.1\overline{)56.2}$

⇨ (　　　　　　)

○ 몫을 반올림하여 주어진 자리까지 나타내어 보시오.

⑩ $7 \div 3$

⇨ 일의 자리 (　　　　　　)

⑪ $13 \div 6$

⇨ 소수 첫째 자리 (　　　　　　)

⑫ $54 \div 7$

⇨ 소수 둘째 자리 (　　　　　　)

⑬ $71 \div 9$

⇨ 소수 첫째 자리 (　　　　　　)

⑭ $10.4 \div 7$

⇨ 일의 자리 (　　　　　　)

⑮ $29.6 \div 11$

⇨ 소수 둘째 자리 (　　　　　　)

⑯ $50.6 \div 19$

⇨ 소수 첫째 자리 (　　　　　　)

⑰ $89.4 \div 21$

⇨ 일의 자리 (　　　　　　)

⑱ $8.4 \div 0.9$

⇨ 소수 둘째 자리 (　　　　　　)

⑲ $17.2 \div 3.6$

⇨ 일의 자리 (　　　　　　)

⑳ $46.1 \div 5.7$

⇨ 소수 첫째 자리 (　　　　　　)

㉑ $70.3 \div 8.8$

⇨ 소수 둘째 자리 (　　　　　　)

8 나누어 주고 남는 양

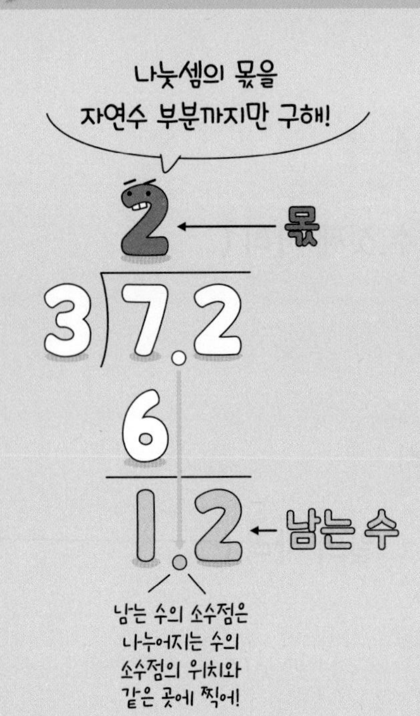

- 나누어 주고 남는 양

나눗셈의 몫을 자연수까지 구하고 나누어지는 수의 소수점의 위치에 맞게 남는 수의 소수점을 찍습니다.

$$\begin{array}{r} 2 \\ 3\overline{)\,7.2} \\ \underline{6} \\ 1.2 \end{array}$$

몫: 2
남는 수: 1.2

○ 나눗셈의 몫을 자연수 부분까지 구하고 남는 수를 구해 보시오.

❶ $2\overline{)\,3.3}$

몫 (　　　　　)
남는 수 (　　　　　)

❷ $2\overline{)\,6.5}$

몫 (　　　　　)
남는 수 (　　　　　)

❸ $2\overline{)\,7.6}$

몫 (　　　　　)
남는 수 (　　　　　)

❹ $3\overline{)\,8.2}$

몫 (　　　　　)
남는 수 (　　　　　)

❺ $3\overline{)\,10.4}$

몫 (　　　　　)
남는 수 (　　　　　)

❻ $3\overline{)\,16.7}$

몫 (　　　　　)
남는 수 (　　　　　)

❼ $4\overline{)\,19.9}$

몫 (　　　　　)
남는 수 (　　　　　)

❽ $4\overline{)\,21.8}$

몫 (　　　　　)
남는 수 (　　　　　)

정답 • 12쪽

⑨ $5\overline{)29.3}$

몫 (　　　　)
남는 수 (　　　　)

⑩ $5\overline{)33.6}$

몫 (　　　　)
남는 수 (　　　　)

⑪ $6\overline{)42.4}$

몫 (　　　　)
남는 수 (　　　　)

⑫ $6\overline{)51.2}$

몫 (　　　　)
남는 수 (　　　　)

⑬ $7\overline{)57.7}$

몫 (　　　　)
남는 수 (　　　　)

⑭ $7\overline{)60.8}$

몫 (　　　　)
남는 수 (　　　　)

⑮ $8\overline{)71.6}$

몫 (　　　　)
남는 수 (　　　　)

⑯ $8\overline{)80.5}$

몫 (　　　　)
남는 수 (　　　　)

⑰ $8\overline{)97.4}$

몫 (　　　　)
남는 수 (　　　　)

⑱ $9\overline{)107.5}$

몫 (　　　　)
남는 수 (　　　　)

⑲ $9\overline{)110.7}$

몫 (　　　　)
남는 수 (　　　　)

⑳ $9\overline{)129.4}$

몫 (　　　　)
남는 수 (　　　　)

8 나누어 주고 남는 양

○ 나눗셈의 몫을 자연수 부분까지 구하고 남는 수를 구해 보시오.

❶ $2\overline{)5.8}$

몫 (　　　　　　　)
남는 수 (　　　　　　　)

❷ $3\overline{)8.9}$

몫 (　　　　　　　)
남는 수 (　　　　　　　)

❸ $3\overline{)14.1}$

몫 (　　　　　　　)
남는 수 (　　　　　　　)

❹ $4\overline{)20.7}$

몫 (　　　　　　　)
남는 수 (　　　　　　　)

❺ $4\overline{)29.9}$

몫 (　　　　　　　)
남는 수 (　　　　　　　)

❻ $5\overline{)33.7}$

몫 (　　　　　　　)
남는 수 (　　　　　　　)

❼ $5\overline{)47.4}$

몫 (　　　　　　　)
남는 수 (　　　　　　　)

❽ $6\overline{)69.5}$

몫 (　　　　　　　)
남는 수 (　　　　　　　)

❾ $7\overline{)71.2}$

몫 (　　　　　　　)
남는 수 (　　　　　　　)

❿ $8\overline{)95.7}$

몫 (　　　　　　　)
남는 수 (　　　　　　　)

⓫ $9\overline{)108.3}$

몫 (　　　　　　　)
남는 수 (　　　　　　　)

⓬ $9\overline{)214.9}$

몫 (　　　　　　　)
남는 수 (　　　　　　　)

⑬ 7.1÷2

몫 ( )
남는 수 ( )

⑭ 12.5÷2

몫 ( )
남는 수 ( )

⑮ 23.7÷3

몫 ( )
남는 수 ( )

⑯ 38.4÷4

몫 ( )
남는 수 ( )

⑰ 47.3÷4

몫 ( )
남는 수 ( )

⑱ 51.8÷5

몫 ( )
남는 수 ( )

⑲ 66.9÷6

몫 ( )
남는 수 ( )

⑳ 72.4÷7

몫 ( )
남는 수 ( )

㉑ 88.2÷7

몫 ( )
남는 수 ( )

㉒ 93.6÷8

몫 ( )
남는 수 ( )

㉓ 108.1÷8

몫 ( )
남는 수 ( )

㉔ 126.5÷9

몫 ( )
남는 수 ( )

7 ~ 8 다르게 풀기

○ 몫을 반올림하여 주어진 자리까지 나타내어 보시오.

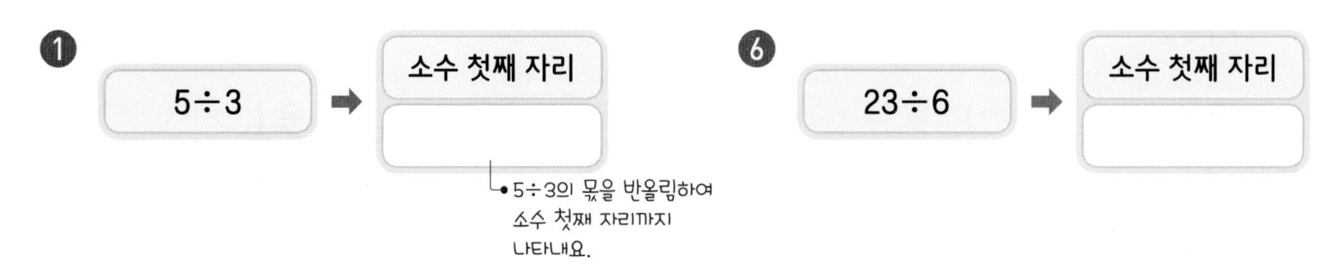

❶ 5÷3 ➡ 소수 첫째 자리 (　　　)

└ 5÷3의 몫을 반올림하여 소수 첫째 자리까지 나타내요.

❻ 23÷6 ➡ 소수 첫째 자리 (　　　)

❷ 7.7÷0.6 ➡ 소수 둘째 자리 (　　　)

❼ 38.5÷7.8 ➡ 일의 자리 (　　　)

❸ 12.4÷2.9 ➡ 일의 자리 (　　　)

❽ 39.2÷18 ➡ 소수 첫째 자리 (　　　)

❹ 14.9÷11 ➡ 소수 둘째 자리 (　　　)

❾ 44÷9 ➡ 소수 둘째 자리 (　　　)

❺ 19÷7 ➡ 일의 자리 (　　　)

❿ 71.1÷22 ➡ 일의 자리 (　　　)

정답 • 12쪽

○ 나눗셈의 몫을 자연수 부분까지 구하여 ▭ 안에 써넣고, 남는 수를 구하여 ○ 안에 써넣으시오.

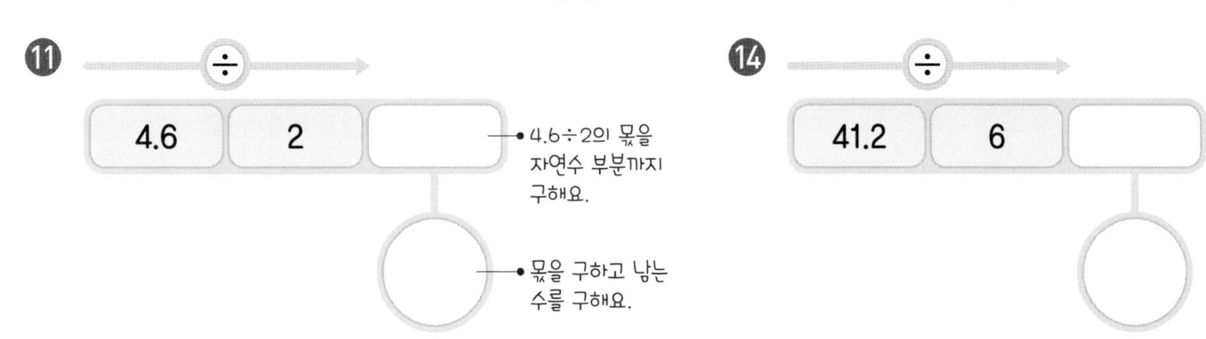

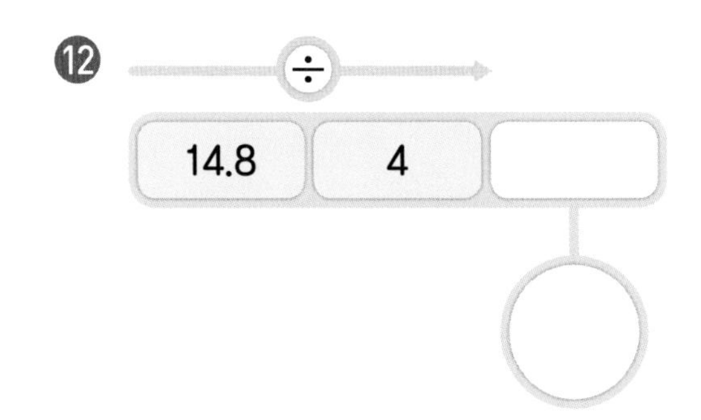

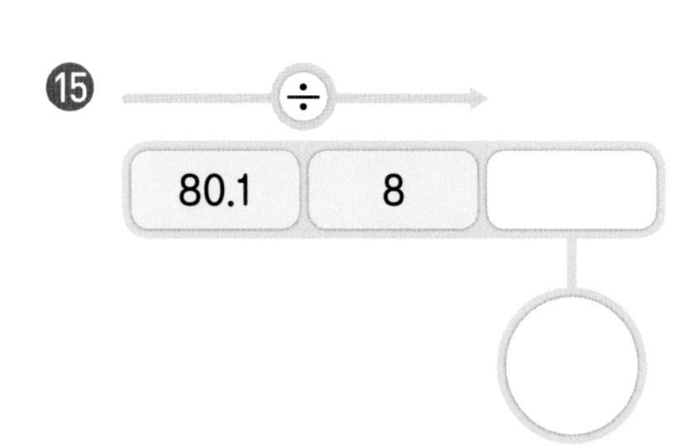

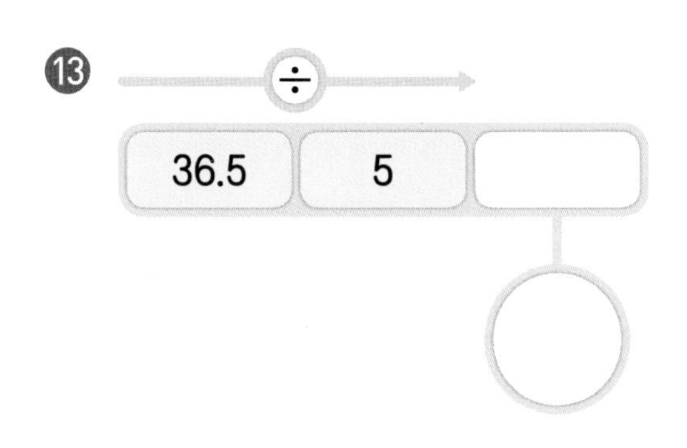

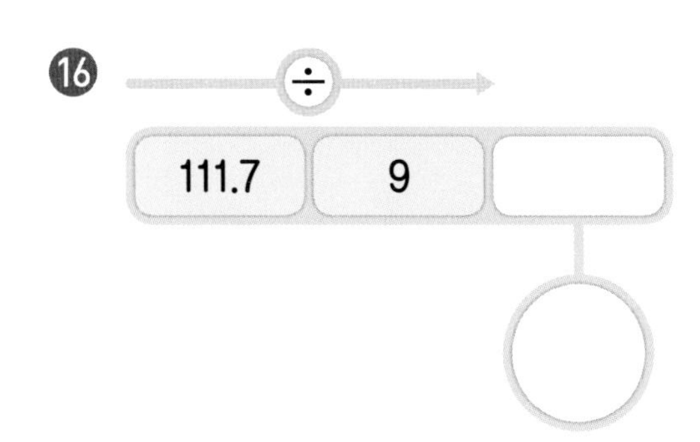

문장제 속 연산

⓱ 음료수 3 L를 7명이 똑같이 나누어 마시려고 합니다. 한 사람이 마실 수 있는 음료수는 몇 L인지 몫을 소수 둘째 자리까지 구한 다음 반올림하여 소수 첫째 자리까지 나타내어 보시오.

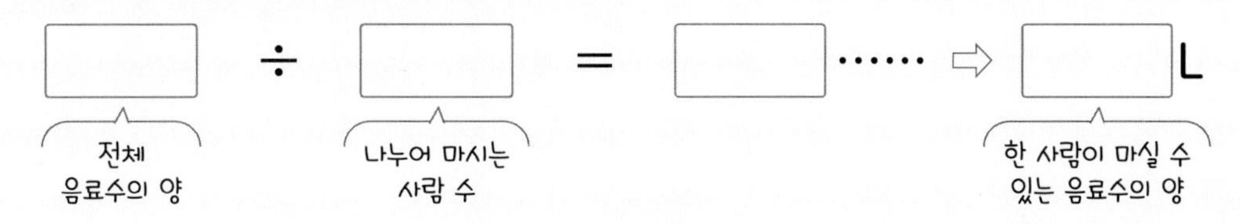

초등에서 푸는 방정식 계산 비법

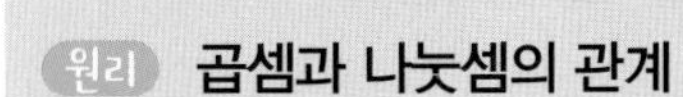

▲×●=■ ⇨ ▲=■÷●, ●=■÷▲

적용 곱셈식의 어떤 수(□) 구하기

- □×2.2=11 → □=11÷2.2=5
- 0.6×□=7.2 → □=7.2÷0.6=12

○ 어떤 수(□)를 구하려고 합니다. □ 안에 알맞은 수를 써넣으시오.

❶ □×1.4=8.4

8.4÷1.4=□

❷ □×1.36=9.52

9.52÷1.36=□

❸ □×0.8=1.12

1.12÷0.8=□

❹ □×2.5=30

30÷2.5=□

❺ 3.1×□=24.8

24.8÷3.1=□

❻ 0.73×□=11.68

11.68÷0.73=□

❼ 1.5×□=5.55

5.55÷1.5=□

❽ 2.8×□=42

42÷2.8=□

⑨ $\square \times 0.3 = 2.7$

$2.7 \div 0.3 = \square$

⑩ $\square \times 0.14 = 0.56$

$0.56 \div 0.14 = \square$

⑪ $\square \times 0.9 = 1.98$

$1.98 \div 0.9 = \square$

⑫ $\square \times 4.8 = 24$

$24 \div 4.8 = \square$

⑬ $\square \times 0.25 = 2$

$2 \div 0.25 = \square$

⑭ $2.5 \times \square = 32.5$

$32.5 \div 2.5 = \square$

⑮ $3.05 \times \square = 70.15$

$70.15 \div 3.05 = \square$

⑯ $3.6 \times \square = 6.48$

$6.48 \div 3.6 = \square$

⑰ $7.5 \times \square = 195$

$195 \div 7.5 = \square$

⑱ $3.75 \times \square = 45$

$45 \div 3.75 = \square$

평가 2. 소수의 나눗셈

○ 자연수의 나눗셈을 이용하여 소수의 나눗셈을 계산해 보시오.

1

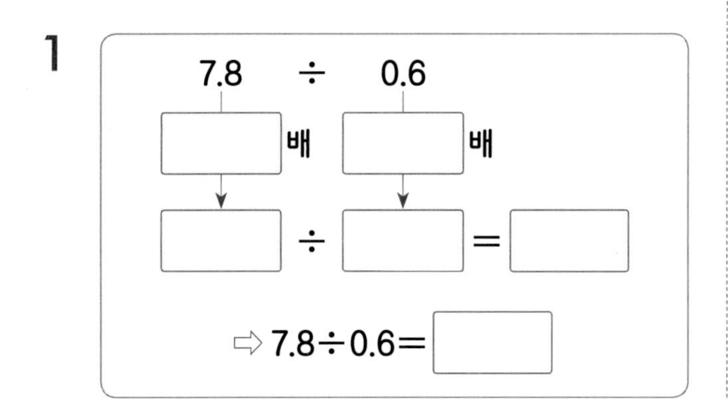

2

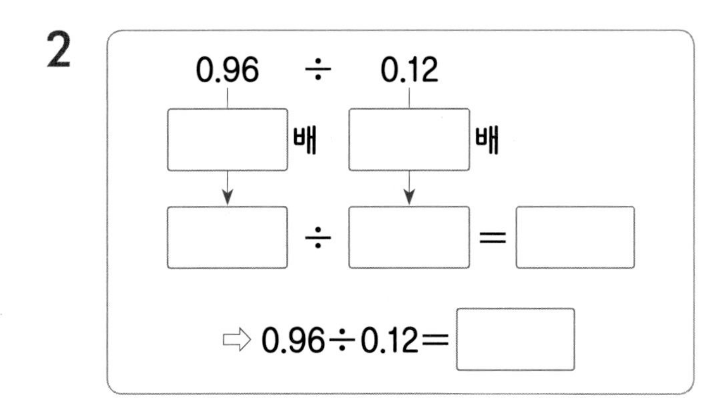

○ 계산해 보시오.

3

$1.5\overline{)10.5}$

4

$2.45\overline{)22.05}$

5

$8.3\overline{)53.12}$

6

$6.4\overline{)96}$

7

$1.25\overline{)15}$

8 $7.8 \div 1.3 =$

9 $40.59 \div 3.69 =$

10 $178.75 \div 7.15 =$

11 $21.32 \div 5.2 =$

12 $79.18 \div 21.4 =$

13 $63 \div 3.5 =$

14 $103 \div 4.12 =$

○ 몫을 반올림하여 주어진 자리까지 나타내어 보시오.

15 16÷6

⇨ 일의 자리 (　　　　　)

16 39.1÷8.7

⇨ 소수 첫째 자리 (　　　　　)

17 48.7÷13

⇨ 소수 둘째 자리 (　　　　　)

○ 나눗셈의 몫을 자연수 부분까지 구하고 남는 수를 구해 보시오.

18 20.6÷5

몫 (　　　　　)
남는 수 (　　　　　)

19 74.7÷8

몫 (　　　　　)
남는 수 (　　　　　)

20 133.1÷11

몫 (　　　　　)
남는 수 (　　　　　)

○ 빈칸에 알맞은 수를 써넣으시오.

21 46.8 → ÷5.2 → □

22 18.84 → ÷1.57 → □

23 30.02 → ÷7.9 → □

24 247 → ÷9.5 → □

25 186 → ÷3.72 → □

2단원의 연산 실력을 보충하고 싶다면 **클리닉 북 9~16쪽**을 풀어 보세요.

공간과 입체

학습하는 데 걸린 시간을 작성해 봐요!

학습 내용	학습 회차	걸린 시간
1 쌓기나무로 쌓은 모양과 위에서 본 모양을 보고 쌓은 모양과 쌓기나무의 개수 알아보기	1일 차	/6분
2 쌓기나무로 쌓은 모양을 보고 위, 앞, 옆에서 본 모양 그리기	2일 차	/5분
3 위, 앞, 옆에서 본 모양을 보고 쌓은 모양과 쌓기나무의 개수 알아보기	3일 차	/8분
4 위에서 본 모양에 수를 써서 쌓기나무의 개수 알아보기	4일 차	/10분
5 쌓기나무로 쌓은 모양을 보고 층별로 나타낸 모양 그리기	5일 차	/5분
6 층별로 나타낸 모양을 보고 쌓은 모양과 쌓기나무의 개수 알아보기	6일 차	/5분
평가 3. 공간과 입체	7일 차	/14분

1 쌓기나무로 쌓은 모양과 위에서 본 모양을 보고 쌓은 모양과 쌓기나무의 개수 알아보기

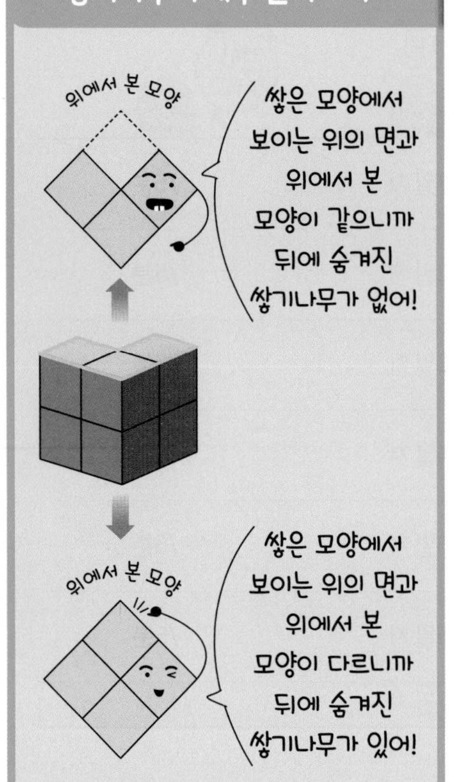

● **쌓은 모양과 위에서 본 모양을 보고 쌓기나무의 개수 알아보기**

• 쌓은 모양에서 보이는 위의 면과 위에서 본 모양이 같은 경우

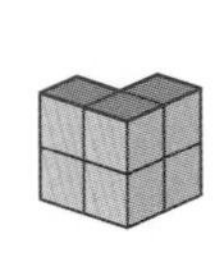

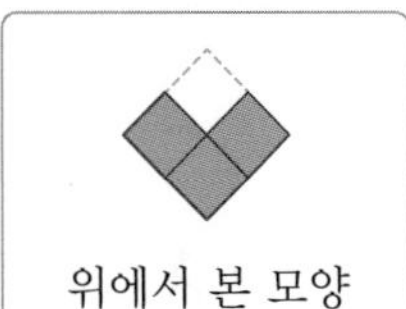

(쌓기나무의 개수)$=\underset{1층}{\underline{3}}+\underset{2층}{\underline{3}}=6$(개)

• 쌓은 모양에서 보이는 위의 면과 위에서 본 모양이 다른 경우

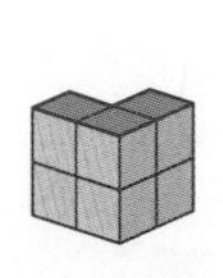

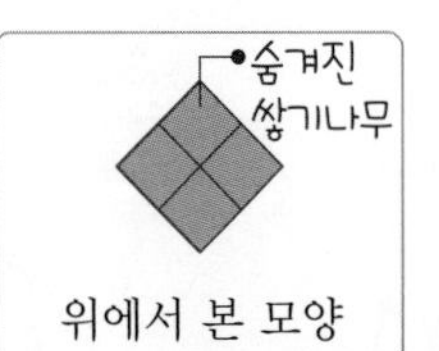

(쌓기나무의 개수)$=\underset{1층}{\underline{4}}+\underset{2층}{\underline{3}}=7$(개)

○ **주어진 모양과 똑같이 쌓는 데 필요한 쌓기나무의 개수를 구해 보시오.**

1

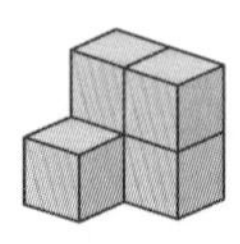

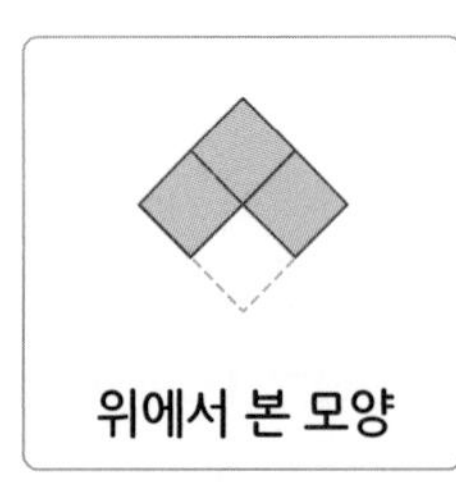

( )

2

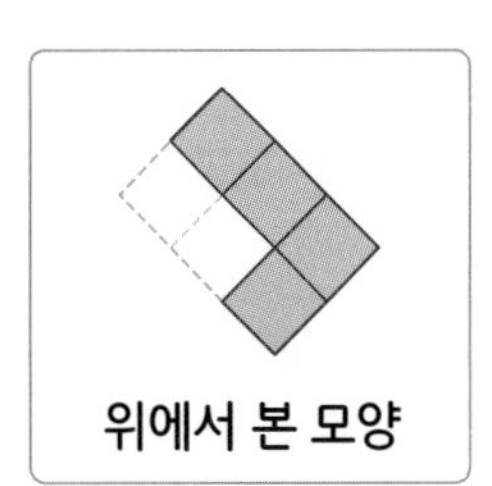

( )

3

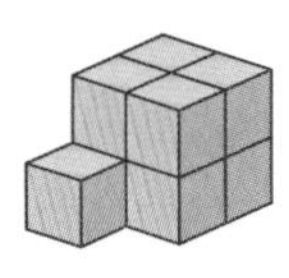

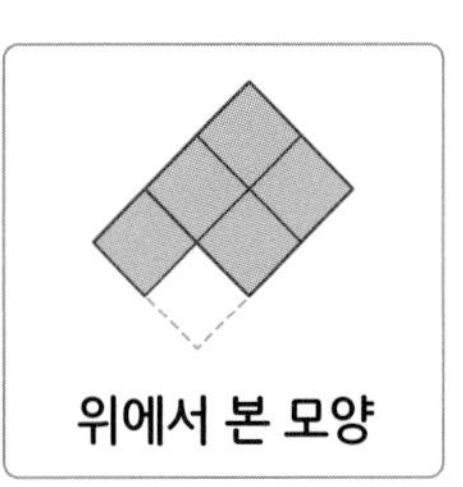

( )

4

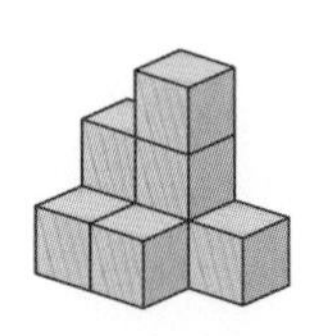

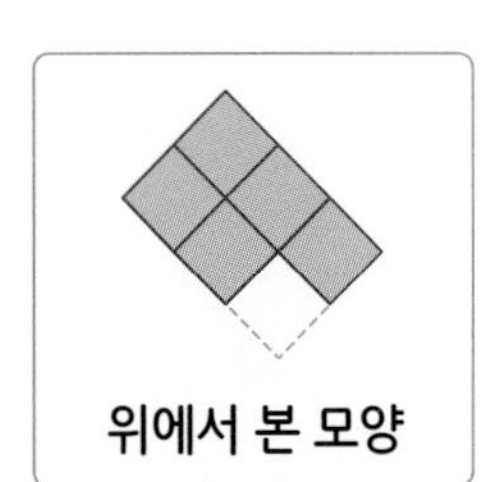

( )

정답 • 14쪽

❺

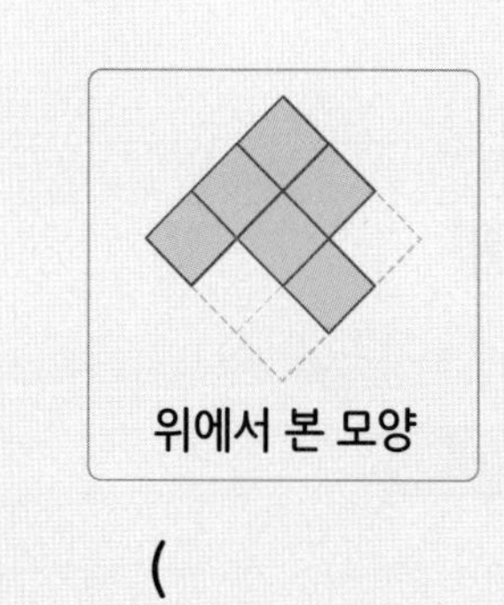

(　　　　　　　　　　)

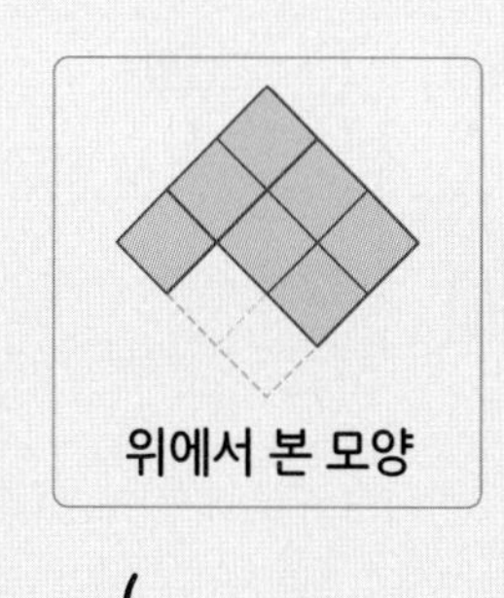

(　　　　　　　　　　)

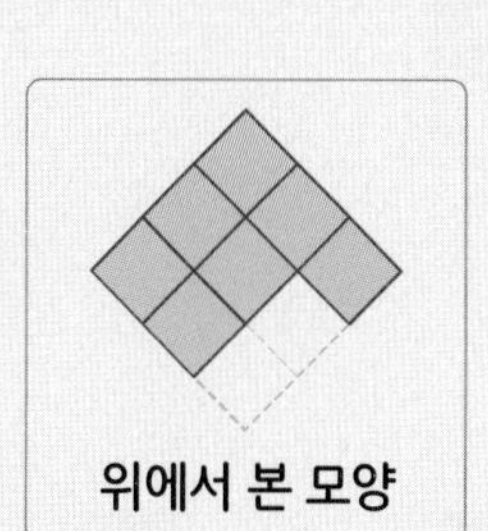

(　　　　　　　　　　)

❽

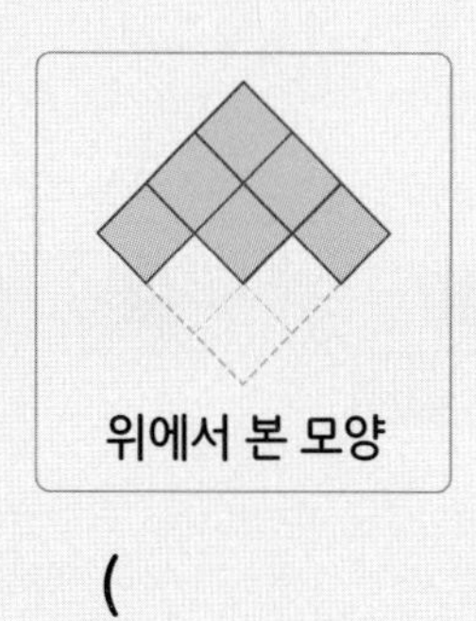

(　　　　　　　　　　)

❾

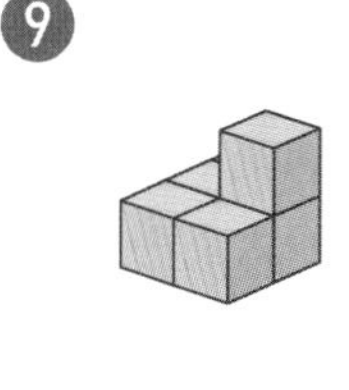

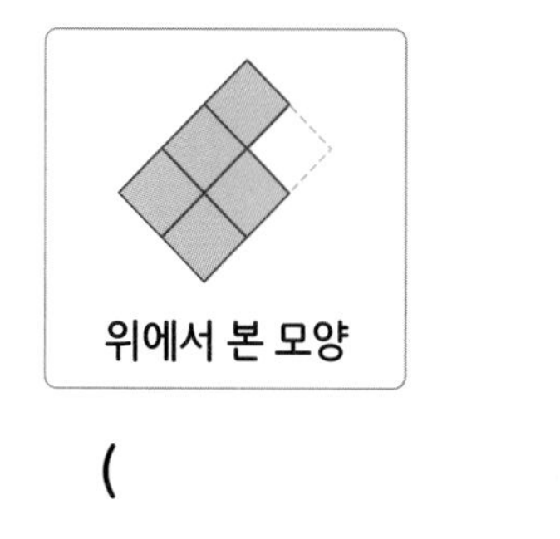

(　　　　　　　　　　)

❿

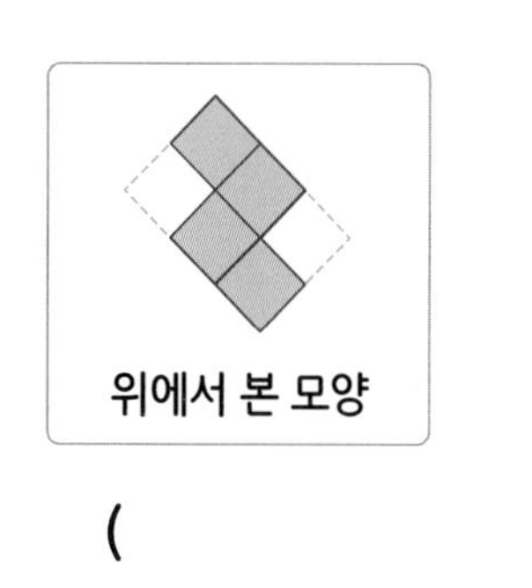

(　　　　　　　　　　)

⓫

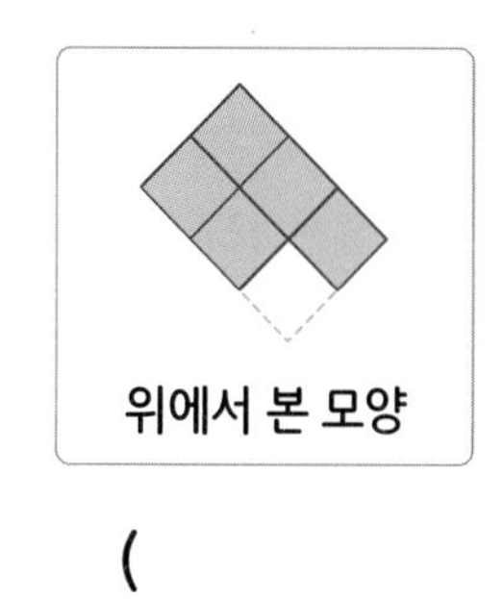

(　　　　　　　　　　)

⓬

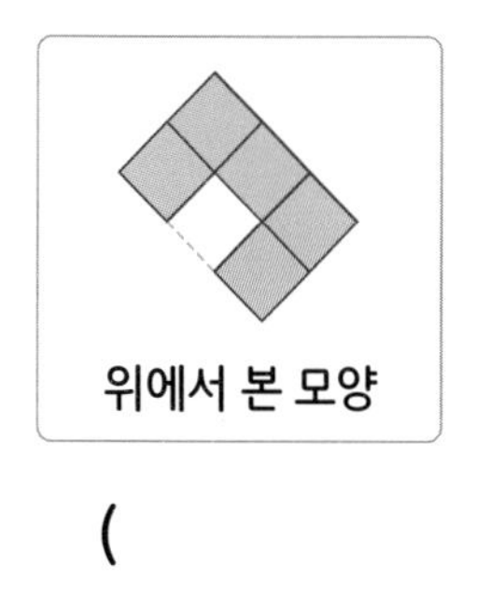

(　　　　　　　　　　)

2 쌓기나무로 쌓은 모양을 보고 위, 앞, 옆에서 본 모양 그리기

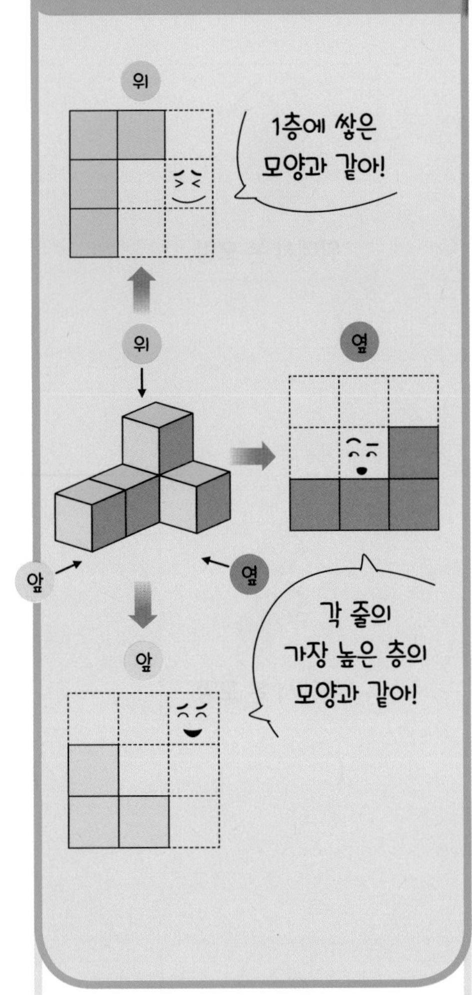

• 쌓기나무로 쌓은 모양을 보고 위, 앞, 옆에서 본 모양 그리기

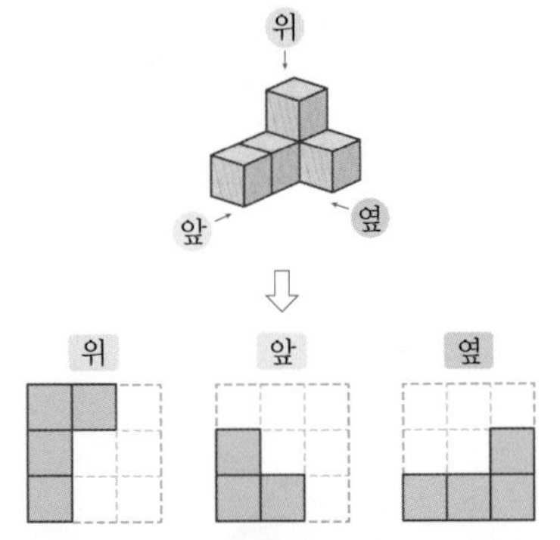

• 위에서 본 모양은 1층에 쌓은 모양과 같습니다.
• 앞과 옆에서 본 모양은 각 방향에서 각 줄의 가장 높은 층의 모양과 같습니다.

○ 쌓기나무로 쌓은 모양과 위에서 본 모양입니다. 앞과 옆에서 본 모양을 각각 그려 보시오.

❶
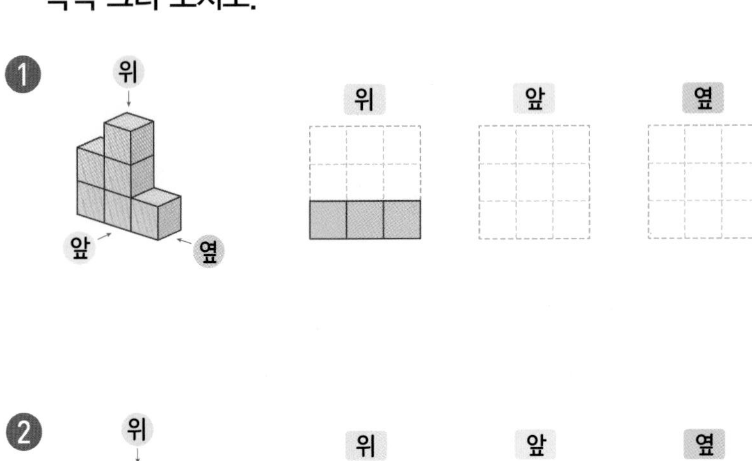

❷
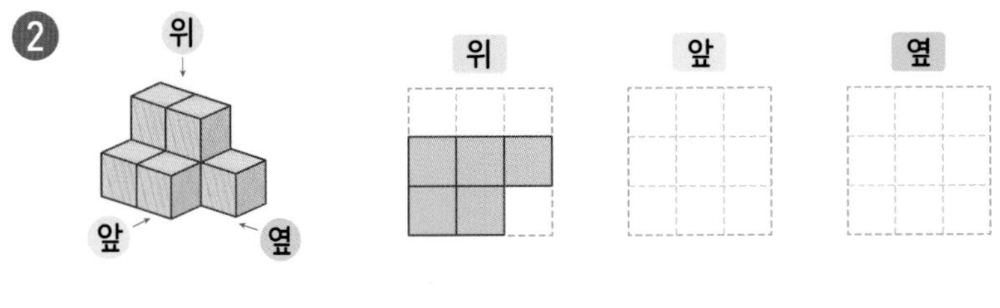

❸
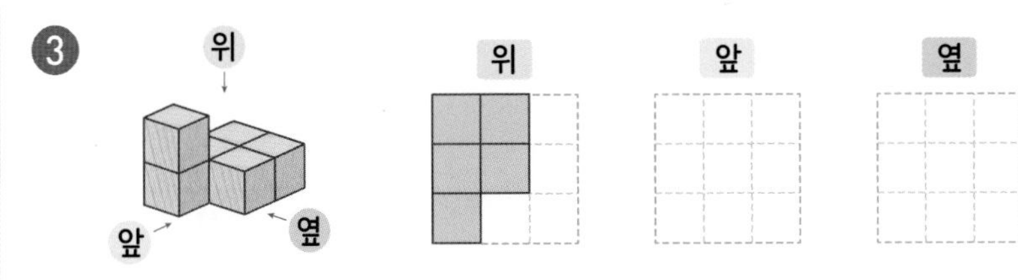

❹
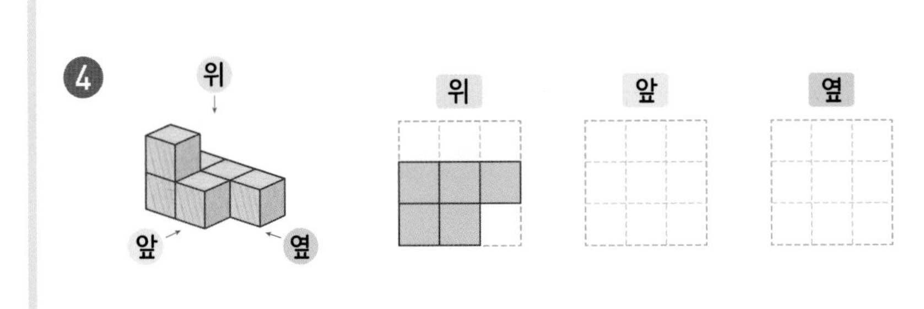

❺
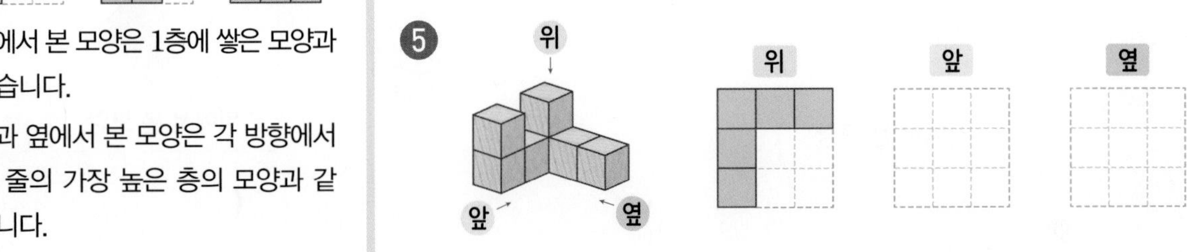

정답 • 14쪽

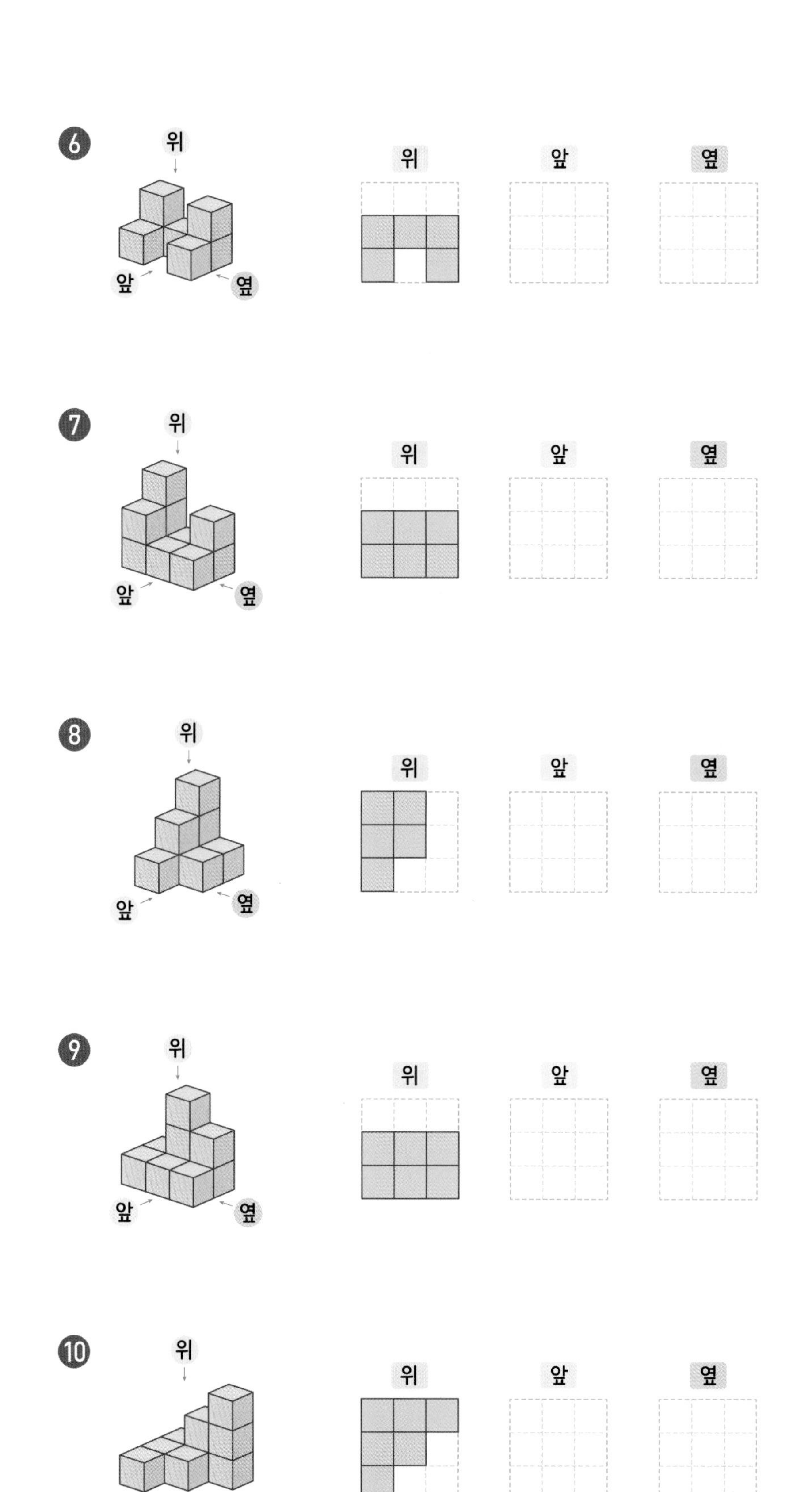

3 위, 앞, 옆에서 본 모양을 보고 쌓은 모양과 쌓기나무의 개수 알아보기

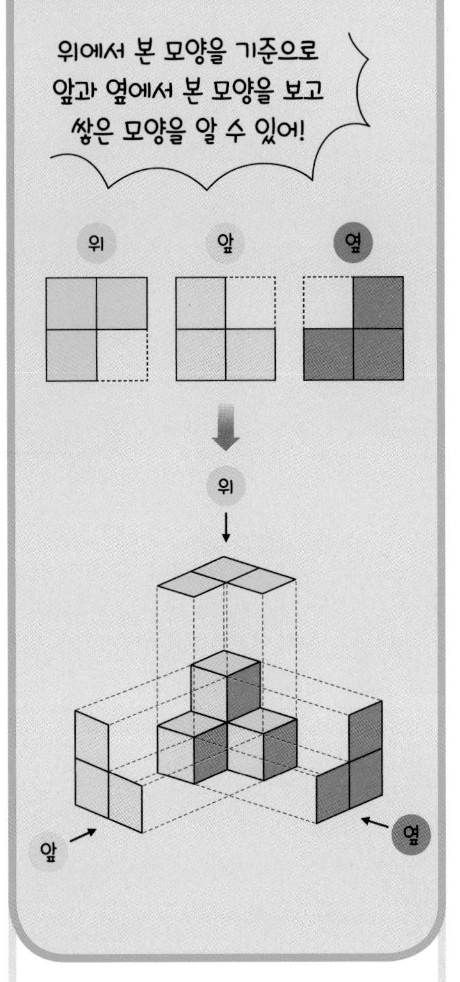

- 위, 앞, 옆에서 본 모양을 보고 쌓은 모양과 쌓기나무의 개수 알아보기

위 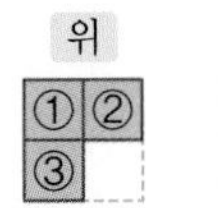

앞 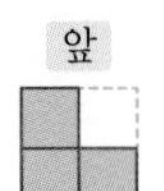

옆 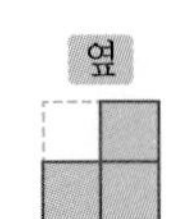

- 앞 에서 본 모양을 보면 ② 자리에 쌓기나무가 1개 놓입니다.
- 옆 에서 본 모양을 보면 쌓기나무가 ① 자리에 2개, ③ 자리에 1개 놓입니다.

⇩

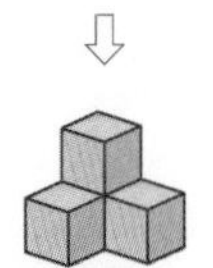

(쌓기나무의 개수)
$=\underset{②}{\underline{1}}+\underset{①}{\underline{2}}+\underset{③}{\underline{1}}=4$(개)

○ 쌓기나무로 쌓은 모양을 위, 앞, 옆에서 본 모양입니다. 똑같은 모양으로 쌓는 데 필요한 쌓기나무의 개수를 구해 보시오.

❶ 위 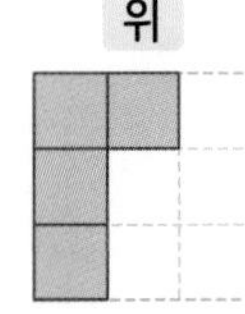 앞 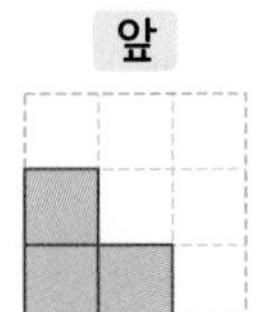 옆 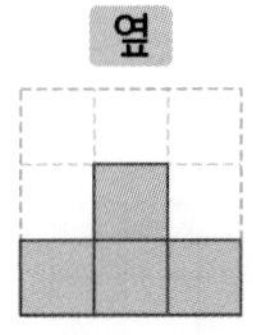

( )

❷ 위 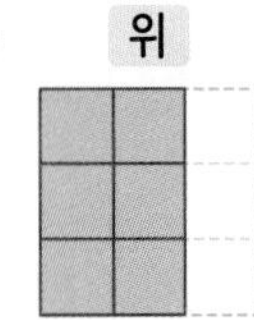 앞 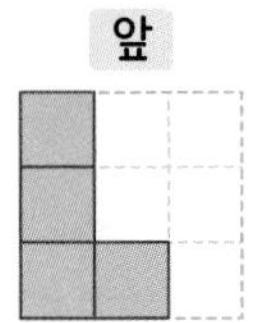 옆 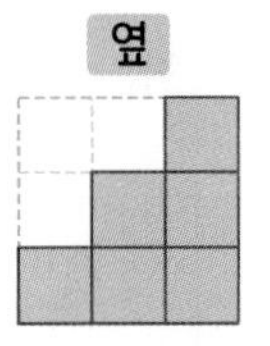

( )

❸ 위 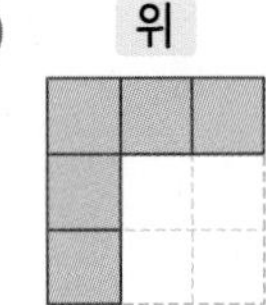 앞 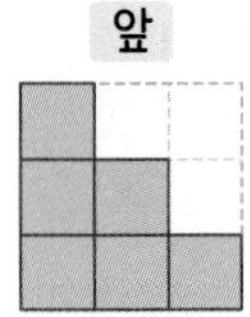 옆 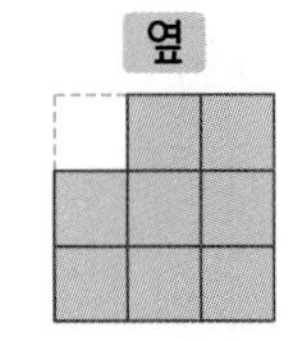

( )

❹ 위 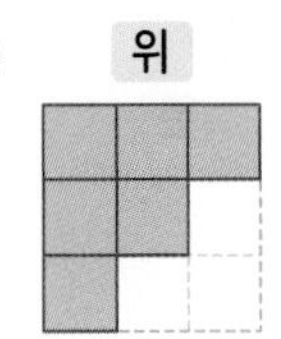 앞 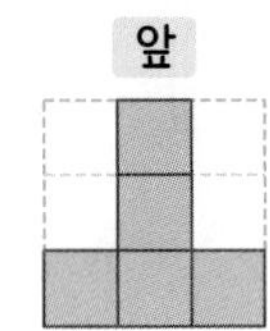 옆 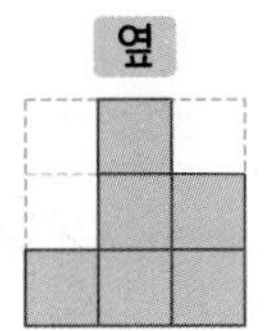

( )

❺ 위 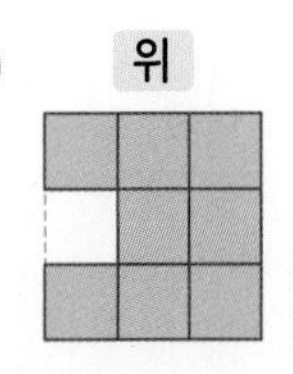 앞 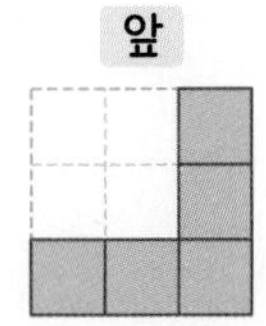 옆 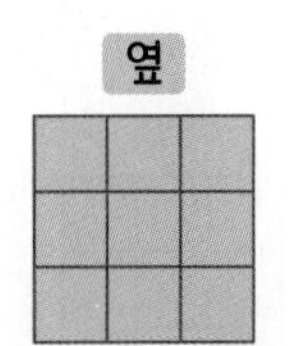

( )

정답 • 14쪽

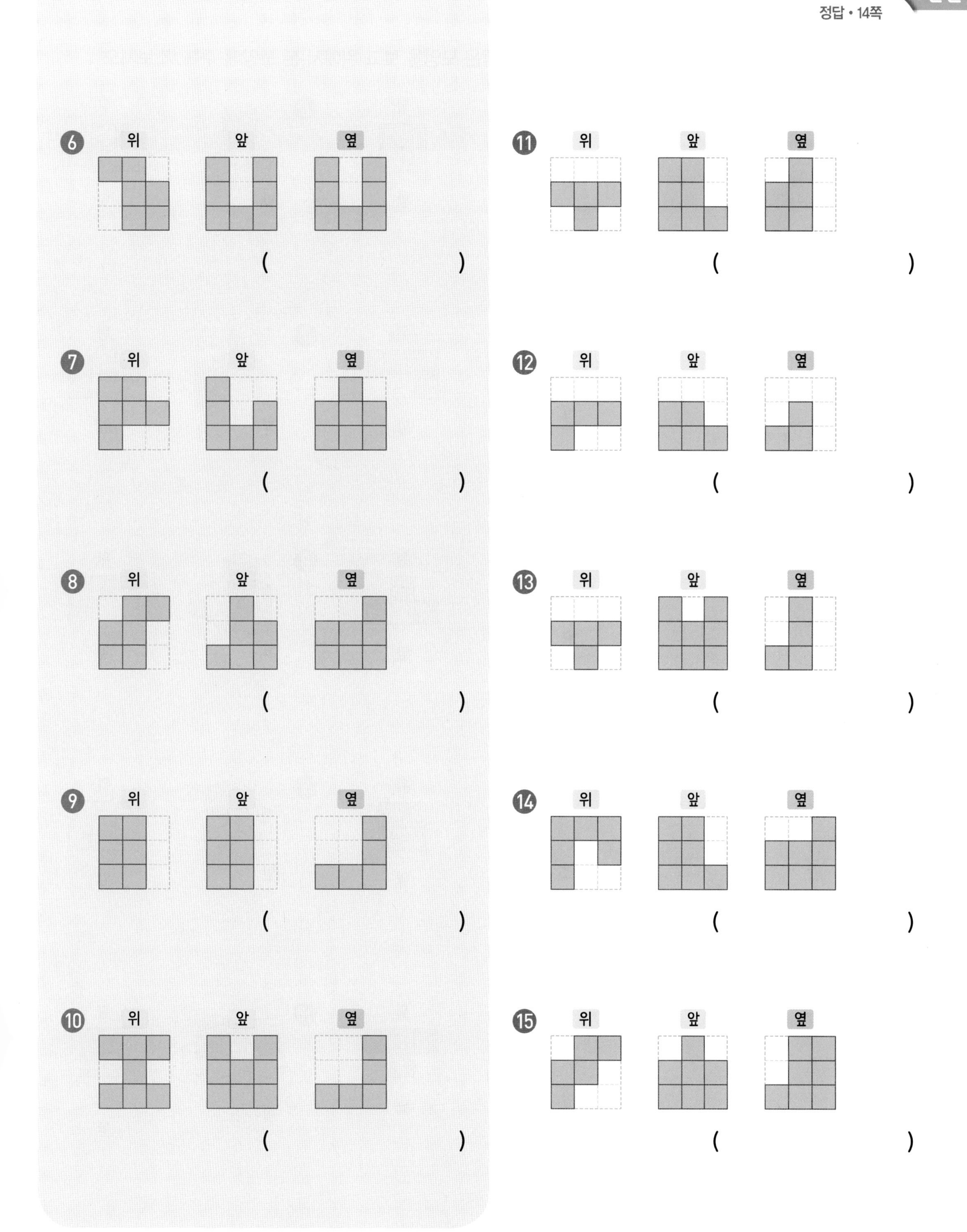

4 위에서 본 모양에 수를 써서 쌓기나무의 개수 알아보기

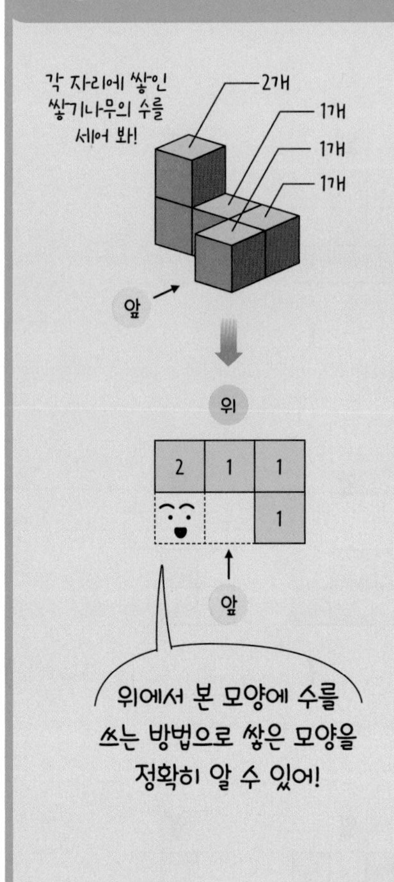

- **위에서 본 모양에 수를 써서 쌓기나무의 개수 알아보기**

위에서 본 모양에 수를 쓰는 방법으로 쌓기나무를 쌓으면 쌓은 모양을 정확하게 알 수 있습니다.

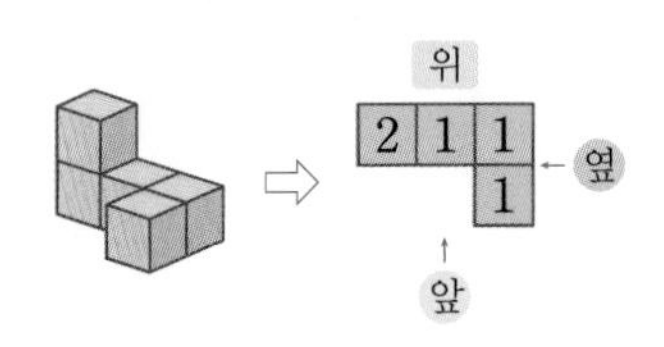

(쌓기나무의 개수)
$=2+1+1+1=5$(개)
위에서 본 모양에 쓰인 수의 합

○ 쌓기나무로 쌓은 모양을 보고 위에서 본 모양에 수를 써 보시오.

❶
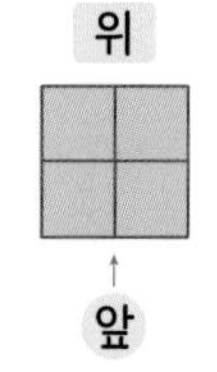
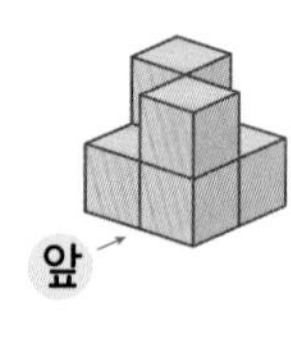

❷
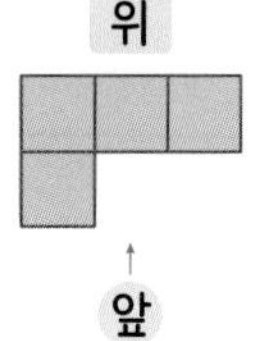
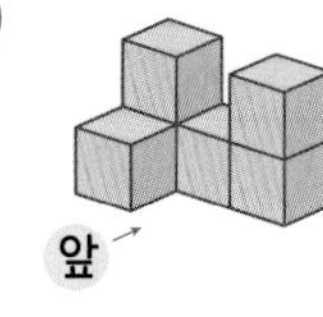

❸
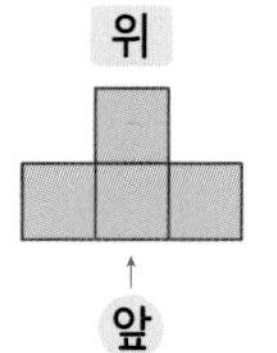
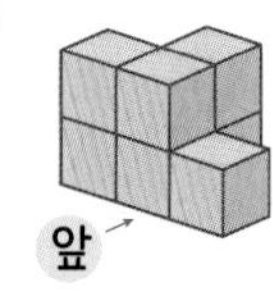

❹
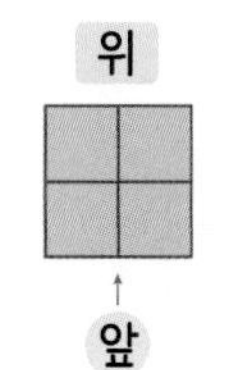
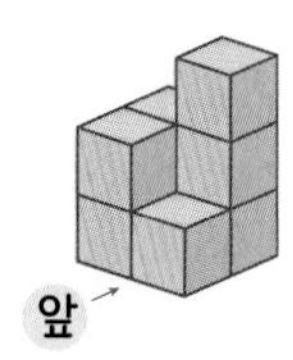

❺
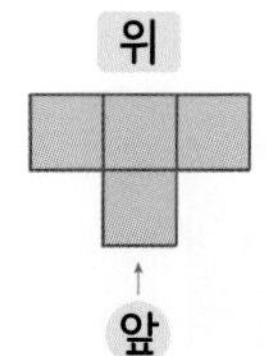
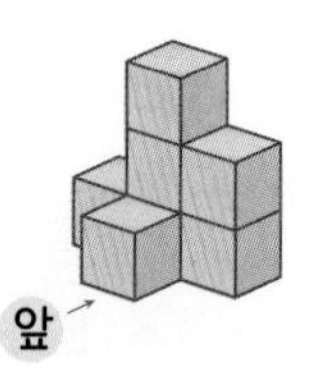

❻

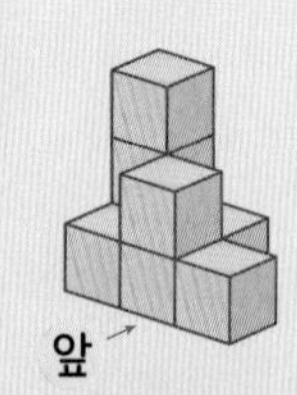
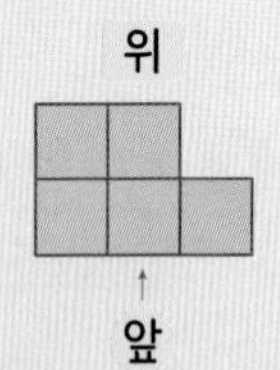

❼
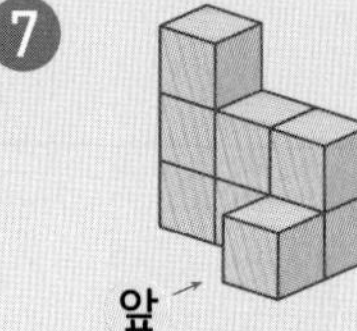
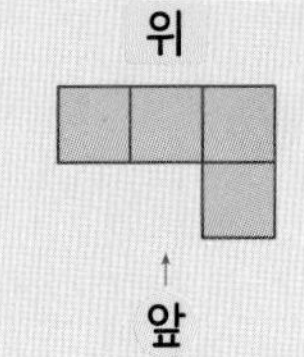

❽

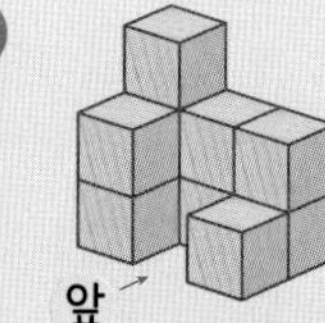
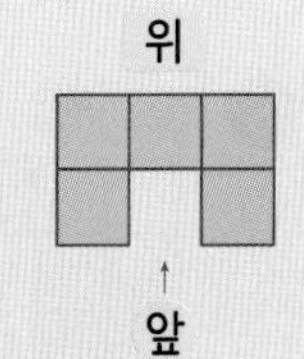

❾

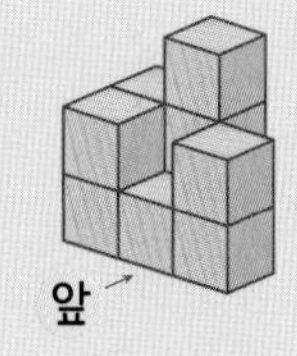
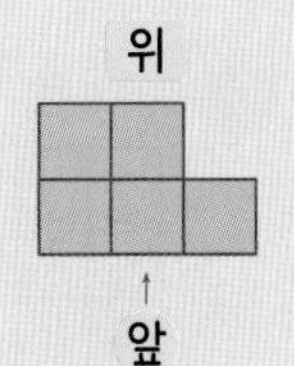

❿

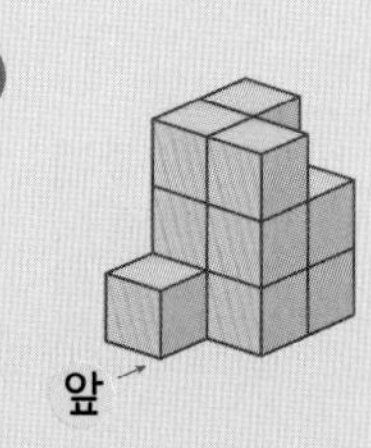
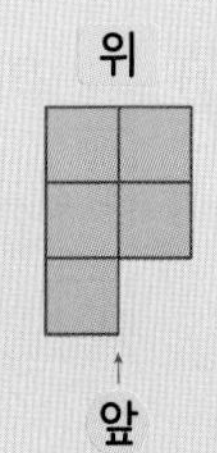

정답 • 15쪽

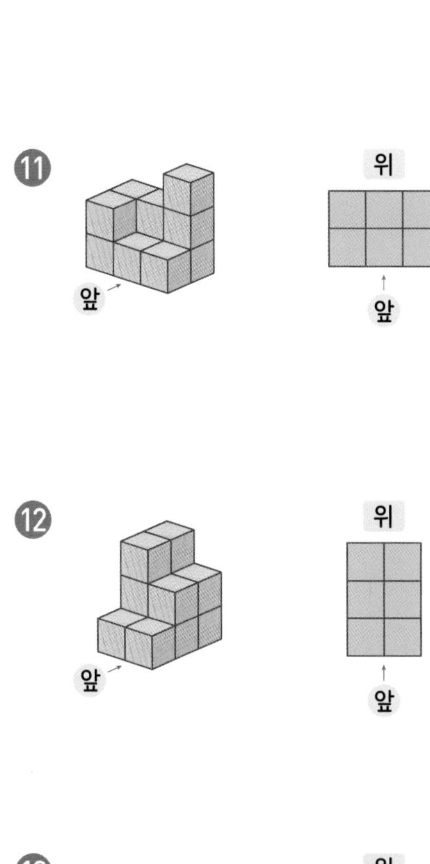
11
위
앞
앞
12
위
앞
앞

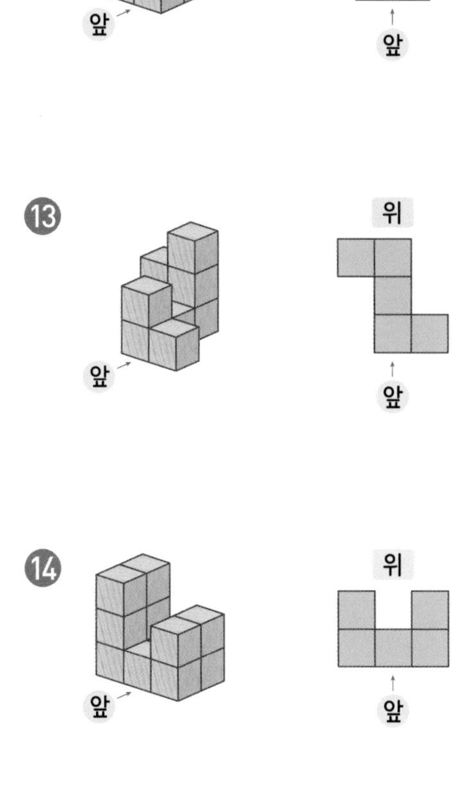
13
위
앞
앞
14
위
앞
앞

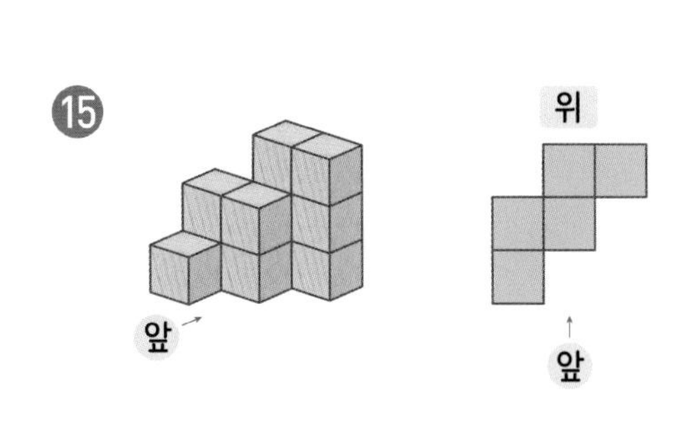
15
위
앞
앞

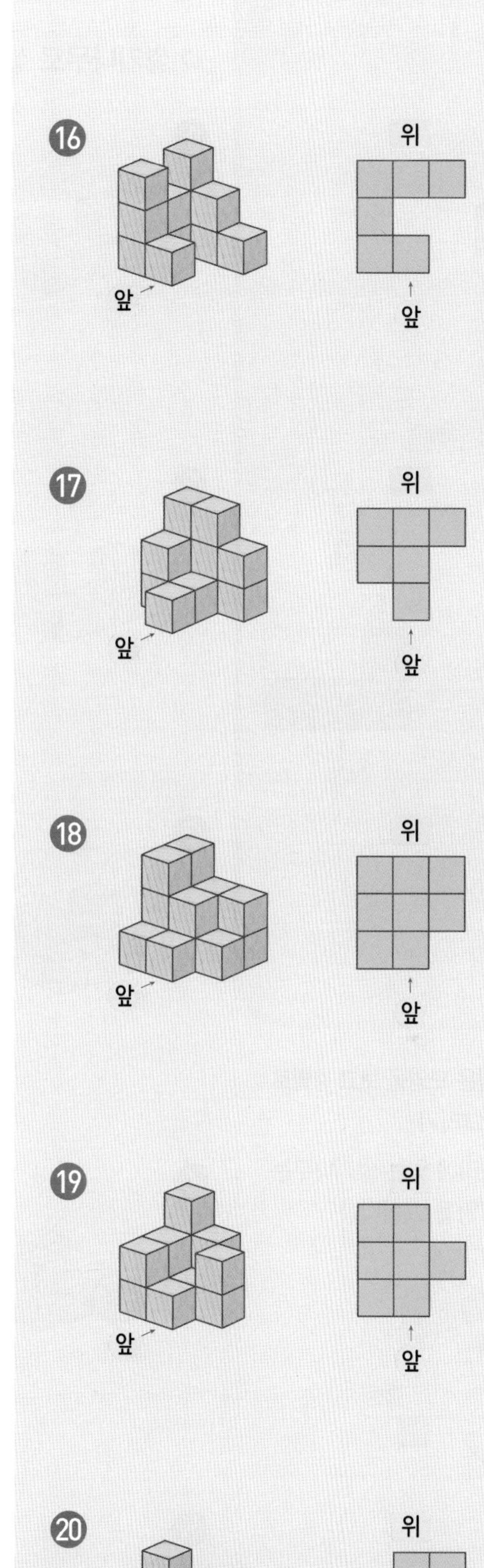
16
위
앞
앞
17
위
앞
앞
18
위
앞
앞

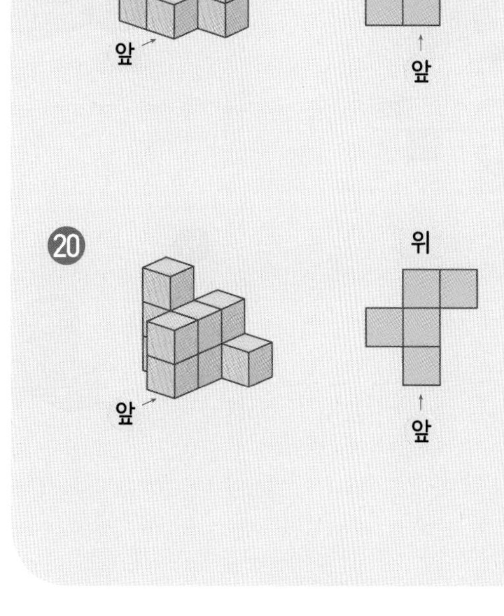
19
위
앞
앞
20
위
앞
앞

5 쌓기나무로 쌓은 모양을 보고 층별로 나타낸 모양 그리기

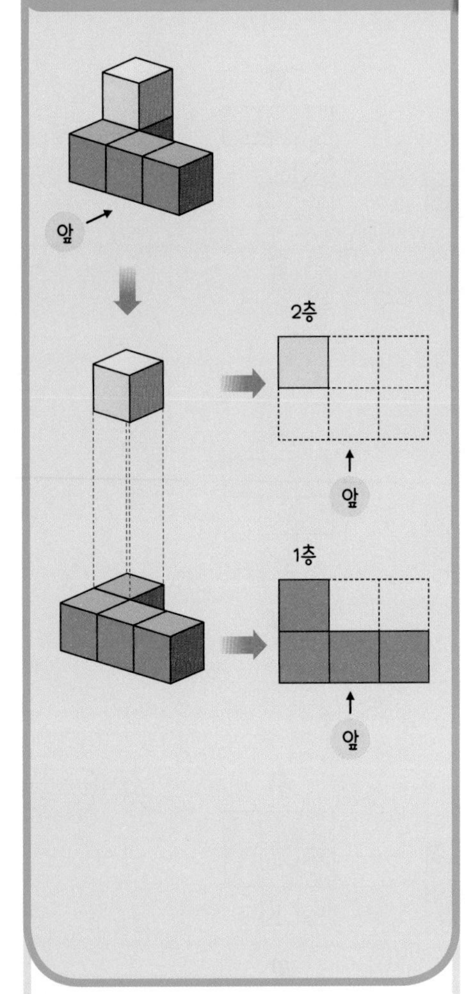

● **쌓기나무로 쌓은 모양을 보고 층별로 나타낸 모양 그리기**

층별로 같은 자리에 있는 쌓기나무는 같은 자리에 모양을 그립니다.

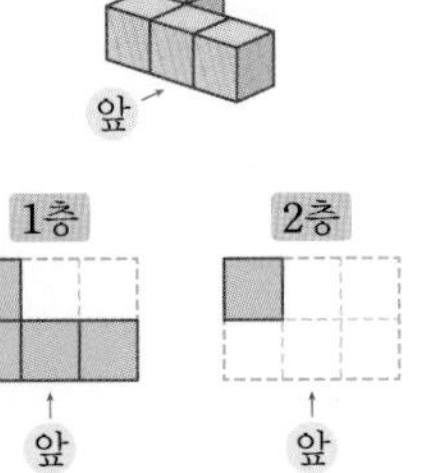

○ 쌓기나무로 쌓은 모양을 보고 1층과 2층 모양을 각각 그려 보시오.

❶

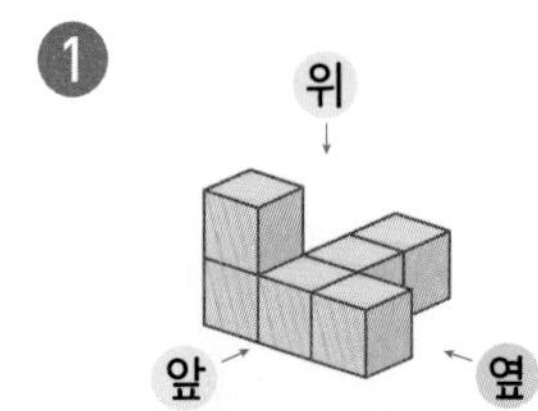

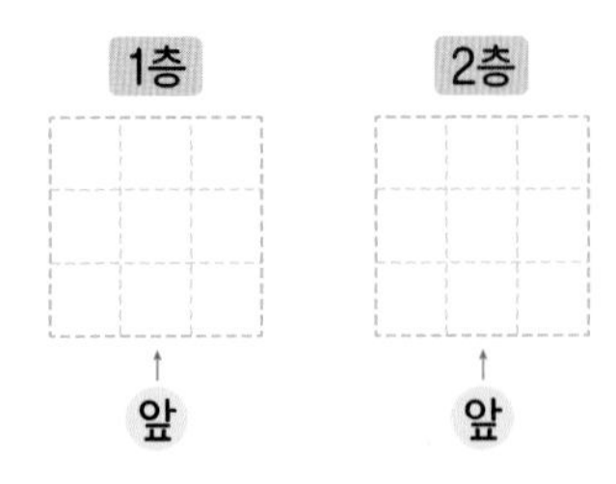

❷

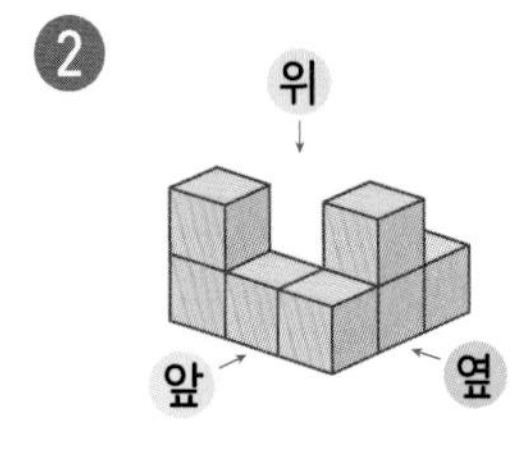

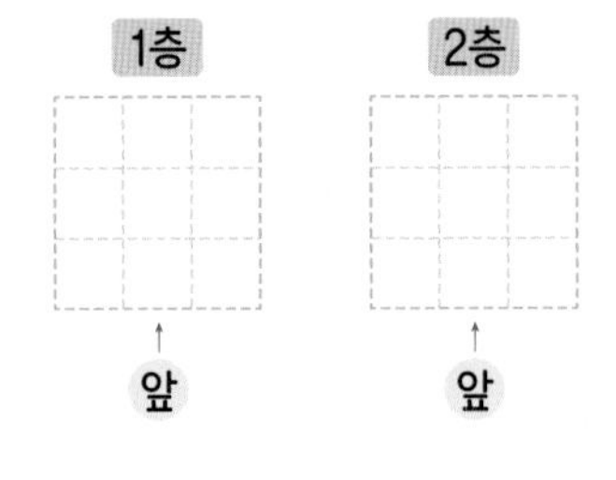

❸

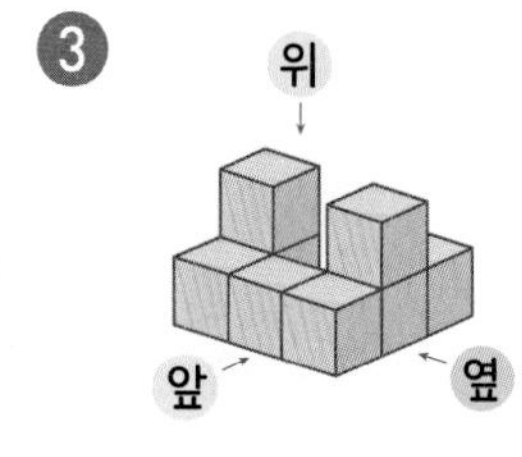

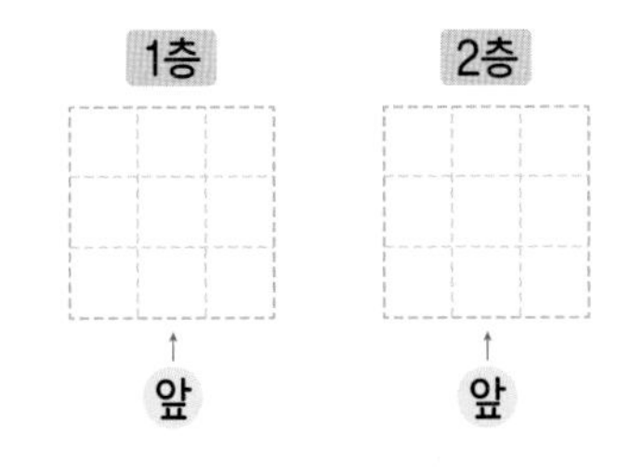

❹

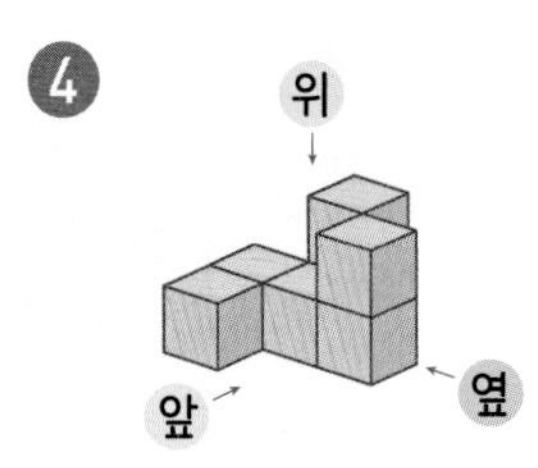

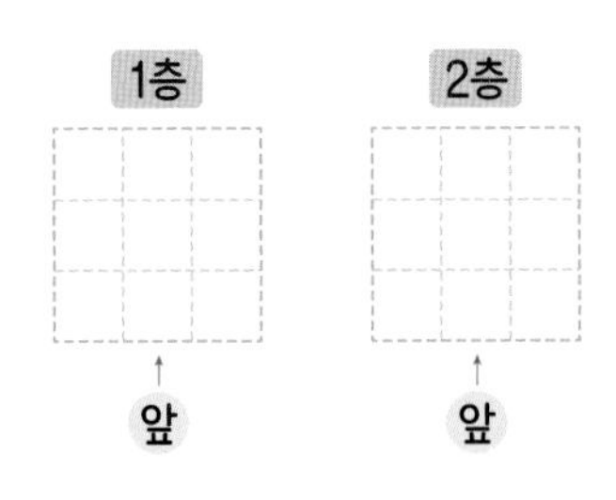

❺

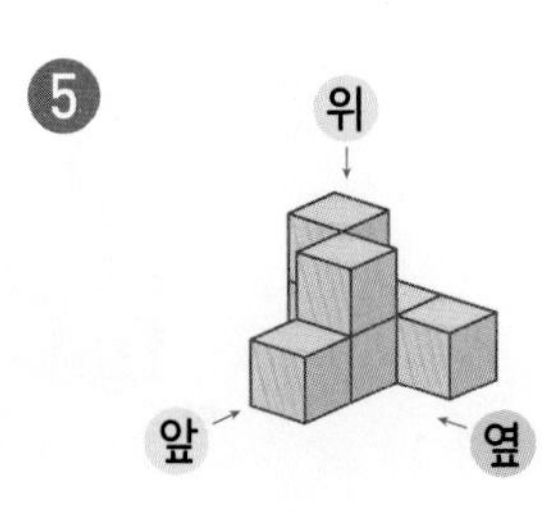

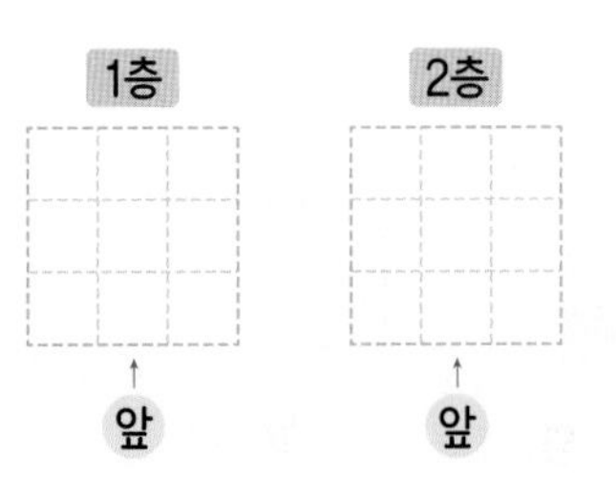

○ 쌓기나무로 쌓은 모양과 1층 모양을 보고 2층과 3층 모양을 각각 그려 보시오.

6

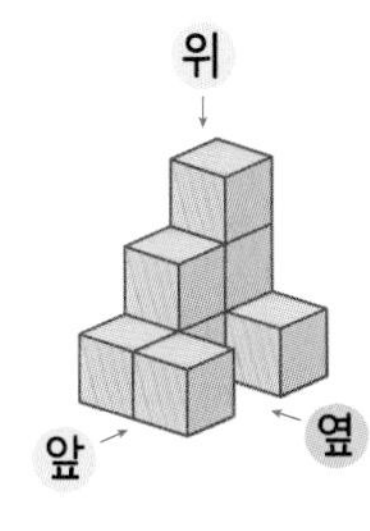

1층

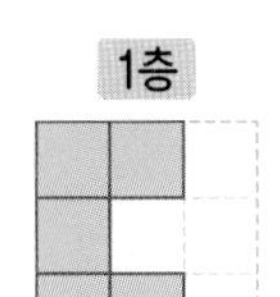

앞

2층

앞

3층

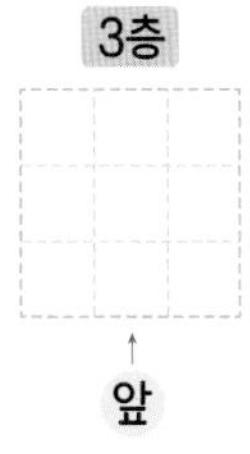

앞

7

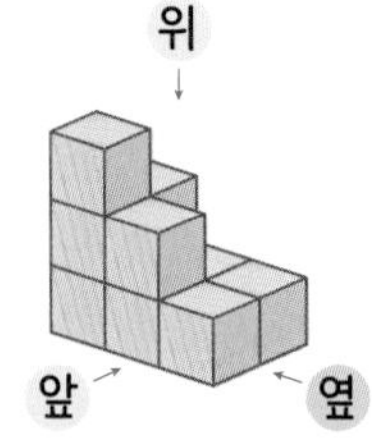

1층

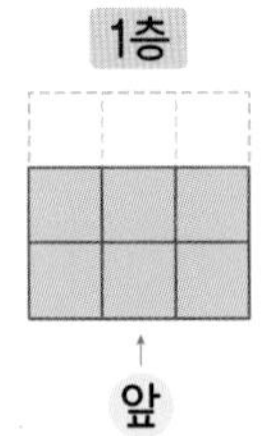

앞

2층

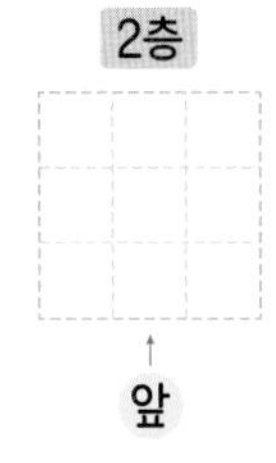

앞

3층

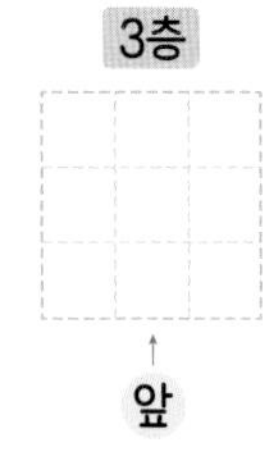

앞

8

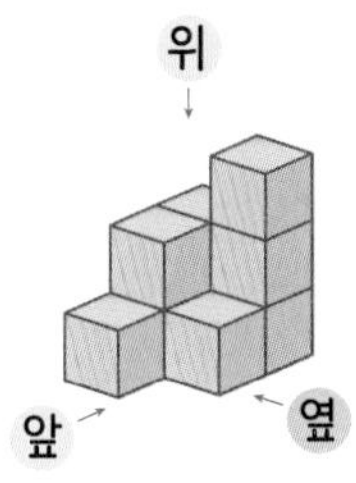

1층

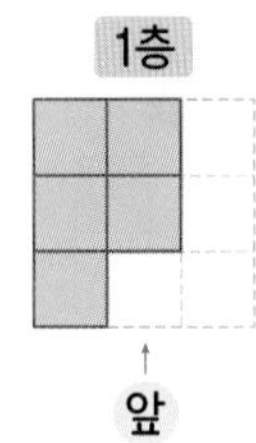

앞

2층

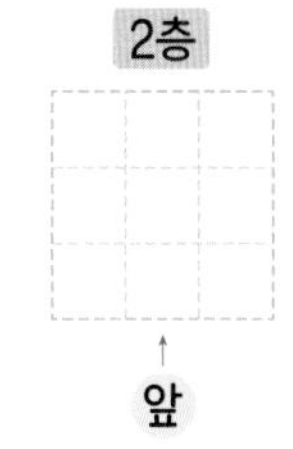

앞

3층

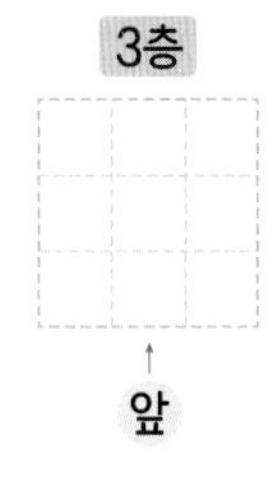

앞

9

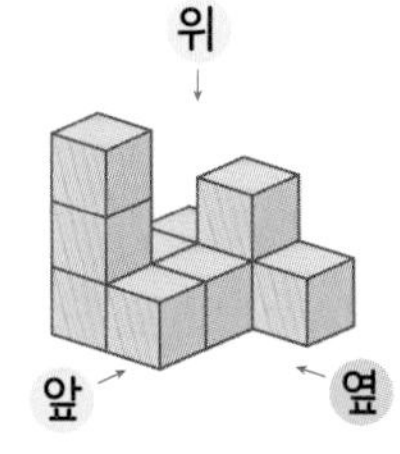

1층

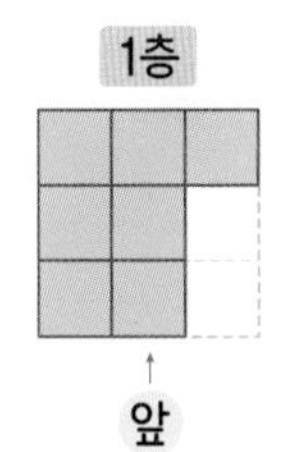

앞

2층

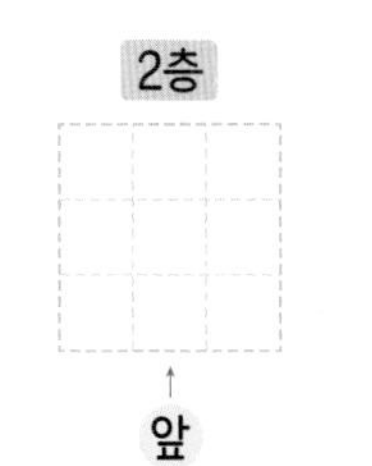

앞

3층

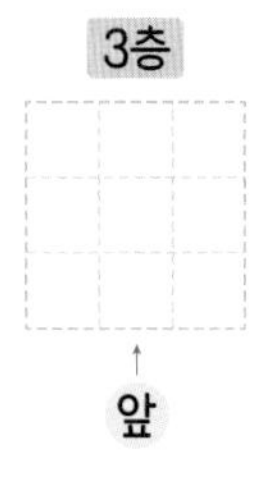

앞

10

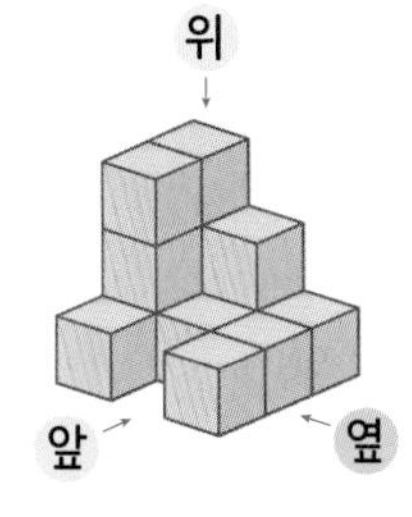

1층

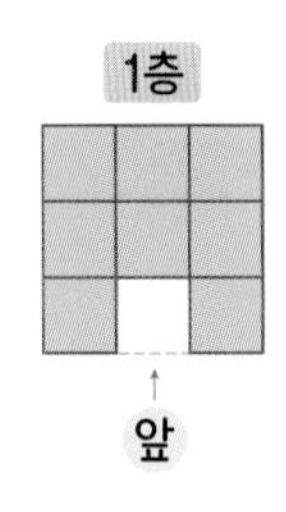

앞

2층

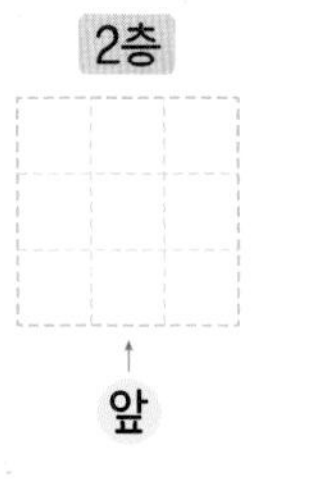

앞

3층

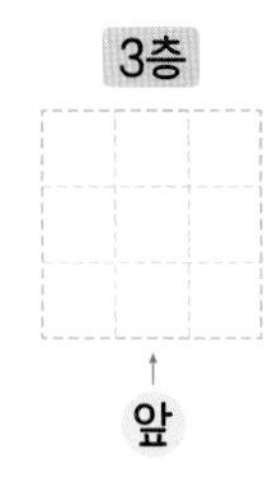

앞

6 층별로 나타낸 모양을 보고 쌓은 모양과 쌓기나무의 개수 알아보기

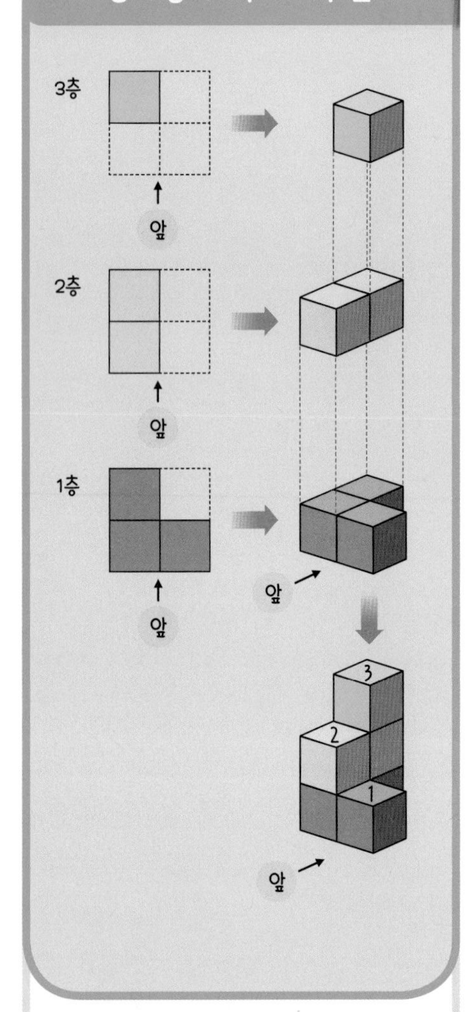

• 층별로 나타낸 모양을 보고 쌓은 모양과 쌓기나무의 개수 알아보기

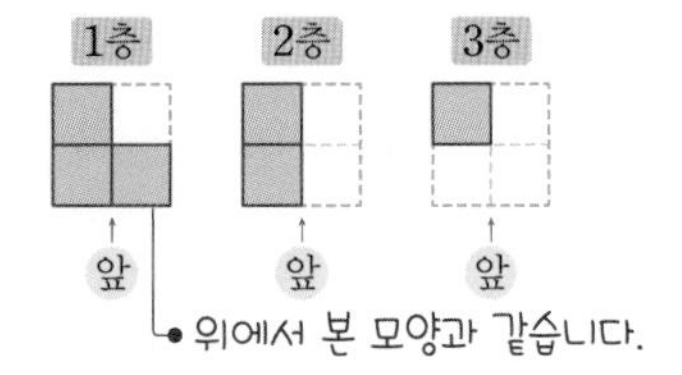

위에서 본 모양에 3층이 있는 자리에 3을 쓰고, 남은 자리 중 2층이 있는 자리에 2를 쓰고, 나머지 자리에 1을 씁니다.

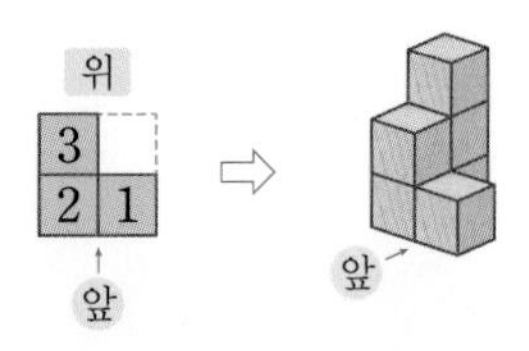

(쌓기나무의 개수)

$=3+2+1=6$(개)

위에서 본 모양에 쓰인 수의 합

○ 쌓기나무로 쌓은 모양을 층별로 나타낸 모양입니다. 위에서 본 모양을 그리고, 각 자리에 쌓은 쌓기나무의 개수를 써 보시오.

❶

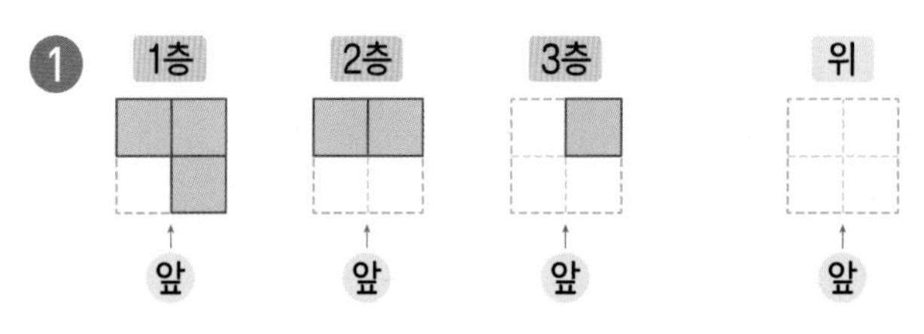

❷

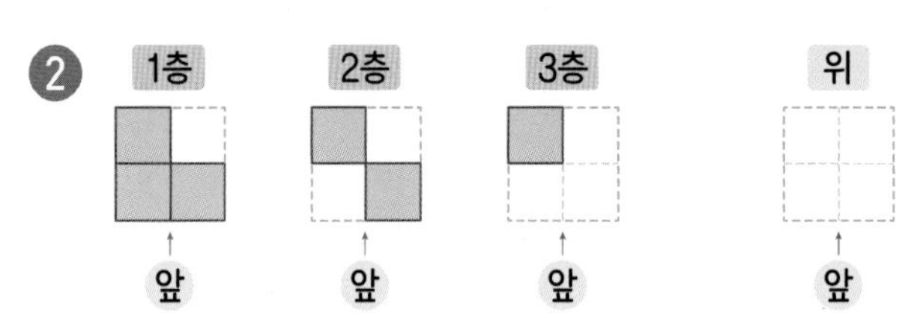

❸

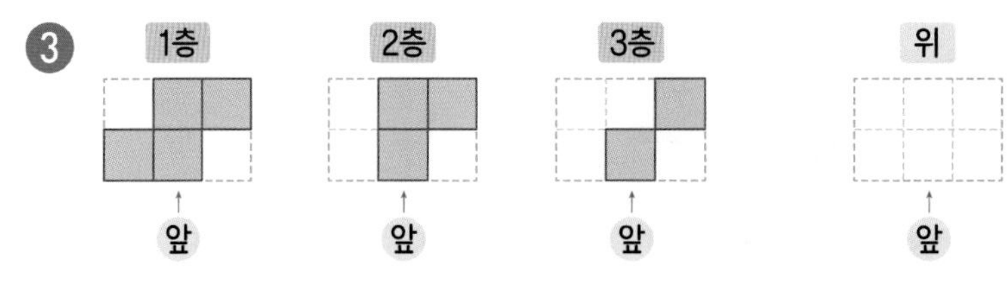

❹

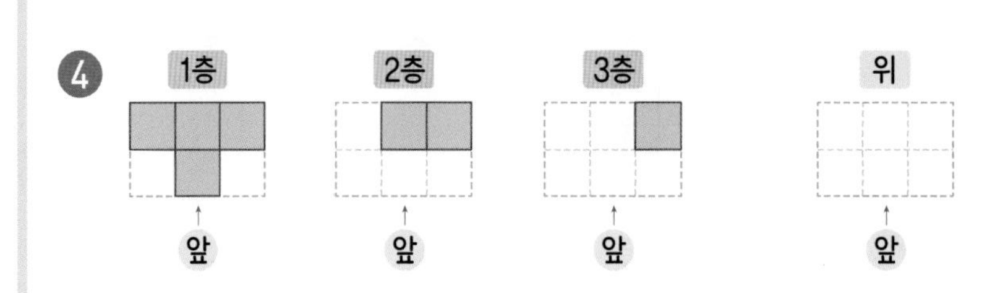

❺

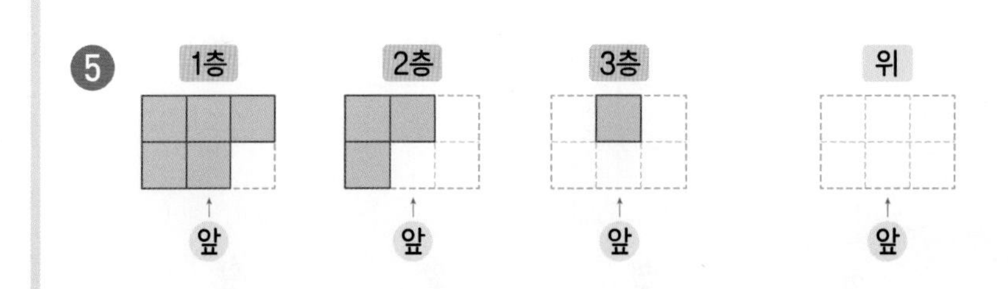

6

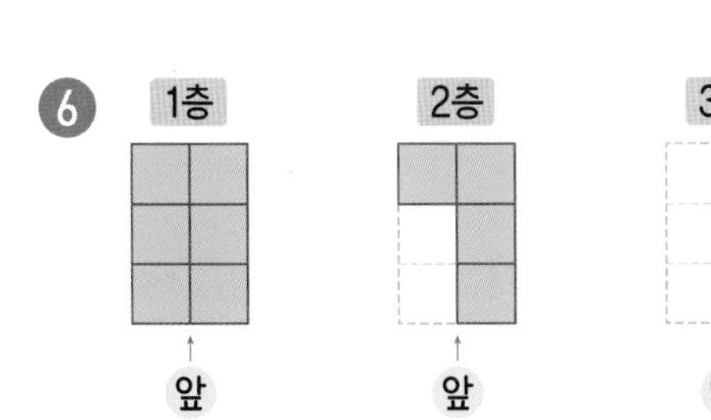
1층
2층
앞
앞
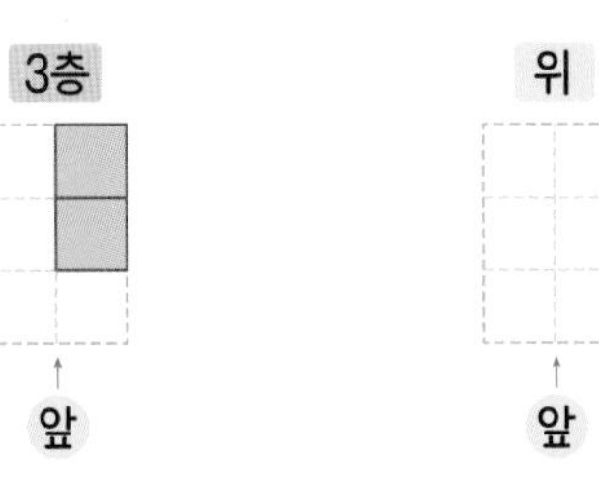
3층
위
앞
앞

7

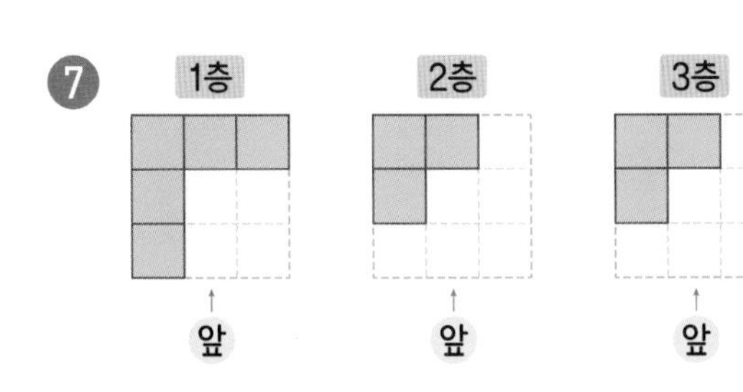
1층
2층
3층
앞
앞
앞
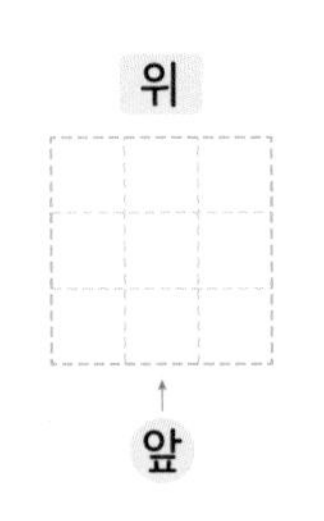
위
앞

8

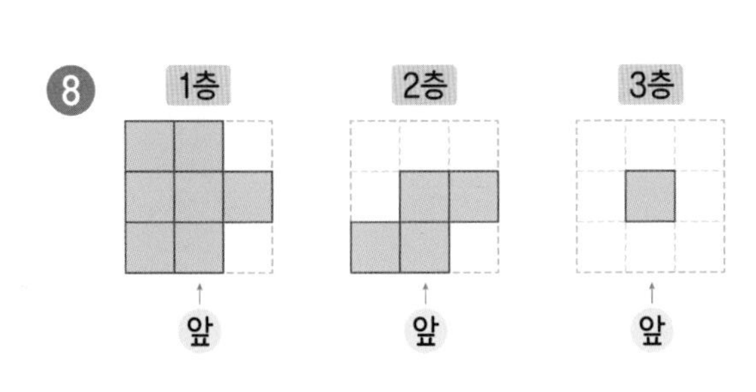
1층
2층
3층
앞
앞
앞
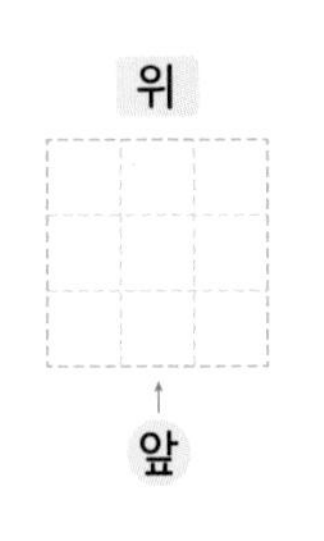
위
앞

9

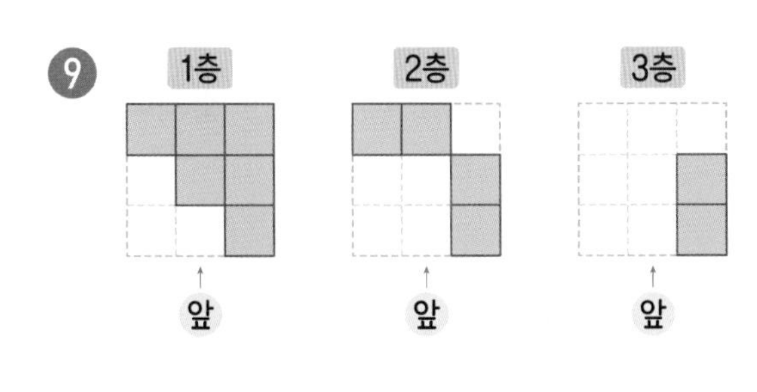
1층
2층
3층
앞
앞
앞
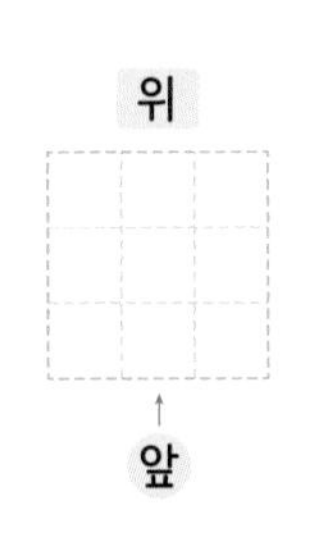
위
앞

10

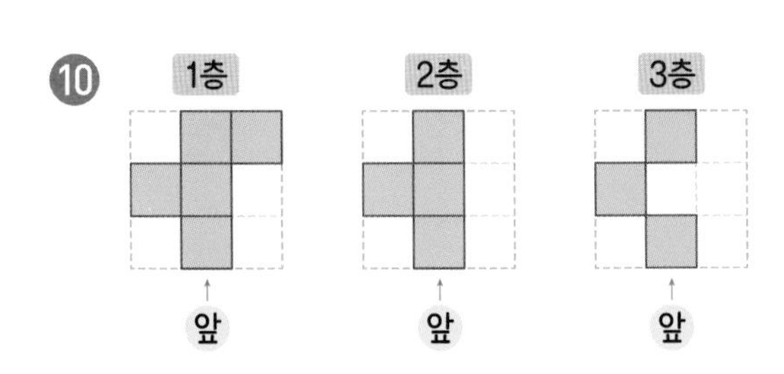
1층
2층
3층
앞
앞
앞
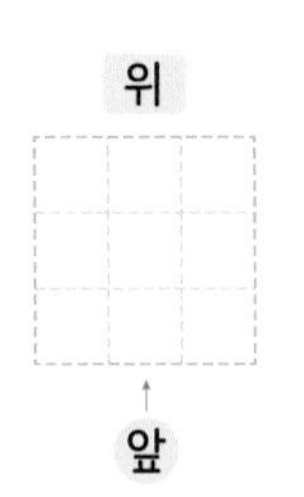
위
앞

○ 주어진 모양과 똑같이 쌓는 데 필요한 쌓기나무의 개수를 구해 보시오.

1

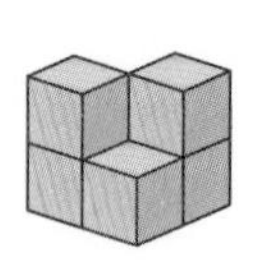

( )

2

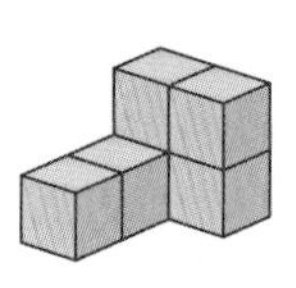

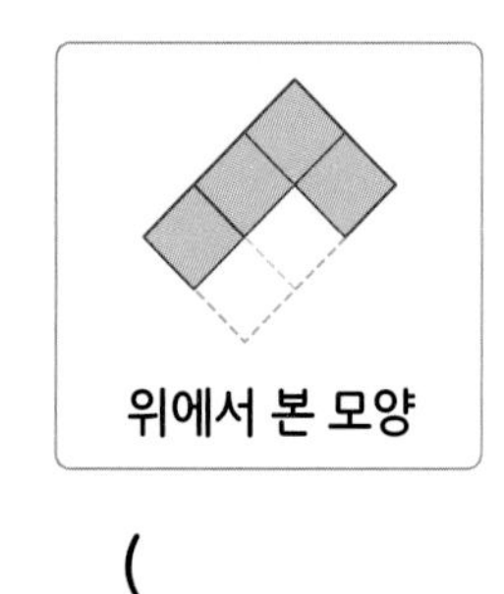

( )

3

위에서 본 모양

( )

4

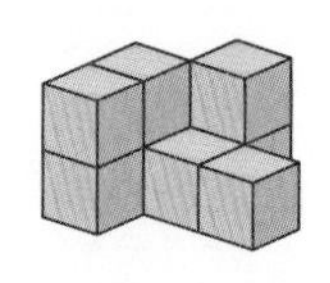

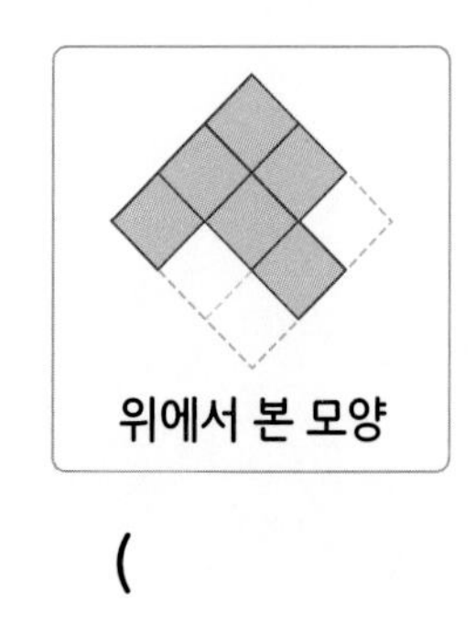

( )

○ 쌓기나무로 쌓은 모양과 위에서 본 모양입니다. 앞과 옆에서 본 모양을 각각 그려 보시오.

5

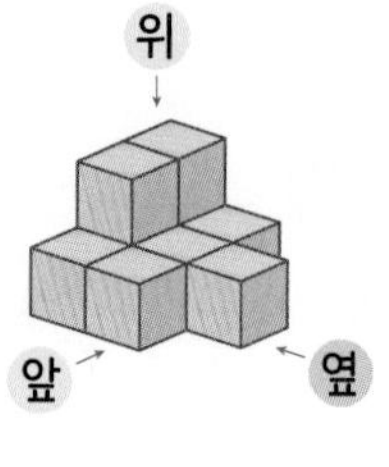

위 앞 옆

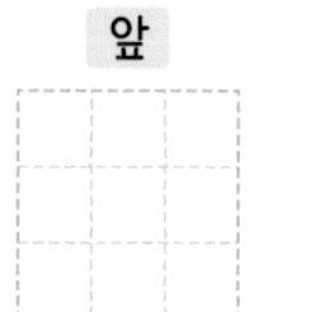

6

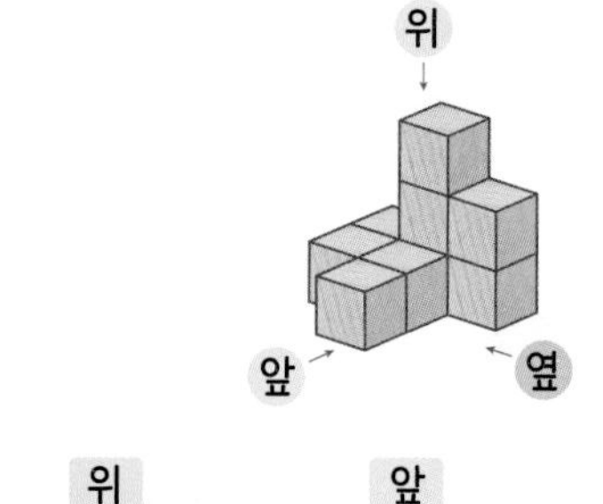

위 앞 옆

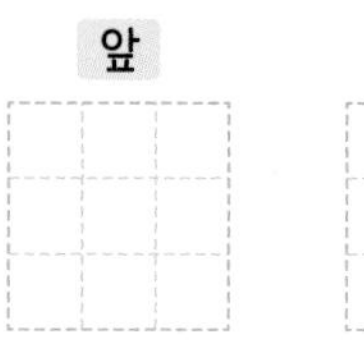

○ 쌓기나무로 쌓은 모양을 위, 앞, 옆에서 본 모양입니다. 똑같은 모양으로 쌓는 데 필요한 쌓기나무의 개수를 구해 보시오.

7

위 앞 옆

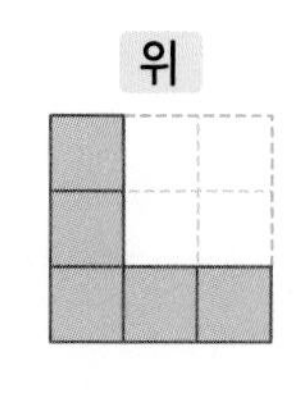
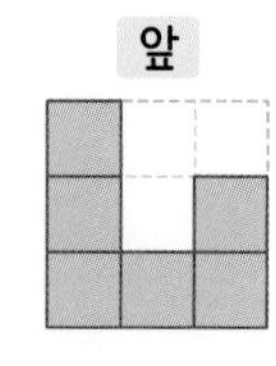
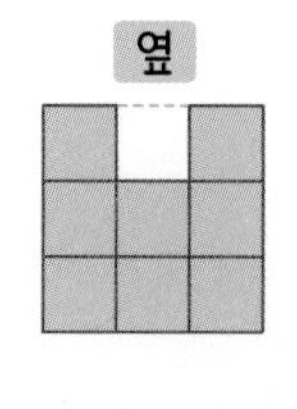

( )

8

위 앞 옆

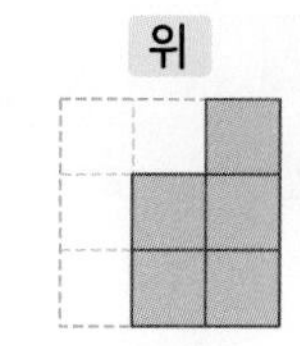
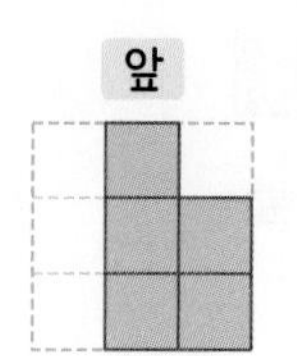
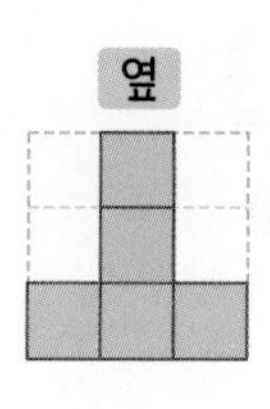

( )

○ 쌓기나무로 쌓은 모양을 보고 위에서 본 모양에 수를 써 보시오.

9

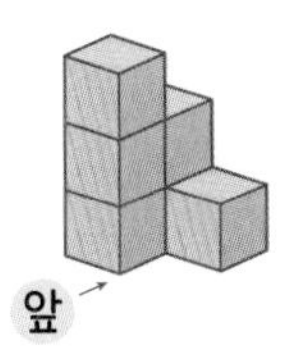

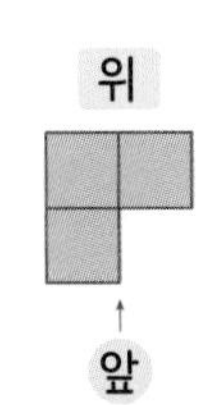

10

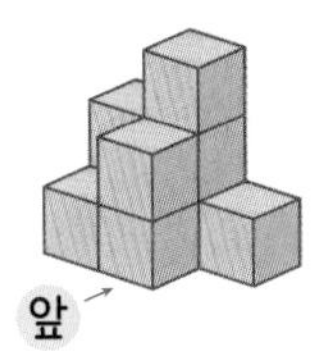

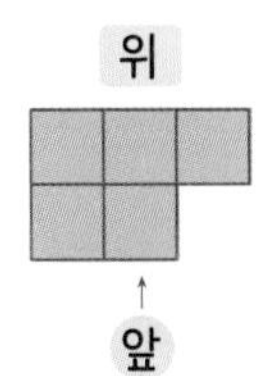

11

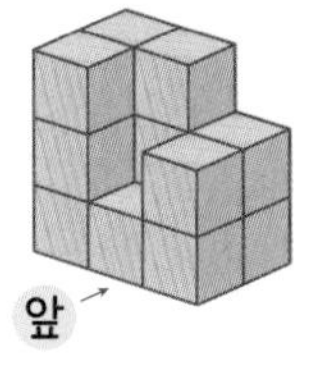

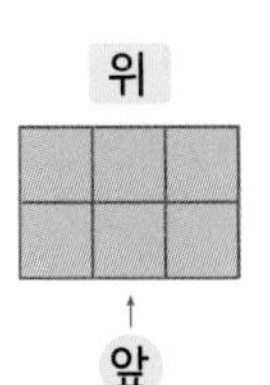

12

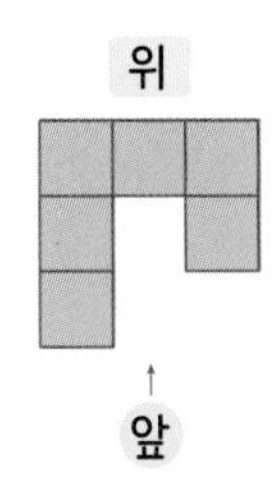

13

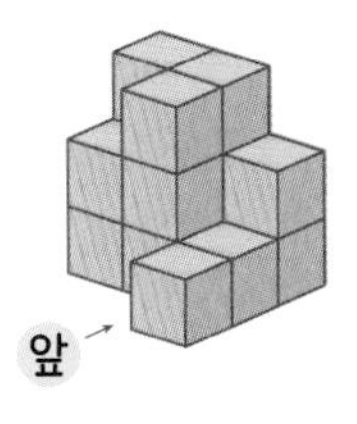

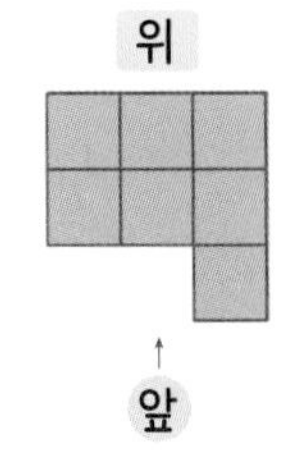

○ 쌓기나무로 쌓은 모양과 1층 모양을 보고 2층과 3층 모양을 각각 그려 보시오.

14

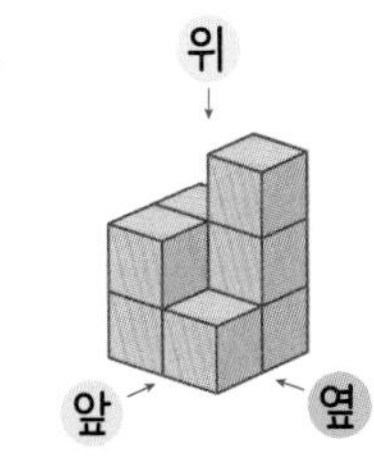

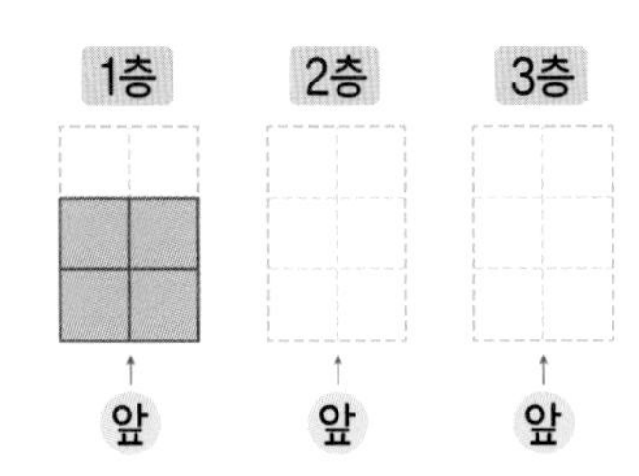

15

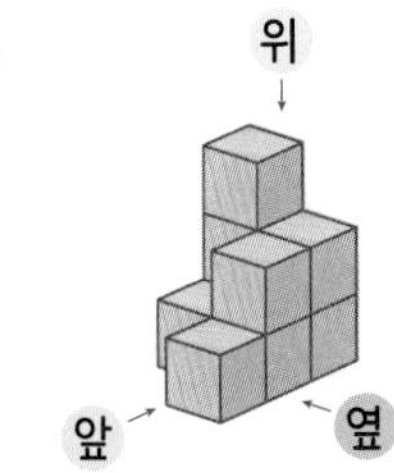

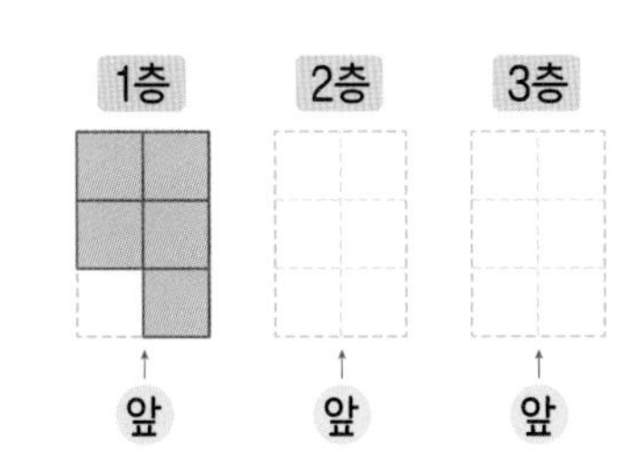

○ 쌓기나무로 쌓은 모양을 층별로 나타낸 모양입니다. 위에서 본 모양을 그리고, 각 자리에 쌓은 쌓기나무의 개수를 써 보시오.

16

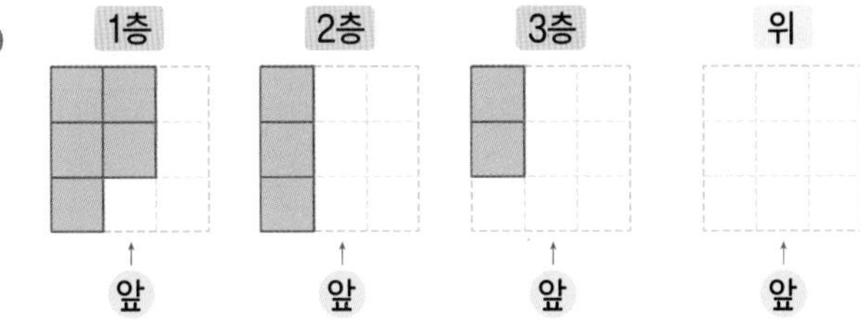

17

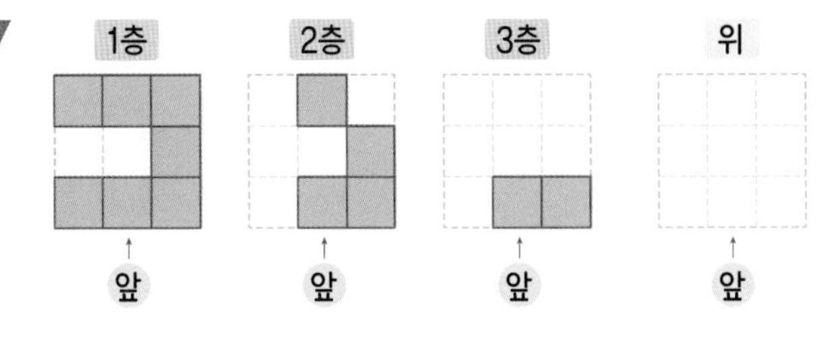

3단원의 연산 실력을 보충하고 싶다면 **클리닉 북 17~22쪽**을 풀어 보세요.

비례식과 비례배분

학습하는 데 걸린 시간을 작성해 봐요!

학습 내용	학습 회차	걸린 시간
1 비의 성질	1일 차	/6분
	2일 차	/7분
2 간단한 자연수의 비로 나타내기	3일 차	/18분
	4일 차	/21분
3 소수의 비를 간단한 자연수의 비로 나타내기	5일 차	/18분
	6일 차	/21분
4 분수의 비를 간단한 자연수의 비로 나타내기	7일 차	/16분
	8일 차	/19분
5 소수와 분수의 비를 간단한 자연수의 비로 나타내기	9일 차	/15분
	10일 차	/17분
6 비례식	11일 차	/5분
7 비례식의 성질	12일 차	/14분
	13일 차	/14분
8 비례배분	14일 차	/13분
	15일 차	/13분
평가 4. 비례식과 비례배분	16일 차	/19분

1 비의 성질

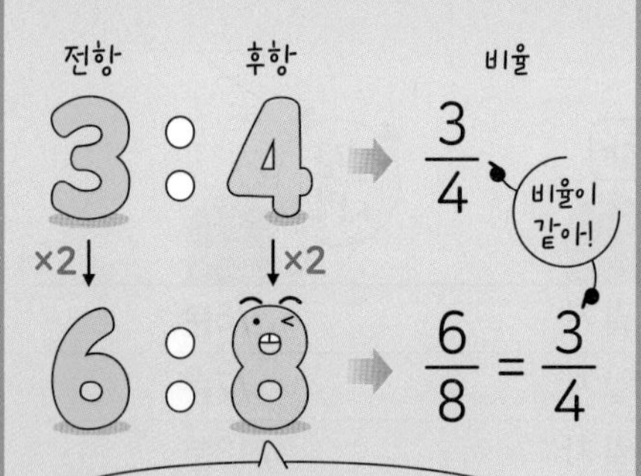

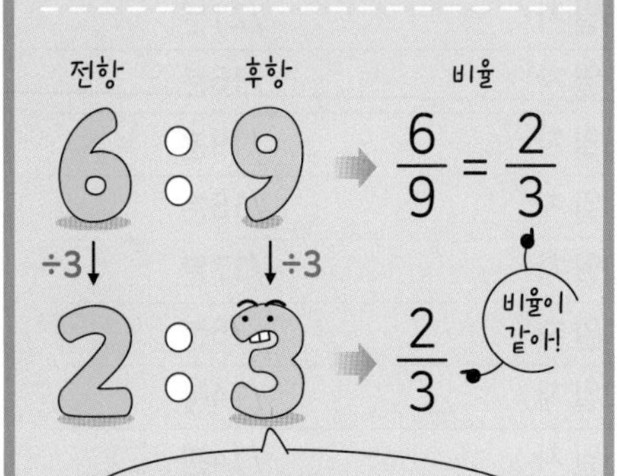

- 비의 전항과 후항

$\underline{2} : \underline{7}$
전항 후항

- 비의 성질

• 비의 전항과 후항에 0이 아닌 같은 수를 곱하여도 비율은 같습니다.

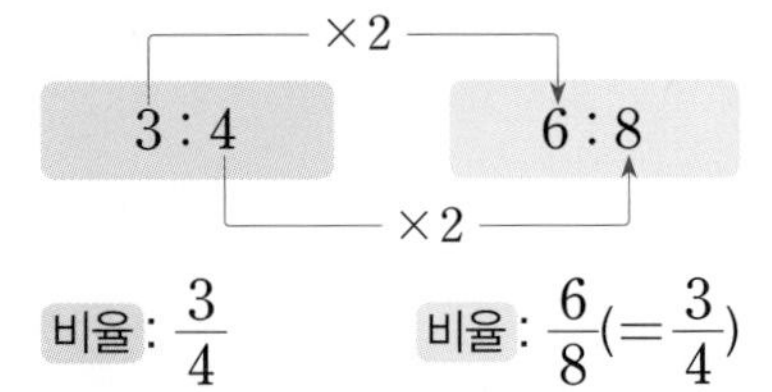

비율 : $\frac{3}{4}$ 비율 : $\frac{6}{8}(=\frac{3}{4})$

비율이 같습니다.

• 비의 전항과 후항을 0이 아닌 같은 수로 나누어도 비율은 같습니다.

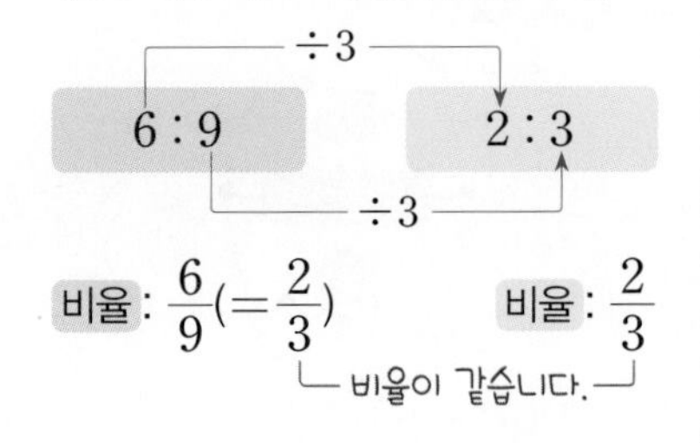

○ 비의 전항과 후항에 0이 아닌 같은 수를 곱하여 비율이 같은 비를 만들려고 합니다. □ 안에 알맞은 수를 써넣으시오.

❶
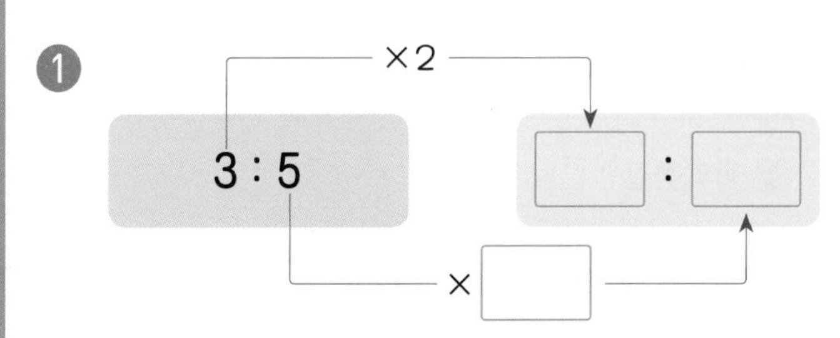

❷
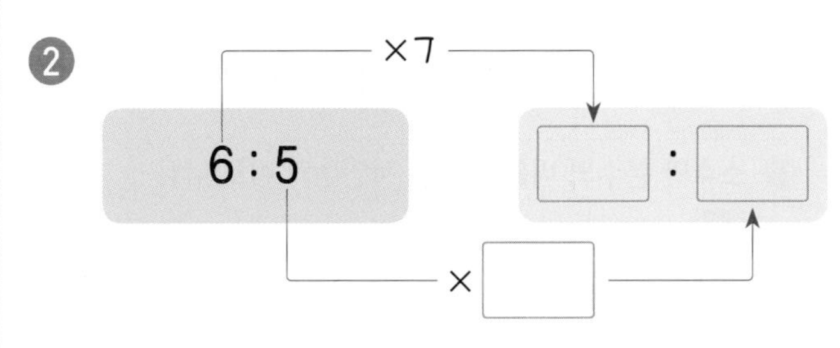

❸
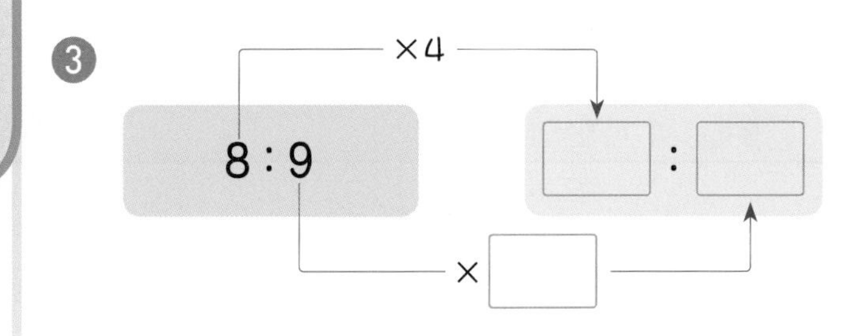

❹
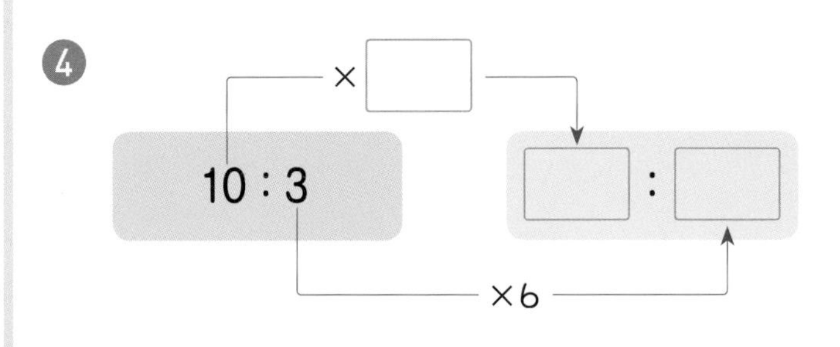

❺
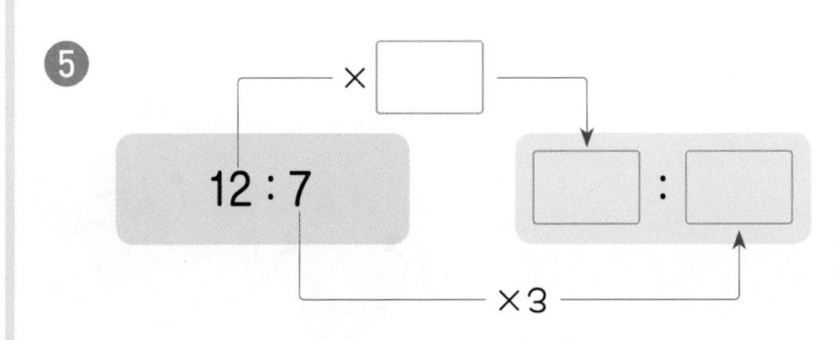

○ 비의 전항과 후항을 0이 아닌 같은 수로 나누어 비율이 같은 비를 만들려고 합니다. □ 안에 알맞은 수를 써넣으시오.

6
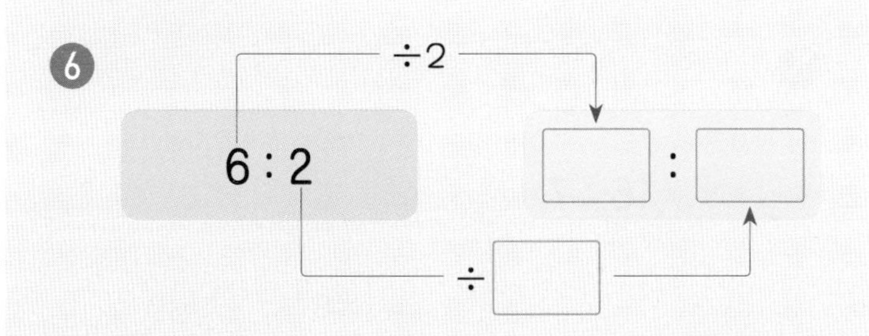

7
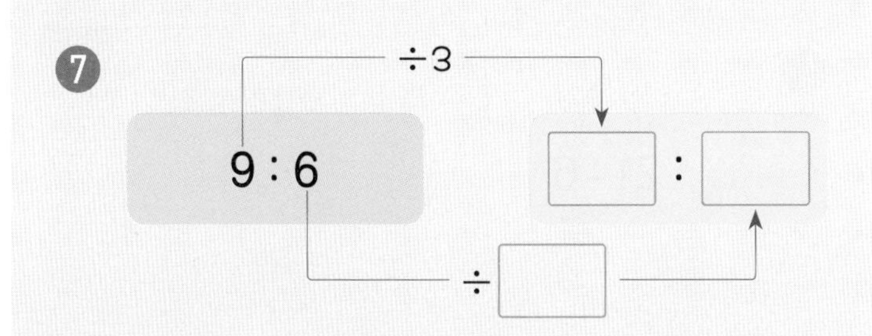

8
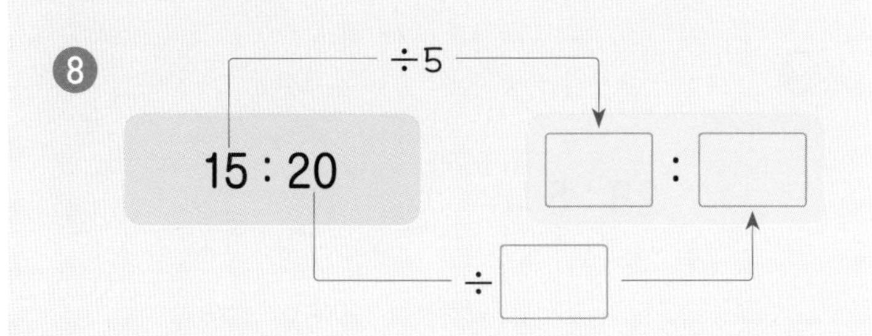

9
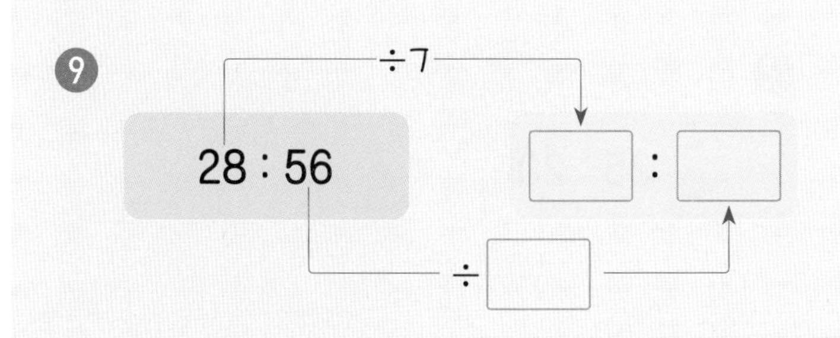

10
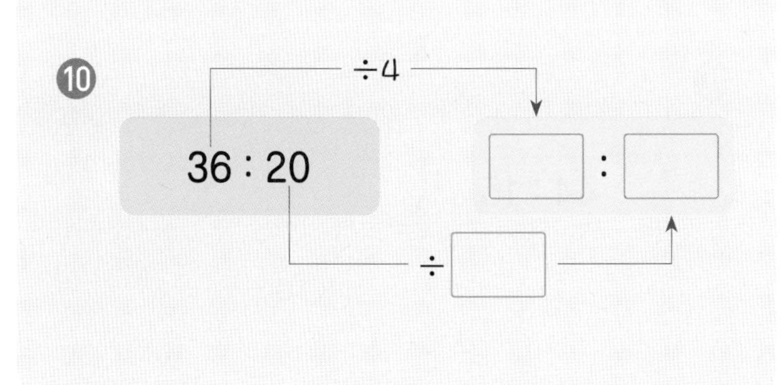

11
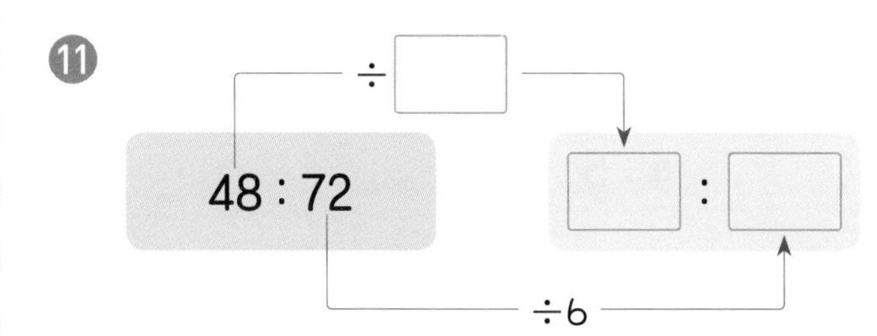

12
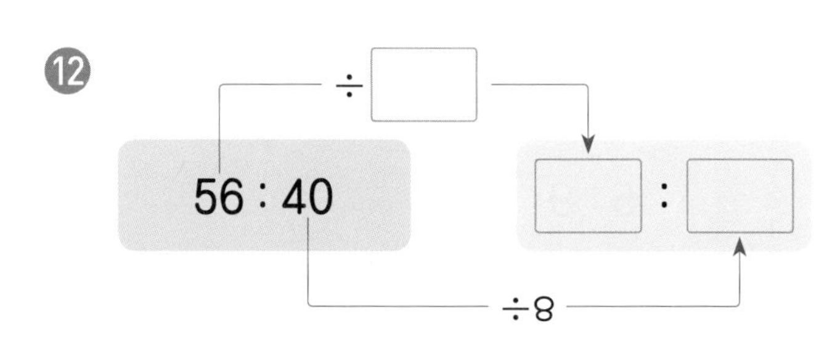

13
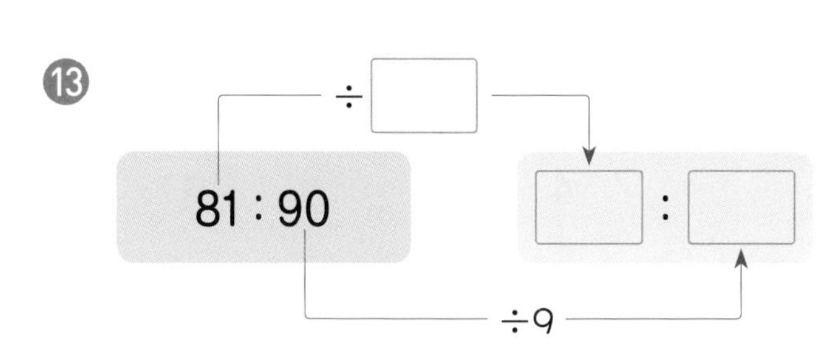

14
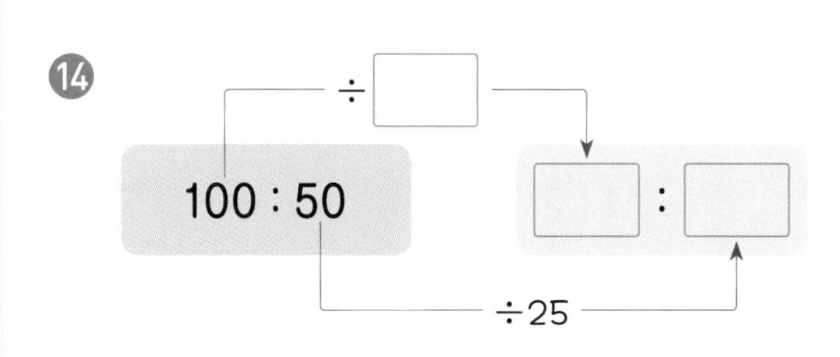

15
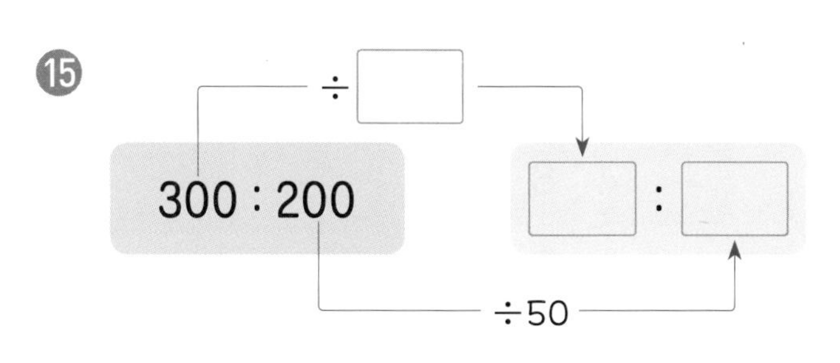

1 비의 성질

○ 비의 전항과 후항에 0이 아닌 같은 수를 곱하여 비율이 같은 비를 만들려고 합니다. □ 안에 알맞은 수를 써넣으시오.

❶
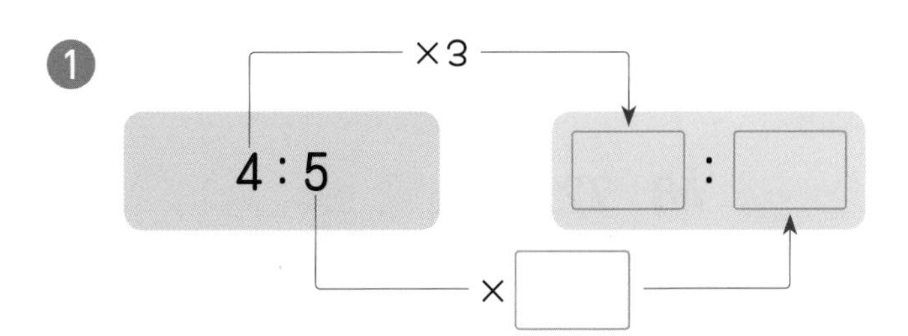

❷
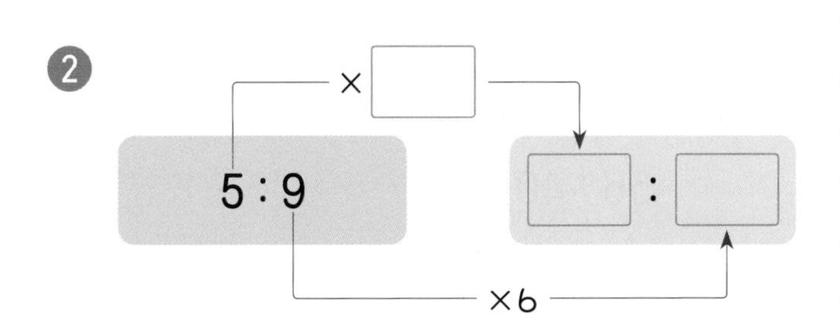

❸
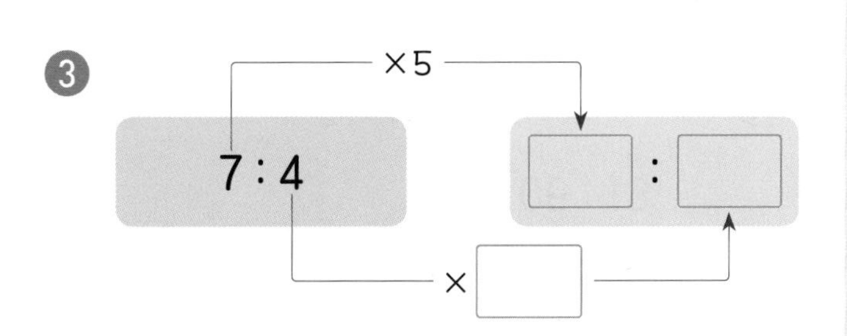

❹
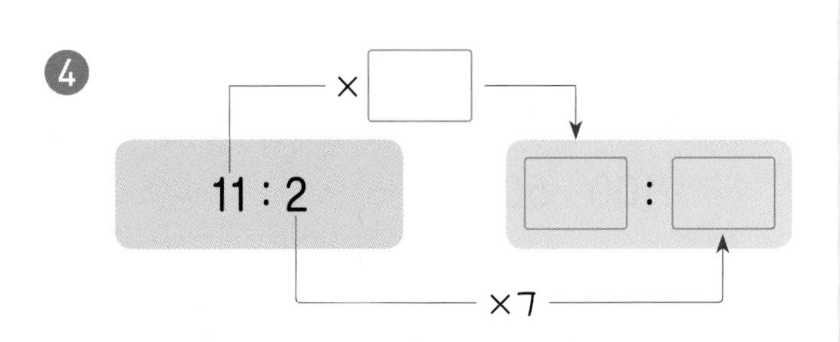

❺
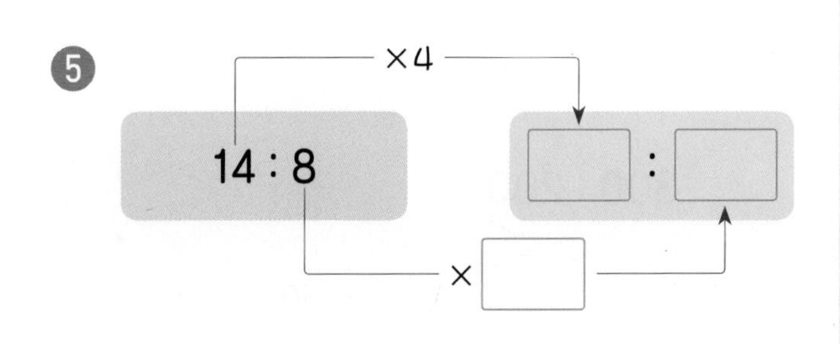

❻
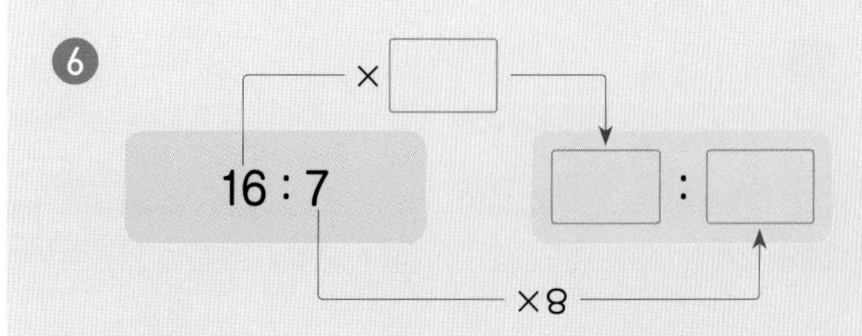

❼
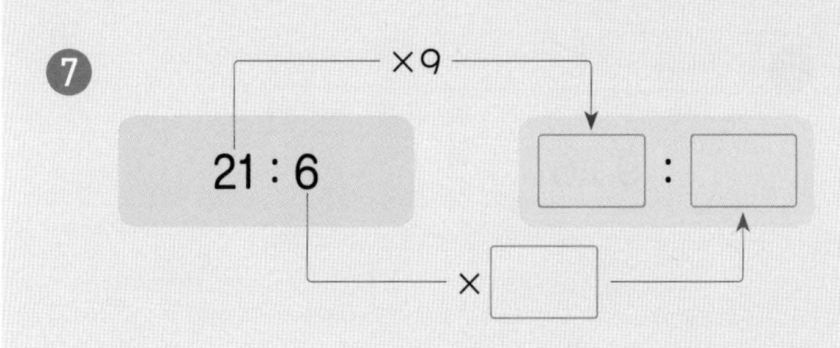

❽
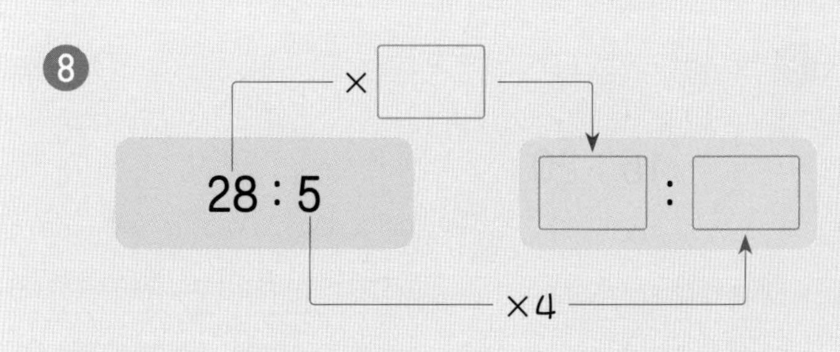

❾
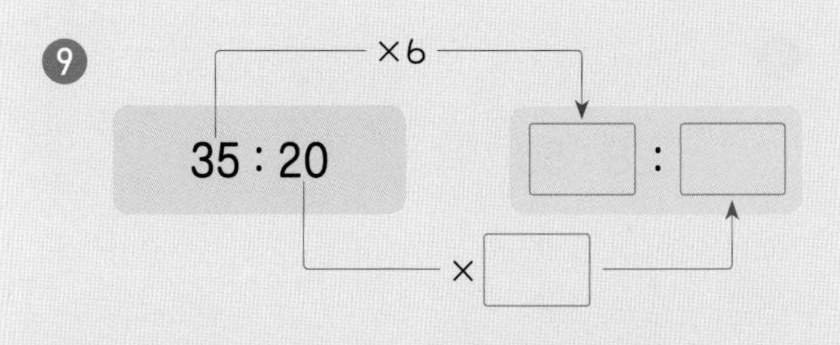

❿
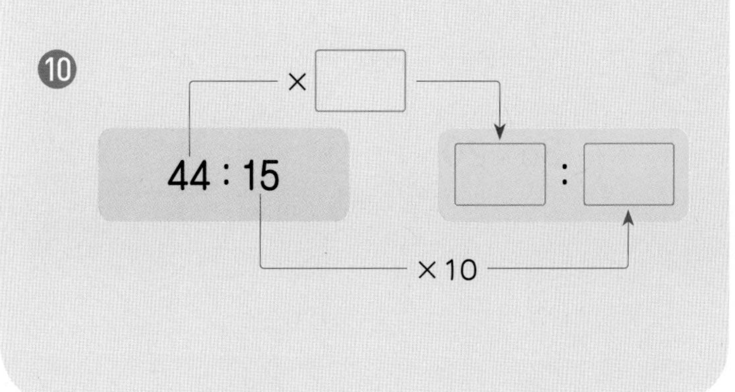

정답 • 17쪽

○ 비의 전항과 후항을 0이 아닌 같은 수로 나누어 비율이 같은 비를 만들려고 합니다. ☐ 안에 알맞은 수를 써넣으시오.

⑪
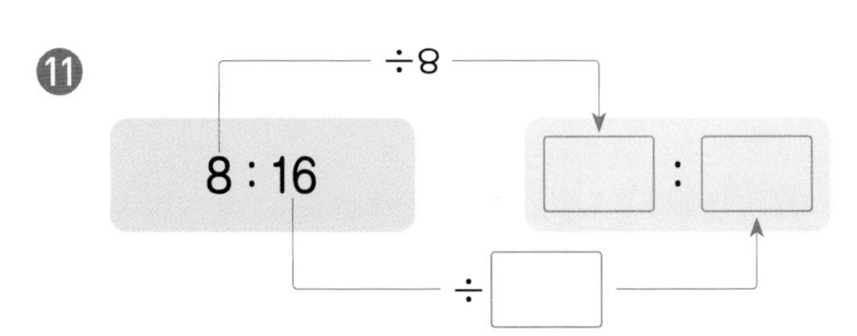

⑫
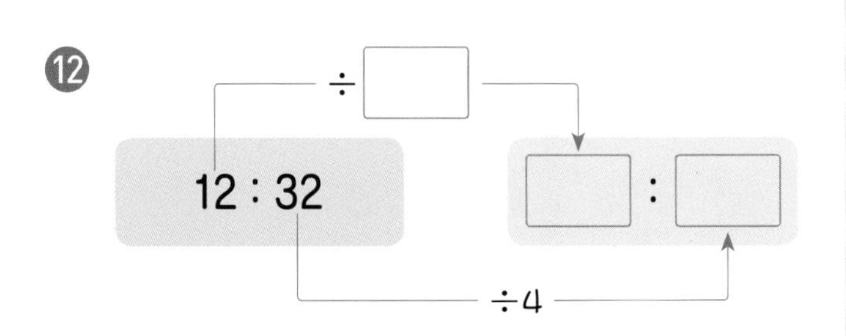

⑬
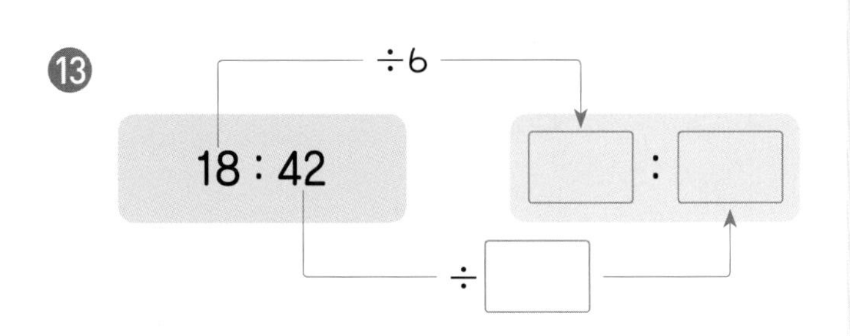

⑭
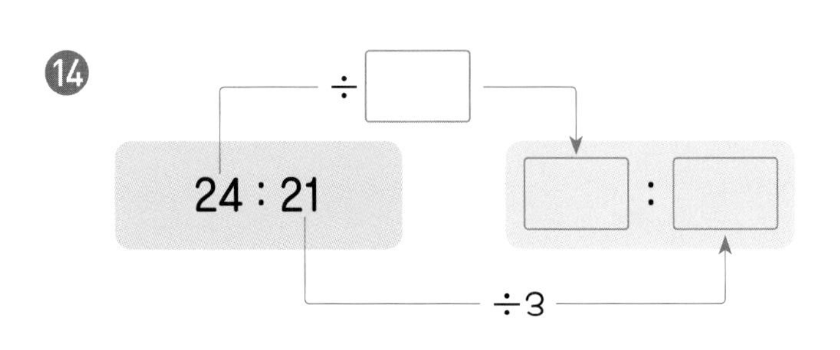

⑮
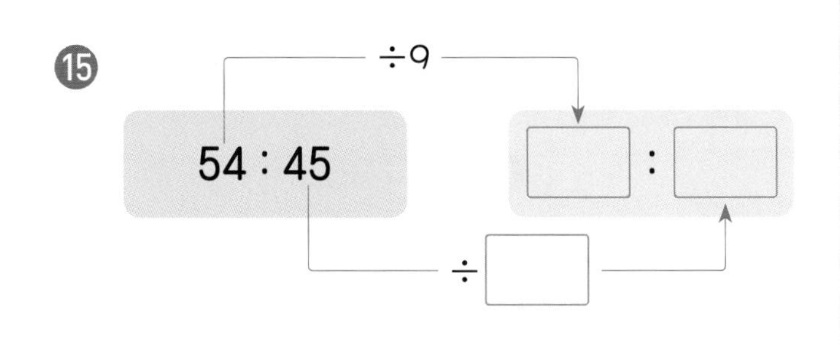

⑯
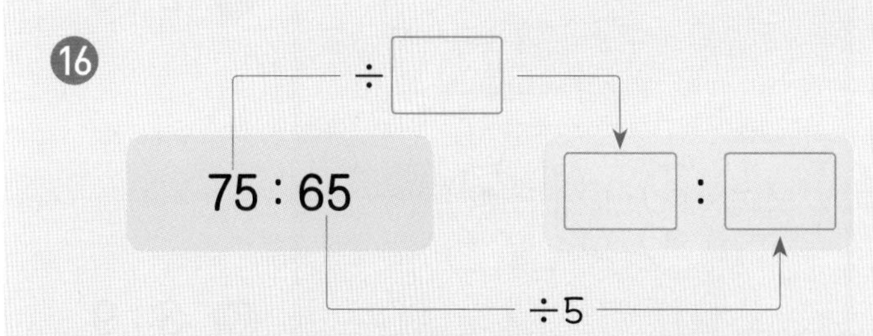

⑰
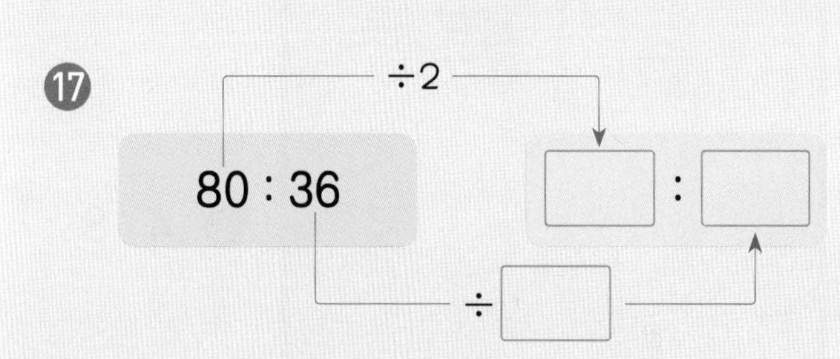

⑱
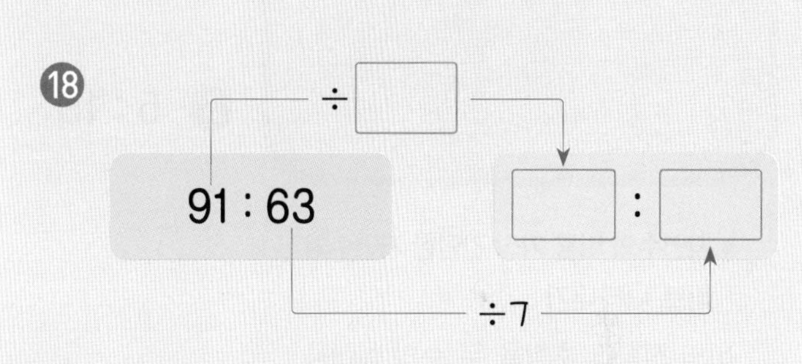

⑲
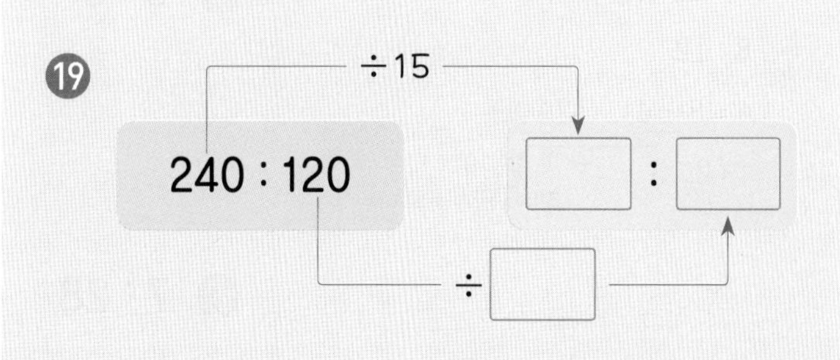

⑳
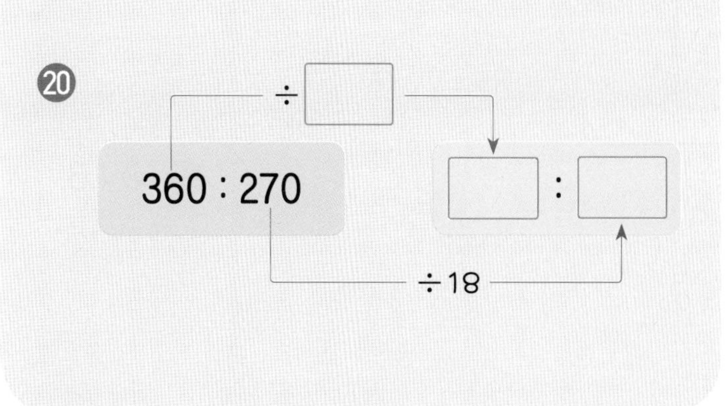

2 간단한 자연수의 비로 나타내기

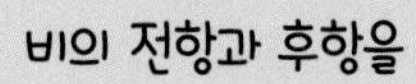

• **자연수의 비를 가장 간단한 자연수의 비로 나타내기**

비의 전항과 후항을 두 수의 최대공약수로 나눕니다.

$8 : 12$

⇨ $(8 \div 4) : (12 \div 4)$ — 각 항을 8과 12의 최대공약수 4로 나누기

⇨ $2 : 3$

○ 가장 간단한 자연수의 비로 나타내어 보시오.

❶ $2 : 8$

❷ $3 : 9$

❸ $4 : 8$

❹ $5 : 15$

❺ $6 : 3$

❻ $7 : 28$

❼ $8 : 6$

❽ $9 : 12$

❾ $10 : 25$

❿ $12 : 8$

⓫ $14 : 2$

⓬ $15 : 24$

⓭ $16 : 40$

⓮ $18 : 30$

⑮ 20 : 32

⑯ 21 : 9

⑰ 24 : 36

⑱ 27 : 18

⑲ 34 : 4

⑳ 39 : 13

㉑ 42 : 6

㉒ 48 : 21

㉓ 50 : 15

㉔ 57 : 38

㉕ 63 : 56

㉖ 75 : 30

㉗ 81 : 45

㉘ 92 : 20

㉙ 100 : 80

㉚ 112 : 84

㉛ 115 : 125

㉜ 128 : 72

㉝ 140 : 182

㉞ 168 : 124

㉟ 220 : 254

2 간단한 자연수의 비로 나타내기

○ 가장 간단한 자연수의 비로 나타내어 보시오.

❶ 2 : 10

❷ 3 : 18

❸ 4 : 6

❹ 5 : 20

❺ 6 : 15

❻ 8 : 14

❼ 9 : 30

❽ 10 : 16

❾ 12 : 6

❿ 14 : 35

⓫ 15 : 12

⓬ 16 : 44

⓭ 17 : 51

⓮ 20 : 25

⓯ 21 : 60

⓰ 22 : 33

⓱ 24 : 16

⓲ 27 : 6

⓳ 28 : 8

⓴ 32 : 14

㉑ 35 : 50

정답 • 17쪽

㉒ 36 : 32

㉓ 45 : 30

㉔ 49 : 70

㉕ 54 : 81

㉖ 56 : 48

㉗ 60 : 18

㉘ 68 : 64

㉙ 70 : 147

㉚ 78 : 65

㉛ 84 : 63

㉜ 88 : 32

㉝ 91 : 42

㉞ 96 : 32

㉟ 98 : 112

㊱ 104 : 52

㊲ 126 : 60

㊳ 144 : 76

㊴ 180 : 45

㊵ 184 : 102

㊶ 250 : 175

㊷ 315 : 213

3 소수의 비를 간단한 자연수의 비로 나타내기

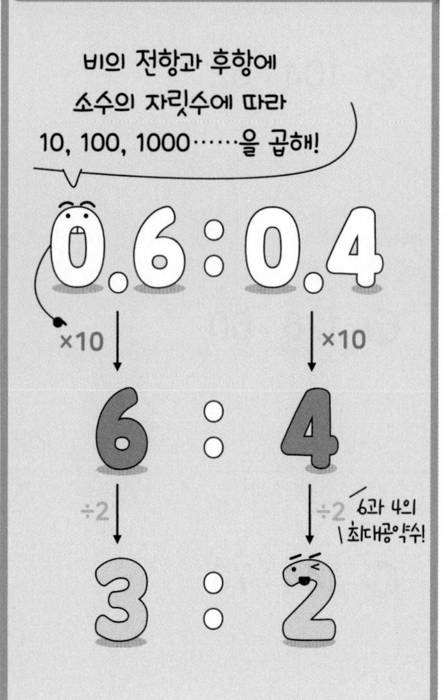

• 소수의 비를 가장 간단한 자연수의 비로 나타내기

① 비의 전항과 후항에 10, 100, 1000 ……을 곱하여 자연수의 비로 나타냅니다.

② 비의 전항과 후항을 두 수의 최대공약수로 나눕니다.

0.6 : 0.4

⇨ (0.6×10) : (0.4×10)

⇨ 6 : 4 — 0.6과 0.4가 소수 한 자리 수이므로 각 항에 10 곱하기

⇨ (6÷2) : (4÷2)

⇨ 3 : 2 — 각 항을 6과 4의 최대공약수 2로 나누기

○ 가장 간단한 자연수의 비로 나타내어 보시오.

❶ 0.2 : 0.5

❷ 0.3 : 0.8

❸ 0.4 : 0.7

❹ 0.6 : 1.9

❺ 0.9 : 0.3

❻ 1.3 : 1.7

❼ 1.4 : 0.9

❽ 1.5 : 0.6

❾ 1.8 : 1.2

❿ 2.3 : 0.2

⓫ 3.2 : 2.8

⓬ 3.8 : 2.1

⓭ 4.8 : 3.3

⓮ 6.3 : 2.8

⑮ 0.08 : 0.31

⑯ 0.15 : 0.14

⑰ 0.16 : 0.07

⑱ 0.19 : 0.38

⑲ 0.24 : 0.35

⑳ 0.42 : 0.77

㉑ 0.54 : 0.13

㉒ 0.57 : 1.24

㉓ 0.63 : 0.25

㉔ 0.72 : 2.44

㉕ 0.95 : 1.35

㉖ 0.99 : 0.12

㉗ 1.05 : 0.16

㉘ 1.06 : 2.02

㉙ 0.2 : 0.21

㉚ 0.46 : 0.5

㉛ 0.6 : 0.36

㉜ 0.97 : 1.3

㉝ 1.1 : 0.41

㉞ 2.76 : 1.5

㉟ 3.4 : 1.25

3 소수의 비를 간단한 자연수의 비로 나타내기

○ 가장 간단한 자연수의 비로 나타내어 보시오.

❶ 0.2 : 0.6

❷ 0.4 : 0.9

❸ 0.5 : 1.3

❹ 0.8 : 1.2

❺ 1.1 : 2.1

❻ 1.2 : 3.9

❼ 1.4 : 0.8

❽ 1.6 : 0.7

❾ 2.4 : 3.2

❿ 2.7 : 4.3

⓫ 3.5 : 1.4

⓬ 3.6 : 1.7

⓭ 4.2 : 5.7

⓮ 4.6 : 2.8

⓯ 0.05 : 0.03

⓰ 0.07 : 0.14

⓱ 0.13 : 0.29

⓲ 0.18 : 1.03

⓳ 0.27 : 1.54

⓴ 0.32 : 0.42

㉑ 0.45 : 0.94

㉒ 0.56 : 0.75

㉓ 0.63 : 1.83

㉔ 0.81 : 0.36

㉕ 0.91 : 1.47

㉖ 1.56 : 0.88

㉗ 1.71 : 2.18

㉘ 2.54 : 1.52

㉙ 0.09 : 0.1

㉚ 0.2 : 0.17

㉛ 0.35 : 0.6

㉜ 0.4 : 0.89

㉝ 0.52 : 0.3

㉞ 0.8 : 1.24

㉟ 0.93 : 0.4

㊱ 1.5 : 0.97

㊲ 1.74 : 1.8

㊳ 2.5 : 2.19

㊴ 2.73 : 1.3

㊵ 3.3 : 1.53

㊶ 3.56 : 2.6

㊷ 4.2 : 1.94

4 분수의 비를 간단한 자연수의 비로 나타내기

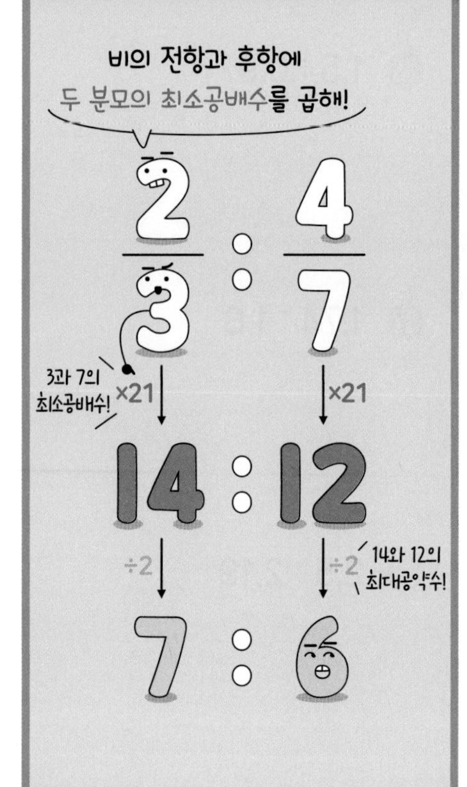

- 분수의 비를 가장 간단한 자연수의 비로 나타내기

① 비의 전항과 후항에 두 분모의 최소공배수를 곱하여 자연수의 비로 나타냅니다.

② 비의 전항과 후항을 두 수의 최대공약수로 나눕니다.

$\frac{2}{3} : \frac{4}{7}$

⇨ $(\frac{2}{3} \times 21) : (\frac{4}{7} \times 21)$ — 각 항에 두 분모 3과 7의 최소공배수 21 곱하기

⇨ $14 : 12$

⇨ $(14 \div 2) : (12 \div 2)$ — 각 항을 14와 12의 최대공약수 2로 나누기

⇨ $7 : 6$

참고 분수가 대분수일 경우에는 먼저 대분수를 가분수로 나타냅니다.

○ 가장 간단한 자연수의 비로 나타내어 보시오.

❶ $\frac{1}{2} : \frac{1}{3}$

❷ $\frac{3}{4} : \frac{1}{5}$

❸ $\frac{4}{5} : \frac{7}{9}$

❹ $\frac{1}{6} : \frac{2}{5}$

❺ $\frac{2}{7} : \frac{5}{8}$

❻ $\frac{3}{8} : \frac{2}{3}$

❼ $\frac{5}{9} : \frac{1}{2}$

❽ $\frac{9}{10} : \frac{1}{4}$

❾ $\frac{1}{12} : \frac{3}{8}$

❿ $\frac{5}{14} : \frac{7}{10}$

⓫ $\frac{11}{16} : \frac{2}{7}$

⓬ $\frac{5}{18} : \frac{5}{12}$

정답 • 18쪽

⑬ $1\frac{1}{2} : 2\frac{1}{5}$

⑭ $1\frac{2}{3} : 1\frac{1}{2}$

⑮ $1\frac{3}{4} : 2\frac{1}{3}$

⑯ $2\frac{4}{5} : 1\frac{3}{10}$

⑰ $1\frac{1}{6} : 1\frac{2}{3}$

⑱ $1\frac{3}{7} : 1\frac{1}{4}$

⑲ $1\frac{5}{9} : 1\frac{4}{5}$

⑳ $1\frac{3}{10} : 1\frac{1}{15}$

㉑ $1\frac{4}{11} : 1\frac{2}{3}$

㉒ $1\frac{5}{12} : 2\frac{5}{6}$

㉓ $2\frac{5}{14} : 1\frac{2}{7}$

㉔ $1\frac{7}{15} : 1\frac{1}{20}$

㉕ $1\frac{2}{3} : \frac{1}{5}$

㉖ $\frac{4}{5} : 1\frac{5}{8}$

㉗ $1\frac{1}{7} : \frac{3}{4}$

㉘ $\frac{3}{8} : 1\frac{5}{6}$

㉙ $\frac{9}{10} : 2\frac{4}{7}$

㉚ $1\frac{5}{16} : \frac{7}{8}$

4 분수의 비를 간단한 자연수의 비로 나타내기

○ 가장 간단한 자연수의 비로 나타내어 보시오.

❶ $\frac{1}{2} : \frac{4}{5}$

❷ $\frac{2}{3} : \frac{1}{4}$

❸ $\frac{3}{4} : \frac{5}{8}$

❹ $\frac{1}{7} : \frac{2}{5}$

❺ $\frac{7}{8} : \frac{5}{6}$

❻ $\frac{4}{9} : \frac{2}{3}$

❼ $\frac{9}{10} : \frac{3}{8}$

❽ $\frac{5}{12} : \frac{11}{15}$

❾ $\frac{3}{14} : \frac{6}{7}$

❿ $\frac{4}{15} : \frac{9}{10}$

⓫ $\frac{11}{18} : \frac{2}{15}$

⓬ $\frac{10}{21} : \frac{5}{14}$

⓭ $1\frac{1}{4} : 1\frac{1}{2}$

⓮ $1\frac{2}{5} : 2\frac{3}{4}$

⓯ $1\frac{5}{6} : 4\frac{2}{5}$

⓰ $1\frac{6}{7} : 2\frac{1}{3}$

⓱ $2\frac{5}{8} : 1\frac{1}{6}$

⓲ $1\frac{7}{9} : 2\frac{5}{6}$

정답 • 19쪽

⑲ $2\frac{1}{10} : 2\frac{1}{3}$

⑳ $1\frac{1}{11} : 1\frac{3}{22}$

㉑ $1\frac{7}{12} : 1\frac{9}{10}$

㉒ $2\frac{8}{15} : 3\frac{3}{5}$

㉓ $1\frac{1}{24} : 2\frac{1}{4}$

㉔ $1\frac{1}{25} : 1\frac{3}{10}$

㉕ $\frac{1}{2} : 1\frac{1}{4}$

㉖ $2\frac{1}{3} : \frac{8}{9}$

㉗ $\frac{3}{4} : 1\frac{3}{5}$

㉘ $2\frac{2}{5} : \frac{2}{7}$

㉙ $\frac{5}{6} : 1\frac{1}{10}$

㉚ $1\frac{5}{7} : \frac{4}{9}$

㉛ $2\frac{3}{10} : \frac{9}{20}$

㉜ $\frac{9}{14} : 1\frac{1}{8}$

㉝ $2\frac{2}{15} : \frac{2}{3}$

㉞ $\frac{7}{16} : 1\frac{5}{12}$

㉟ $1\frac{5}{23} : \frac{7}{10}$

㊱ $\frac{9}{26} : 2\frac{1}{13}$

5 소수와 분수의 비를 간단한 자연수의 비로 나타내기

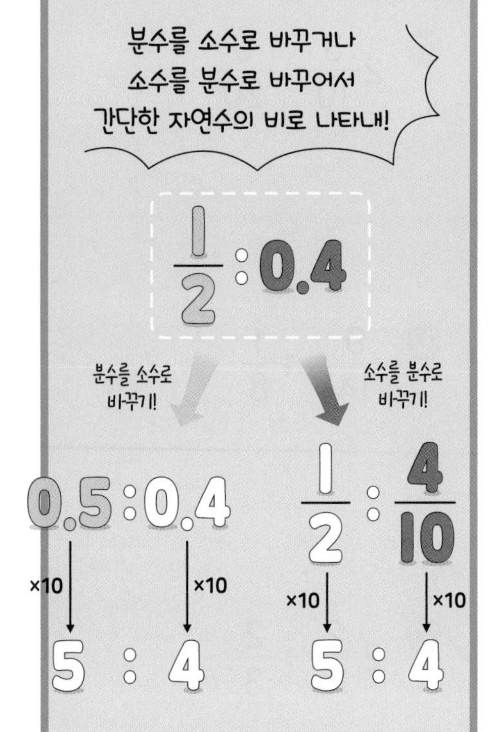

- 소수와 분수의 비를 가장 간단한 자연수의 비로 나타내기

분수를 소수로 바꾸거나 소수를 분수로 바꾼 후 비의 성질을 이용하여 가장 간단한 자연수의 비로 나타냅니다.

방법 1 분수를 소수로 바꾸어 가장 간단한 자연수의 비로 나타내기

$\frac{1}{2} : 0.4$

⇨ $0.5 : 0.4$

⇨ $(0.5 \times 10) : (0.4 \times 10)$

⇨ $5 : 4$ ← 0.5와 0.4가 소수 한 자리 수이므로 각 항에 10 곱하기

방법 2 소수를 분수로 바꾸어 가장 간단한 자연수의 비로 나타내기

$\frac{1}{2} : 0.4$

⇨ $\frac{1}{2} : \frac{4}{10}$

⇨ $(\frac{1}{2} \times 10) : (\frac{4}{10} \times 10)$

⇨ $5 : 4$ ← 각 항에 두 분모 2와 10의 최소공배수 10 곱하기

○ 가장 간단한 자연수의 비로 나타내어 보시오.

❶ $0.1 : \frac{1}{2}$

❷ $0.2 : \frac{2}{3}$

❸ $0.32 : \frac{1}{5}$

❹ $0.45 : \frac{1}{6}$

❺ $0.5 : \frac{5}{8}$

❻ $0.8 : 1\frac{1}{2}$

❼ $0.9 : \frac{3}{4}$

❽ $1.05 : \frac{9}{20}$

❾ $1.2 : \frac{2}{9}$

❿ $1.25 : 1\frac{1}{5}$

⓫ $2.4 : \frac{8}{11}$

⓬ $2.7 : 1\frac{2}{3}$

정답 • 19쪽

⑬ $\frac{1}{3}$: 0.6

⑭ $\frac{1}{4}$: 1.8

⑮ $\frac{3}{5}$: 1.28

⑯ $\frac{4}{7}$: 0.16

⑰ $\frac{3}{8}$: 0.2

⑱ $\frac{5}{9}$: 1.4

⑲ $\frac{9}{10}$: 0.05

⑳ $\frac{7}{12}$: 2.1

㉑ $\frac{14}{15}$: 1.6

㉒ $\frac{7}{20}$: 2.45

㉓ $\frac{11}{26}$: 1.5

㉔ $\frac{27}{35}$: 0.45

㉕ $1\frac{1}{3}$: 2.4

㉖ $1\frac{3}{4}$: 0.7

㉗ $1\frac{2}{5}$: 1.46

㉘ $1\frac{5}{6}$: 2.2

㉙ $1\frac{7}{8}$: 0.5

㉚ $1\frac{9}{10}$: 1.12

5 소수와 분수의 비를 간단한 자연수의 비로 나타내기

○ 가장 간단한 자연수의 비로 나타내어 보시오.

❶ $0.05 : \frac{1}{5}$

❷ $0.15 : \frac{3}{4}$

❸ $0.3 : \frac{5}{6}$

❹ $0.4 : \frac{1}{4}$

❺ $0.54 : \frac{2}{5}$

❻ $0.66 : \frac{6}{7}$

❼ $0.7 : \frac{7}{12}$

❽ $0.9 : 2\frac{4}{5}$

❾ $1.15 : \frac{5}{6}$

❿ $1.32 : \frac{4}{25}$

⓫ $1.4 : \frac{7}{10}$

⓬ $1.8 : \frac{3}{8}$

⓭ $1.92 : \frac{2}{3}$

⓮ $2.1 : 1\frac{2}{5}$

⓯ $2.2 : \frac{11}{15}$

⓰ $2.25 : 1\frac{1}{4}$

⓱ $2.6 : 1\frac{3}{10}$

⓲ $2.73 : 1\frac{1}{20}$

⑲ $\frac{1}{2}$: 2.5

⑳ $\frac{2}{3}$: 0.25

㉑ $\frac{3}{4}$: 1.75

㉒ $\frac{4}{5}$: 2.56

㉓ $\frac{5}{6}$: 0.4

㉔ $\frac{8}{9}$: 3.2

㉕ $\frac{11}{12}$: 1.32

㉖ $\frac{9}{16}$: 0.3

㉗ $\frac{7}{24}$: 2.1

㉘ $\frac{16}{25}$: 1.92

㉙ $\frac{39}{40}$: 1.3

㉚ $\frac{49}{50}$: 0.91

㉛ $1\frac{4}{5}$: 0.6

㉜ $1\frac{3}{7}$: 2.5

㉝ $2\frac{1}{3}$: 0.8

㉞ $2\frac{1}{8}$: 1.25

㉟ $2\frac{7}{10}$: 0.33

㊱ $2\frac{6}{25}$: 1.44

6 비례식

비례식은 비율이 같은 두 비를 기호 '='를 사용하여 나타낸 식이야!

- 비례식

• 비례식: 비율이 같은 두 비를 기호 '='를 사용하여 나타낸 식

$$5:7=10:14$$

(비율)$=\frac{5}{7}$ (비율)$=\frac{10}{14}(=\frac{5}{7})$

• 외항: 비례식에서 바깥쪽에 있는 두 수

• 내항: 비례식에서 안쪽에 있는 두 수

외항

$5 : 7 = 10 : 14$

내항

○ 주어진 비와 비율이 같은 비를 찾아 비례식으로 나타내어 보시오.

❶ 5 : 9 4 : 8 2 : 1

1 : 2 = □ : □

❷ 6 : 9 8 : 6 10 : 9

2 : 3 = □ : □

❸ 5 : 4 16 : 10 12 : 15

4 : 5 = □ : □

❹ 3 : 2 12 : 10 18 : 16

6 : 5 = □ : □

❺ 14 : 7 28 : 8 21 : 4

7 : 2 = □ : □

❻ 24 : 9 4 : 2 16 : 12

8 : 3 = □ : □

정답 • 19쪽

❼ 8 : 6 3 : 4 18 : 20

9 : 12 = ☐ : ☐

❽ 1 : 2 5 : 20 4 : 1

10 : 40 = ☐ : ☐

❾ 2 : 3 16 : 14 4 : 7

12 : 21 = ☐ : ☐

❿ 7 : 3 9 : 21 2 : 7

14 : 6 = ☐ : ☐

⓫ 1 : 3 20 : 15 9 : 3

15 : 5 = ☐ : ☐

⓬ 4 : 3 2 : 8 8 : 7

16 : 14 = ☐ : ☐

⓭ 27 : 15 9 : 2 6 : 5

18 : 10 = ☐ : ☐

⓮ 4 : 3 3 : 5 10 : 6

20 : 12 = ☐ : ☐

⓯ 3 : 8 16 : 6 12 : 4

24 : 9 = ☐ : ☐

⓰ 10 : 9 15 : 7 20 : 12

25 : 15 = ☐ : ☐

⓱ 18 : 2 36 : 8 14 : 9

27 : 6 = ☐ : ☐

⓲ 21 : 18 6 : 7 14 : 13

28 : 24 = ☐ : ☐

7 비례식의 성질

비례식에서 '외항의 곱과 내항의 곱은 같다'라는 성질을 이용하여 □의 값을 구해 봐.

외항 내항 내항 외항

외항의 곱 내항의 곱

□=8

- **비례식의 성질**

비례식에서 외항의 곱과 내항의 곱은 같습니다.

$2\times12=24$ → 외항의 곱

$2:4=6:12$

$4\times6=24$ → 내항의 곱

- **비례식에서 □의 값 구하기**

'외항의 곱과 내항의 곱은 같습니다.' 라는 비례식의 성질을 이용하여 □의 값을 구할 수 있습니다.

$5:4=10:\square$ ⇨ $\underbrace{5\times\square}_{\text{외항의 곱}}=\underbrace{4\times10}_{\text{내항의 곱}}$

$5\times\square=40$

$\square=40\div5$

$\square=8$

○ 비례식의 성질을 이용하여 □ 안에 알맞은 수를 써넣으시오.

❶ $1:3=2:\square$

❷ $2:5=6:\square$

❸ $3:2=12:\square$

❹ $4:3=24:\square$

❺ $5:7=15:\square$

❻ $6:2=21:\square$

❼ $7:3=21:\square$

❽ $8:4=\square:8$

❾ $10:14=\square:7$

❿ $12:8=\square:4$

⓫ $15:6=\square:4$

⓬ $16:4=\square:5$

⓭ $20:24=\square:6$

⓮ $21:14=\square:4$

정답 • 20쪽

⑮ 35 : ☐ = 7 : 5

⑯ 48 : ☐ = 8 : 3

⑰ 54 : ☐ = 6 : 3

⑱ 76 : ☐ = 16 : 4

⑲ ☐ : 63 = 9 : 7

⑳ ☐ : 80 = 15 : 12

㉑ ☐ : 192 = 10 : 16

㉒ 0.9 : 2.4 = 3 : ☐

㉓ 1.2 : 1.8 = ☐ : 9

㉔ 10 : ☐ = 1.2 : 0.6

㉕ ☐ : 8 = 2.7 : 1.2

㉖ $\frac{4}{5} : 1\frac{2}{5} = 4 :$ ☐

㉗ $\frac{1}{2} : \frac{2}{3} =$ ☐ $: 12$

㉘ $12 :$ ☐ $= \frac{4}{15} : \frac{1}{3}$

7 비례식의 성질

○ 비례식의 성질을 이용하여 □ 안에 알맞은 수를 써넣으시오.

❶ 2 : 3 = □ : 12

❷ □ : 2 = 10 : 5

❸ 6 : 3 = 18 : □

❹ 7 : □ = 21 : 12

❺ 9 : 6 = 18 : □

❻ 11 : 10 = □ : 30

❼ 14 : □ = 12 : 6

❽ 18 : 10 = □ : 5

❾ 22 : 6 = 11 : □

❿ 36 : □ = 4 : 3

⓫ □ : 40 = 9 : 8

⓬ 90 : □ = 5 : 4

⓭ 125 : 100 = 25 : □

⓮ 200 : 175 = □ : 7

⑮ $2.4 : 1.6 = 3 : \square$

⑯ $5 : 7 = \square : 3.5$

⑰ $2.7 : \square = 9 : 4$

⑱ $\square : 12 = 0.7 : 0.6$

⑲ $4.5 : 2.4 = \square : 8$

⑳ $\square : 25 = 1.2 : 1.5$

㉑ $0.4 : \square = 28 : 21$

㉒ $\frac{2}{3} : 2\frac{1}{3} = 2 : \square$

㉓ $8 : 9 = \square : \frac{3}{8}$

㉔ $\frac{1}{4} : \square = 9 : 20$

㉕ $\square : 15 = \frac{3}{5} : \frac{3}{4}$

㉖ $\frac{2}{5} : \frac{1}{4} = \square : 10$

㉗ $\square : 8 = 1\frac{1}{2} : \frac{4}{7}$

㉘ $2\frac{1}{6} : \square = 26 : 6$

8 비례배분

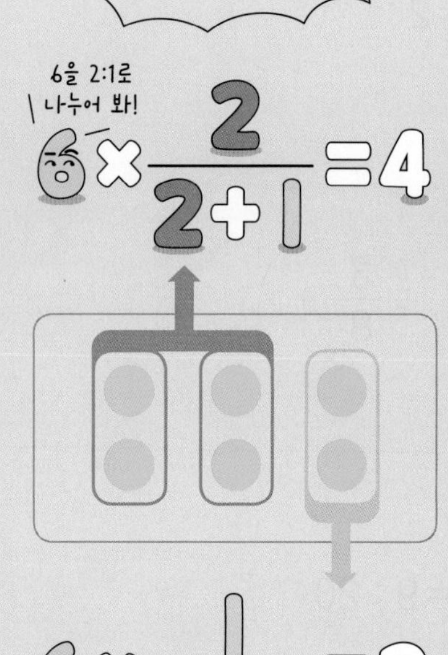

● **비례배분**

비례배분: 전체를 주어진 비로 배분하는 것

예 6을 2 : 1로 나누기

⇨ $6\times\frac{2}{2+1}=6\times\frac{2}{3}=4$, $6\times\frac{1}{2+1}=6\times\frac{1}{3}=2$

전체 ●를 ■ : ▲로 나누기

⇨ [$●\times\frac{■}{■+▲}$, $●\times\frac{▲}{■+▲}$]

○ ▭ 안의 수를 주어진 비로 나누어 [,] 안에 써 보시오.

❶ 3　2 : 1 ⇨ [　　　,　　　]

❷ 4　1 : 3 ⇨ [　　　,　　　]

❸ 5　2 : 3 ⇨ [　　　,　　　]

❹ 7　6 : 1 ⇨ [　　　,　　　]

❺ 9　5 : 4 ⇨ [　　　,　　　]

❻ 14　4 : 3 ⇨ [　　　,　　　]

❼ 15　1 : 2 ⇨ [　　　,　　　]

○ ▭ 안의 수를 주어진 비로 나누어 [,] 안에 써 보시오.

❽ 26 5 : 8 ⇨ [,]

❾ 35 3 : 2 ⇨ [,]

❿ 42 2 : 5 ⇨ [,]

⓫ 48 7 : 1 ⇨ [,]

⓬ 50 3 : 7 ⇨ [,]

⓭ 63 8 : 13 ⇨ [,]

⓮ 78 7 : 6 ⇨ [,]

⓯ 88 6 : 5 ⇨ [,]

⓰ 96 5 : 7 ⇨ [,]

⓱ 116 13 : 16 ⇨ [,]

⓲ 130 3 : 10 ⇨ [,]

⓳ 144 11 : 5 ⇨ [,]

⓴ 189 10 : 11 ⇨ [,]

㉑ 225 12 : 13 ⇨ [,]

8 비례배분

○ ⬜ 안의 수를 주어진 비로 나누어 [,] 안에 써 보시오.

❶ 6　1 : 5 ⇨ [　　,　　]

❷ 7　5 : 2 ⇨ [　　,　　]

❸ 8　3 : 5 ⇨ [　　,　　]

❹ 9　7 : 2 ⇨ [　　,　　]

❺ 10　1 : 4 ⇨ [　　,　　]

❻ 12　2 : 1 ⇨ [　　,　　]

❼ 16　5 : 3 ⇨ [　　,　　]

❽ 22　7 : 4 ⇨ [　　,　　]

❾ 24　5 : 7 ⇨ [　　,　　]

❿ 30　9 : 1 ⇨ [　　,　　]

⓫ 39　8 : 5 ⇨ [　　,　　]

⓬ 45　2 : 7 ⇨ [　　,　　]

⓭ 49　3 : 4 ⇨ [　　,　　]

⓮ 54　4 : 5 ⇨ [　　,　　]

정답 • 21쪽

○ ☐ 안의 수를 주어진 비로 나누어 [,] 안에 써 보시오.

⑮ 55 8 : 3 ⇨ [,]

⑯ 64 3 : 13 ⇨ [,]

⑰ 75 11 : 4 ⇨ [,]

⑱ 76 7 : 12 ⇨ [,]

⑲ 81 1 : 8 ⇨ [,]

⑳ 92 3 : 1 ⇨ [,]

㉑ 98 5 : 9 ⇨ [,]

㉒ 120 13 : 11 ⇨ [,]

㉓ 136 21 : 13 ⇨ [,]

㉔ 162 11 : 7 ⇨ [,]

㉕ 185 33 : 4 ⇨ [,]

㉖ 224 9 : 23 ⇨ [,]

㉗ 280 27 : 13 ⇨ [,]

㉘ 312 10 : 29 ⇨ [,]

평가 4. 비례식과 비례배분

○ 비의 성질을 이용하여 비율이 같은 비를 만들려고 합니다. □ 안에 알맞은 수를 써넣으시오.

1

5 : 3 → (×3, ×□) → □ : □

2

72 : 88 → (÷□, ÷8) → □ : □

○ 주어진 비와 비율이 같은 비를 찾아 비례식으로 나타내어 보시오.

3

10 : 8	15 : 16	12 : 15

5 : 4 = □ : □

4

2 : 3	21 : 14	12 : 16

24 : 16 = □ : □

○ 가장 간단한 자연수의 비로 나타내어 보시오.

5 7 : 35

6 12 : 10

7 16 : 56

8 45 : 24

9 1.8 : 4.8

10 0.72 : 1.89

11 0.6 : 0.56

12 1.55 : 1.3

13 $\frac{5}{6} : \frac{3}{4}$

14 $1\frac{3}{10} : 1\frac{5}{8}$

15 $2\frac{1}{3} : \frac{2}{7}$

16 $0.65 : \frac{1}{5}$

17 $\frac{3}{4} : 1.8$

18 $1\frac{5}{6} : 0.22$

○ 비례식의 성질을 이용하여 □ 안에 알맞은 수를 써넣으시오.

19 9 : □ = 15 : 5

20 42 : 49 = □ : 7

21 8 : 5 = 2.4 : □

22 □ : 10 = $\frac{2}{3} : \frac{5}{9}$

○ ▭ 안의 수를 주어진 비로 나누어 [,] 안에 써 보시오.

23 25 2 : 3 ⇨ [,]

24 68 8 : 9 ⇨ [,]

25 154 15 : 7 ⇨ [,]

4단원의 연산 실력을 보충하고 싶다면 **클리닉 북 23~30쪽**을 풀어 보세요.

원의 넓이

학습하는 데 걸린 시간을 작성해 봐요!

학습 내용	학습 회차	걸린 시간
1 원주와 원주율	1일 차	/12분
	2일 차	/15분
2 원주를 이용하여 지름 구하기	3일 차	/13분
	4일 차	/17분
비법 강의 외우면 빨라지는 계산 비법	5일 차	/5분
3 원의 넓이	6일 차	/14분
	7일 차	/19분
평가 5. 원의 넓이	8일 차	/22분

1 원주와 원주율

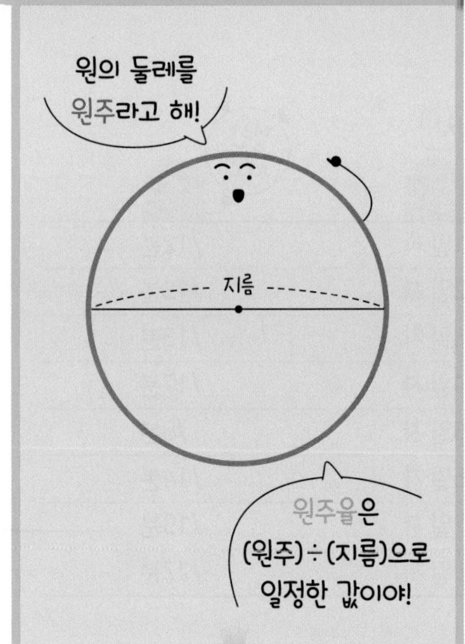

(원주)=(지름)×(원주율)

- **원주와 원주율**

• 원주: 원의 둘레

• 원주율: 원의 지름에 대한 원주의 비율 → 원주율은 원의 크기와 상관없이 일정합니다.

(원주율)=(원주)÷(지름)

⇨ 원주율을 소수로 나타내면 3.14159265358979932……와 같이 끝없이 계속됩니다.
따라서 필요에 따라 3, 3.1, 3.14 등으로 어림하여 사용하기도 합니다.

- **원주 구하기(원주율: 3.14)**

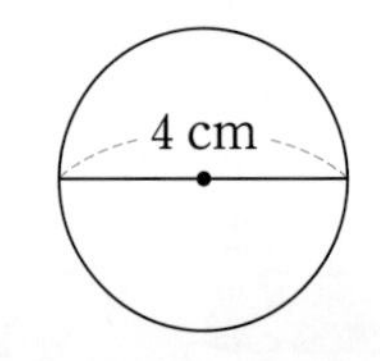

(원주)=(지름)×(원주율)
(반지름)×2
$=4\times3.14$
$=12.56(\text{cm})$

○ **원주를 구해 보시오. (원주율: 3)**

❶ 1 cm

(　　　　　　　　　　)

❷ 5 cm

(　　　　　　　　　　)

❸ 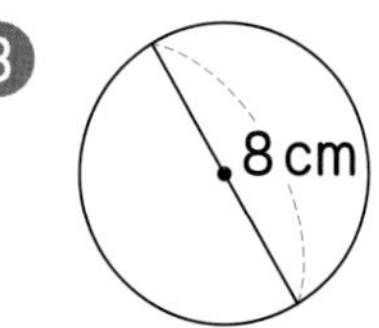

(　　　　　　　　　　)

❹ 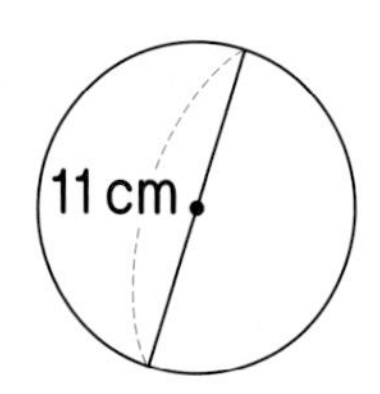

(　　　　　　　　　　)

❺ 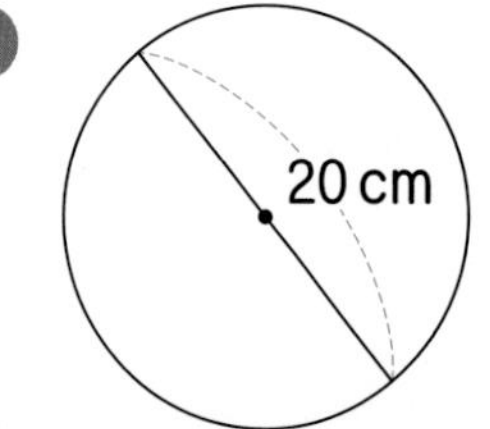

(　　　　　　　　　　)

○ 원주를 구해 보시오. (원주율: 3.1)

❻ 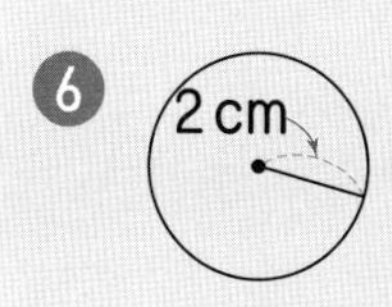

( )

⓫ 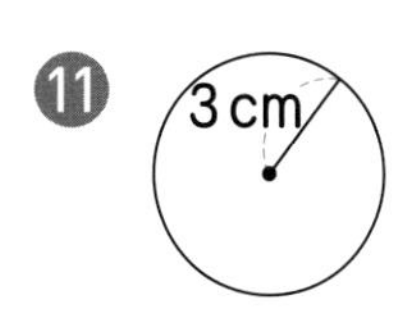

( )

❼ 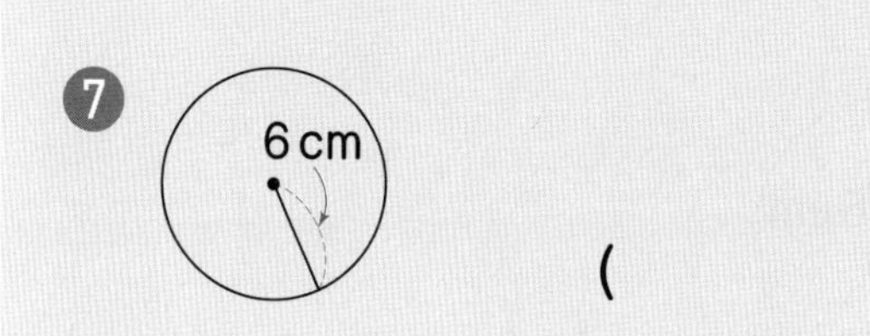

( )

⓬ 

( )

❽ 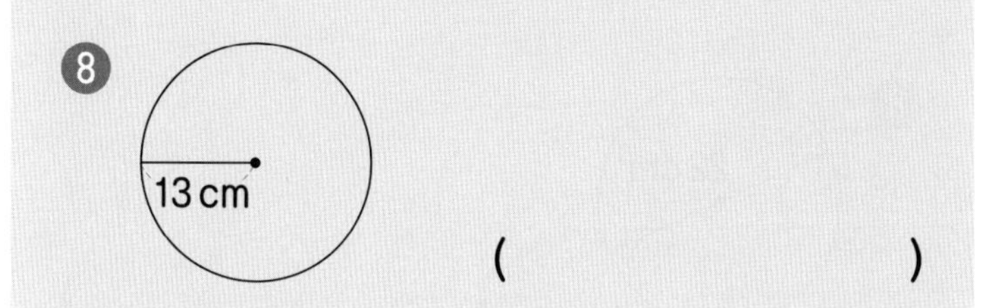

( )

⓭ 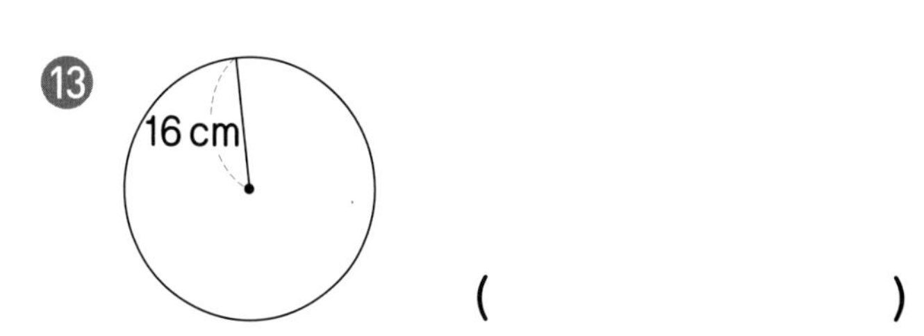

( )

❾ 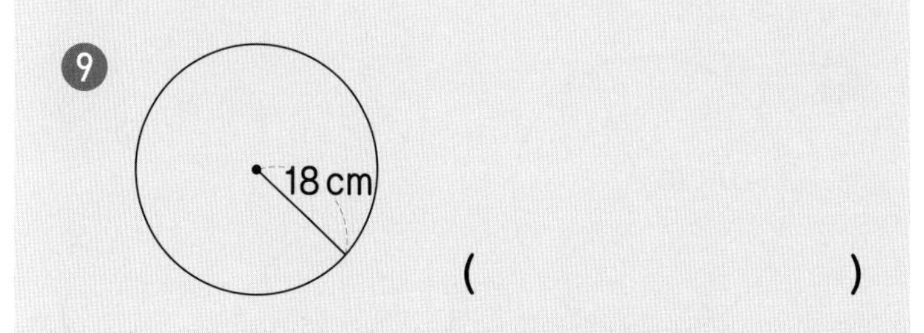

( )

⓮ 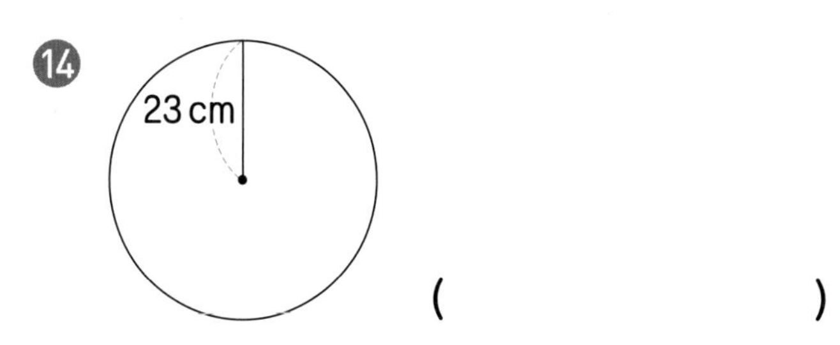

( )

❿ 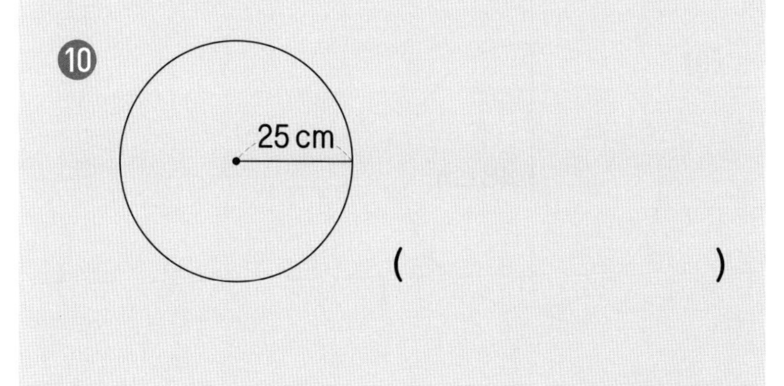

( )

⓯ 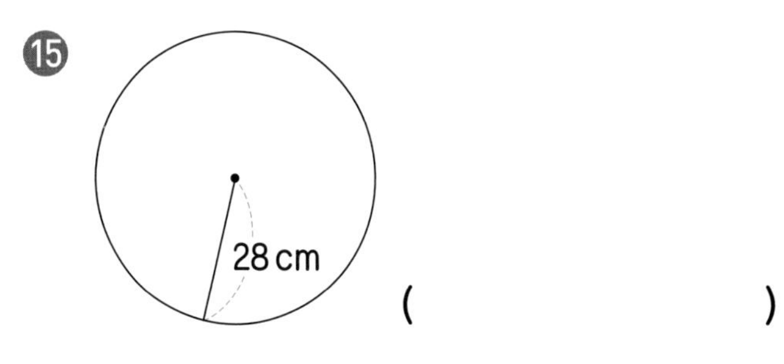

( )

1 원주와 원주율

○ 원주를 구해 보시오. (원주율: 3.1)

❶
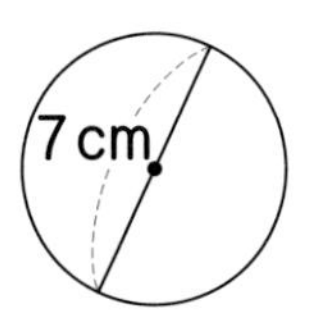

(　　　　　　　　)

❷
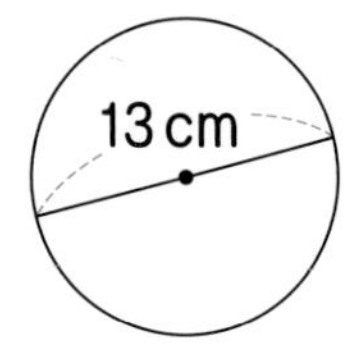

(　　　　　　　　)

❸
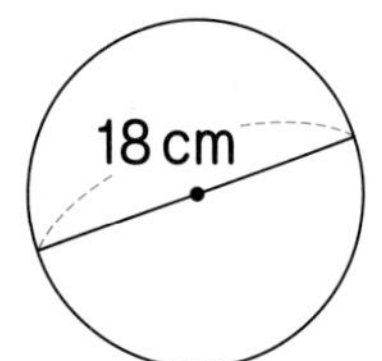

(　　　　　　　　)

❹
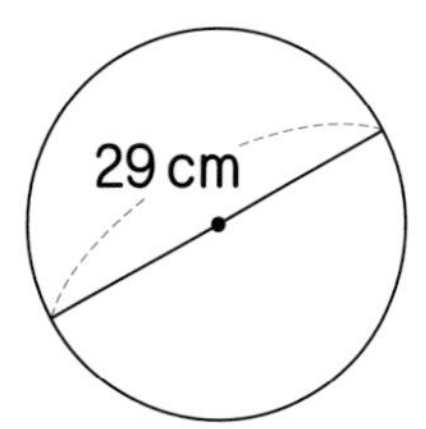

(　　　　　　　　)

❺
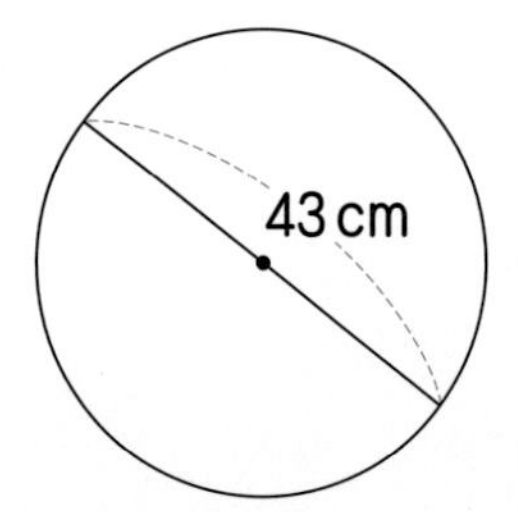

(　　　　　　　　)

❻
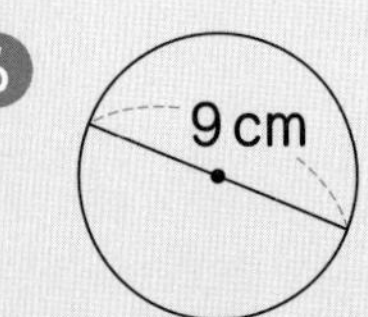

(　　　　　　　　)

❼
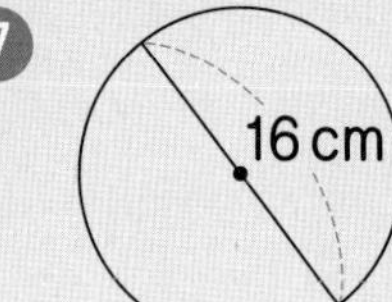

(　　　　　　　　)

❽
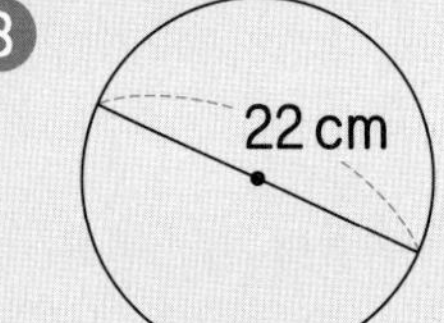

(　　　　　　　　)

❾
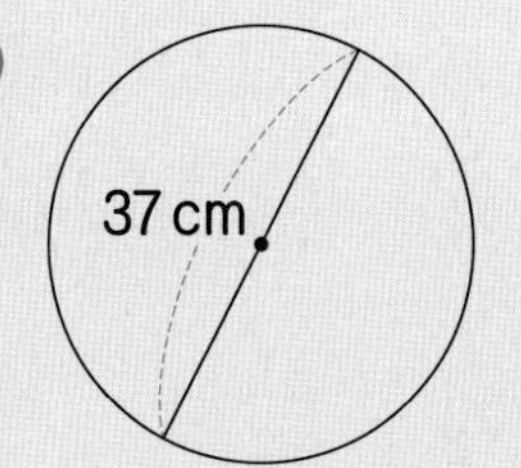

(　　　　　　　　)

❿
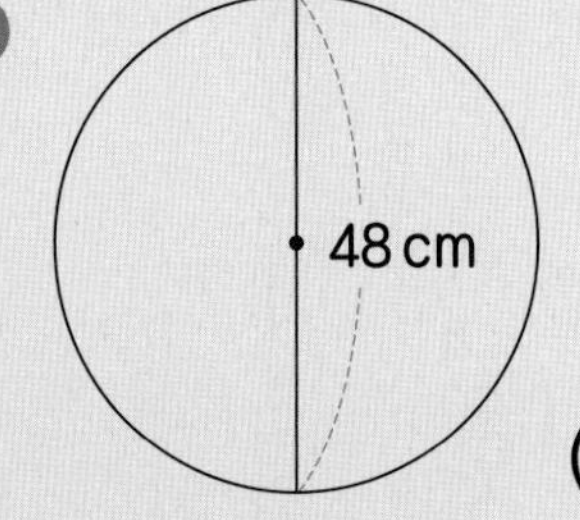

(　　　　　　　　)

정답 • 22쪽

○ 원주를 구해 보시오. (원주율: 3.14)

⑪ 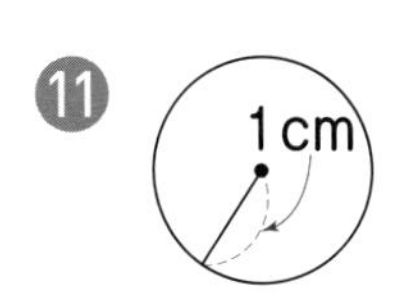

( )

⑫ 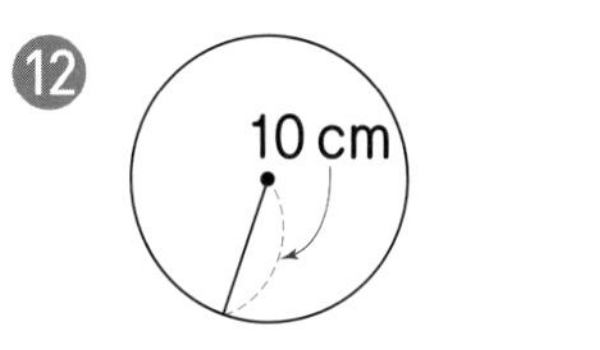

( )

⑬ 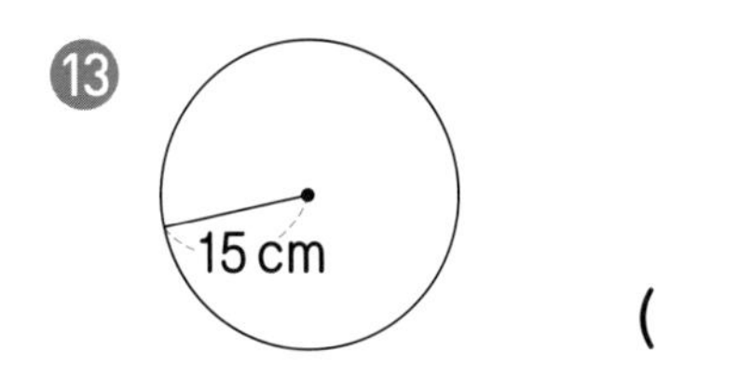

( )

⑭ 19 cm

( )

⑮ 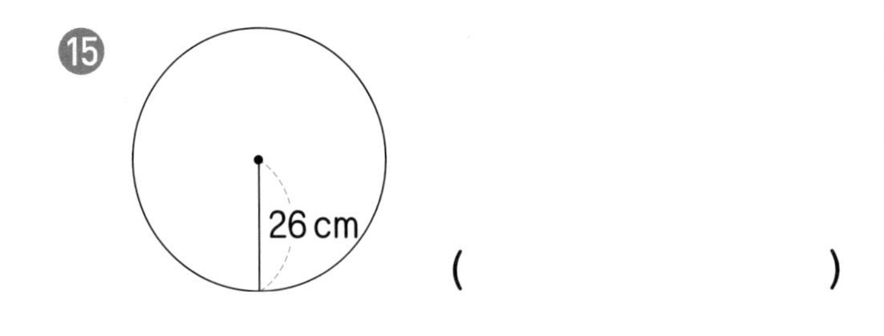

( )

⑯ 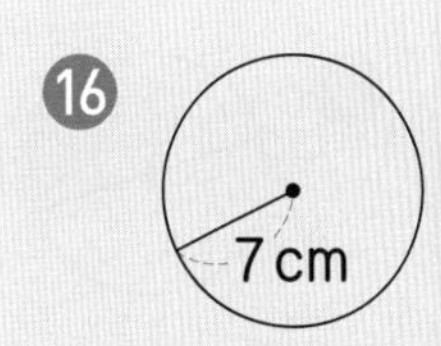

( )

⑰ 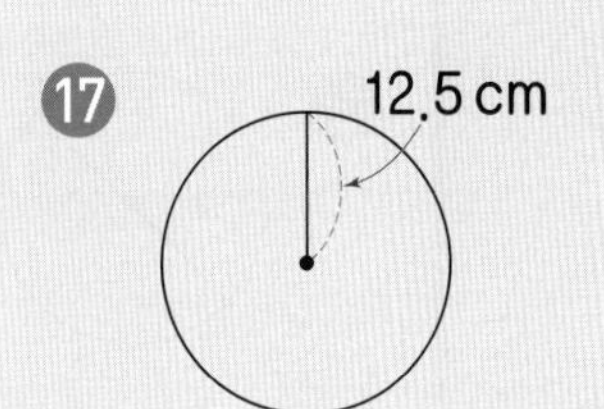

( )

⑱ 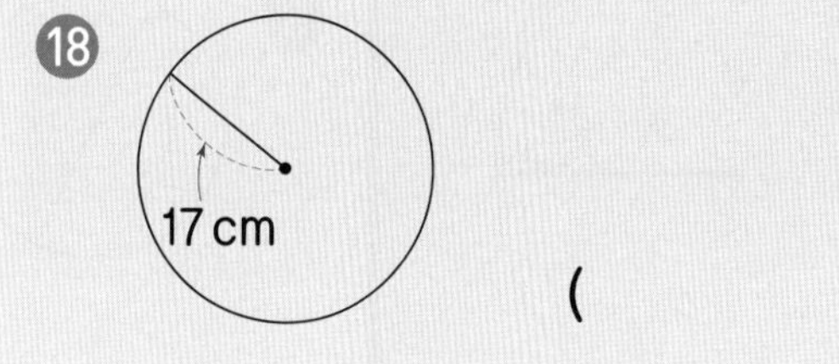

( )

⑲ 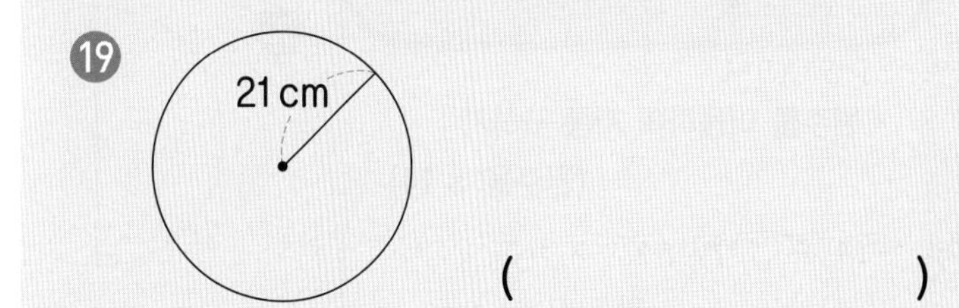

( )

⑳ 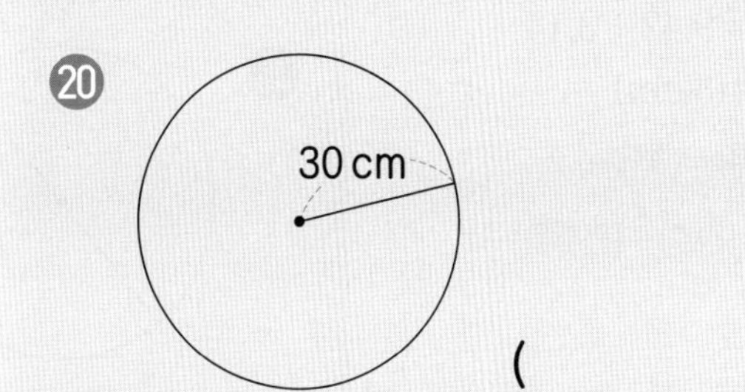

( )

2 원주를 이용하여 지름 구하기

원주는 (지름)×(원주율)이니까
지름은 (원주)÷(원주율)로!

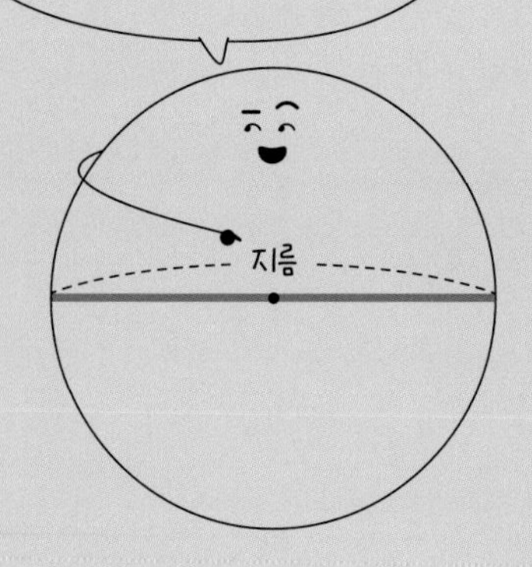

반지름은 (지름)÷2니까
반지름은 (원주)÷(원주율)÷2로!

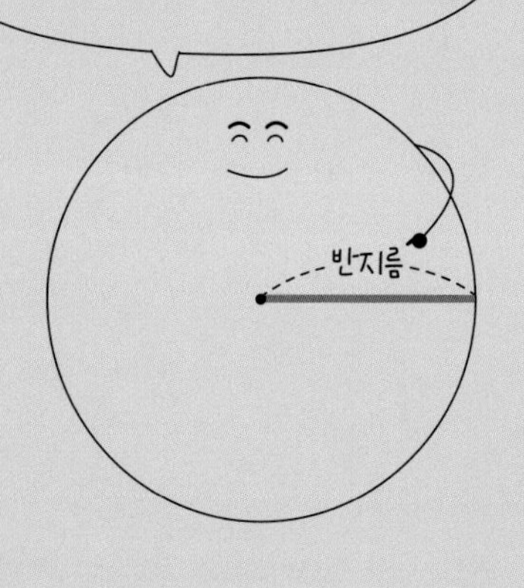

• **원주를 이용하여 지름 구하기**
(원주율: 3.14)

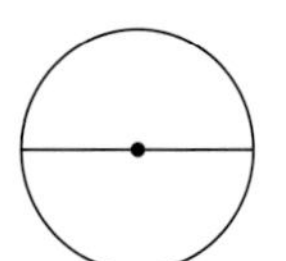

원주: 9.42 cm

(지름)=(원주)÷(원주율)
=9.42÷3.14
=3(cm)

참고 (반지름)=(지름)÷2
⇨ (반지름)=(원주)÷(원주율)÷2

○ 원의 지름을 구해 보시오. (원주율: 3)

❶
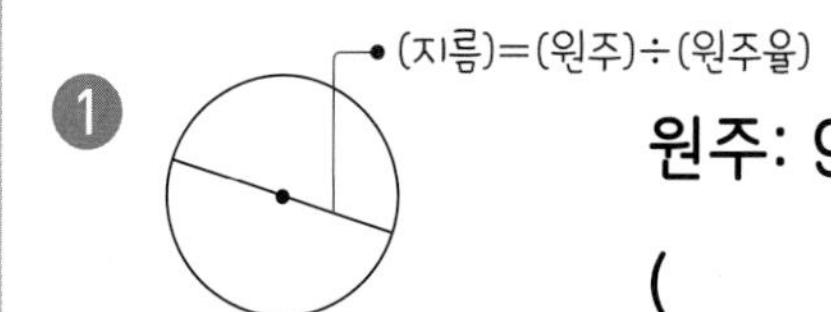

원주: 9 cm

(　　　　　　　　)

❷
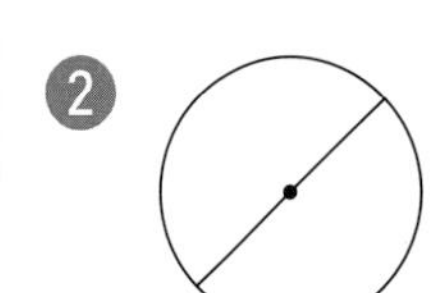

원주: 12 cm

(　　　　　　　　)

❸
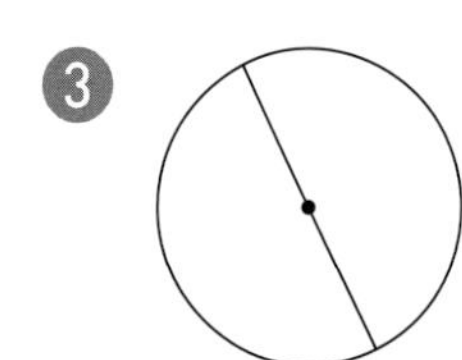

원주: 21 cm

(　　　　　　　　)

❹
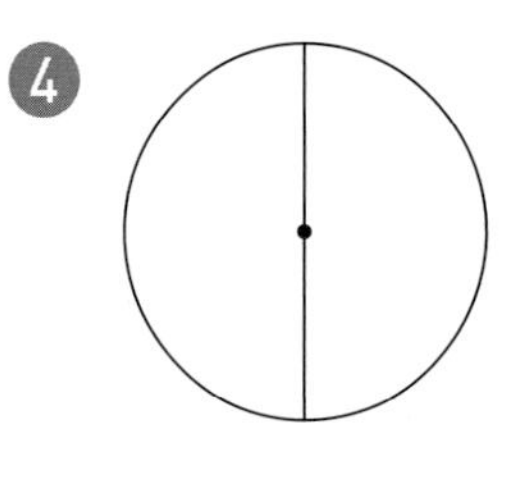

원주: 36 cm

(　　　　　　　　)

❺
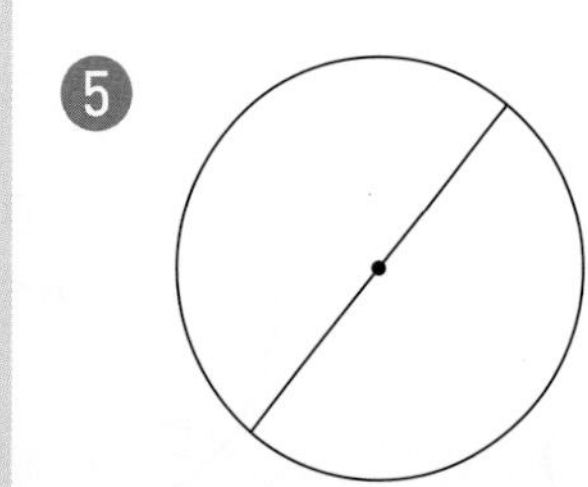

원주: 45 cm

(　　　　　　　　)

정답 • 22쪽

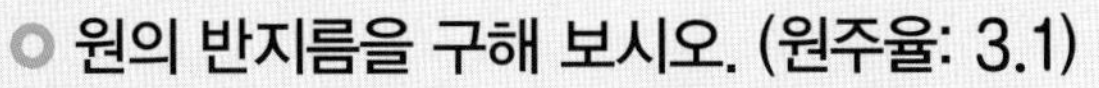

○ 원의 반지름을 구해 보시오. (원주율: 3.1)

❻ 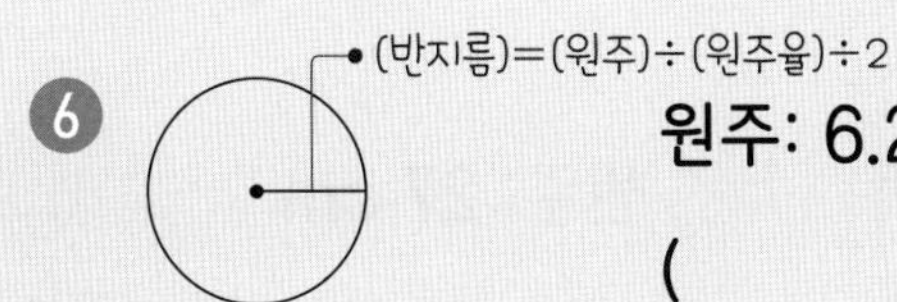

원주: 6.2 cm

(　　　　　　)

❼ 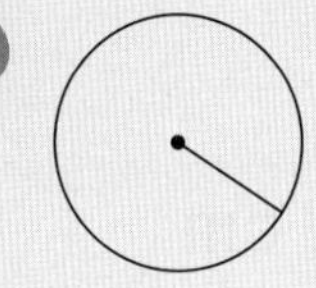

원주: 31 cm

(　　　　　　)

❽ 

원주: 68.2 cm

(　　　　　　)

❾ 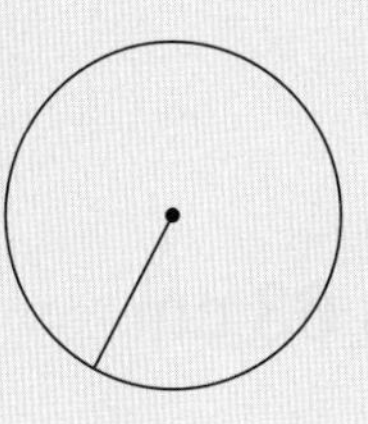

원주: 86.8 cm

(　　　　　　)

❿ 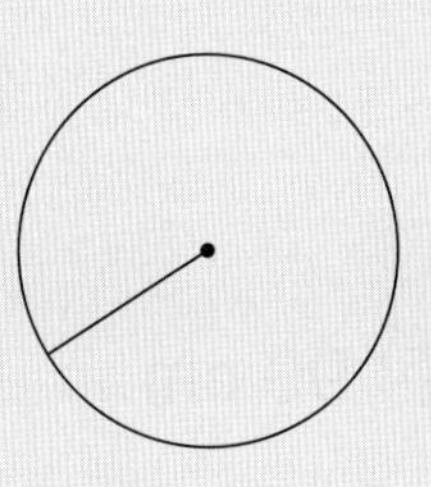

원주: 130.2 cm

(　　　　　　)

⓫ 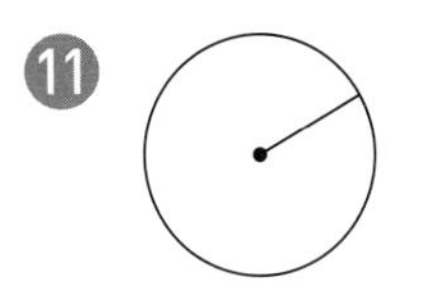

원주: 24.8 cm

(　　　　　　)

⓬ 

원주: 46.5 cm

(　　　　　　)

⓭ 

원주: 74.4 cm

(　　　　　　)

⓮ 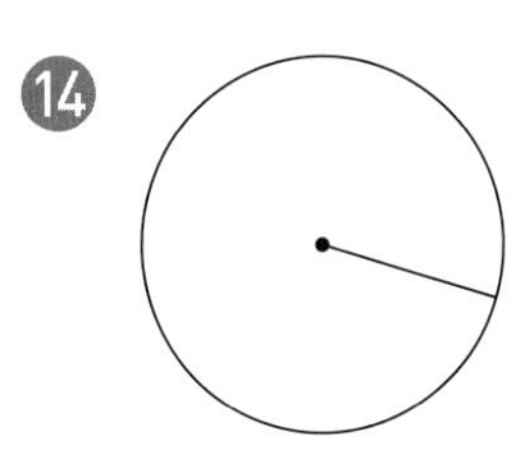

원주: 117.8 cm

(　　　　　　)

⓯ 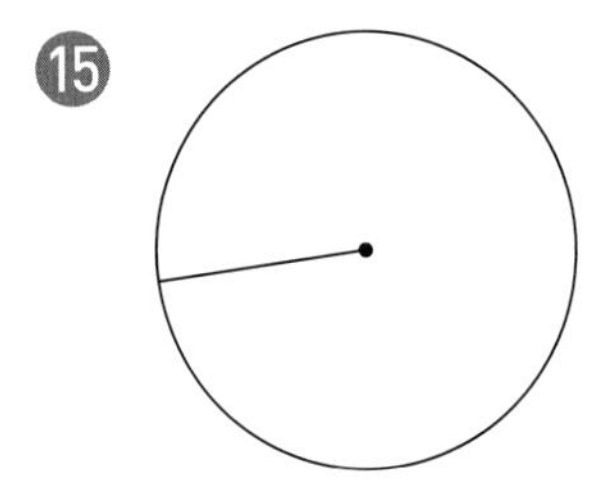

원주: 167.4 cm

(　　　　　　)

2 원주를 이용하여 지름 구하기

○ 원의 지름을 구해 보시오. (원주율: 3)

❶ 원주: 6 cm

(   )

❷ 원주: 30 cm

(   )

❸ 원주: 42 cm

(   )

❹ 원주: 57 cm

(   )

❺ 원주: 81 cm

(   )

❻ 원주: 27 cm

(   )

❼ 원주: 36 cm

(   )

❽ 원주: 51 cm

(   )

❾ 원주: 63 cm

(   )

❿ 원주: 90 cm

(   )

정답 • 22쪽

○ 원의 반지름을 구해 보시오. (원주율: 3.14)

⑪
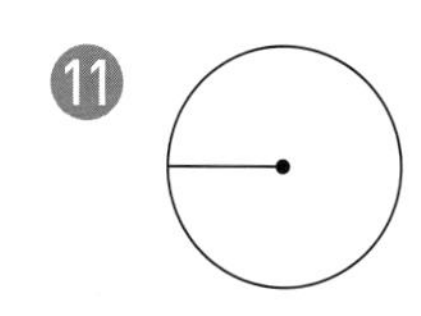

원주: 18.84 cm

(　　　　　　　　)

⑫
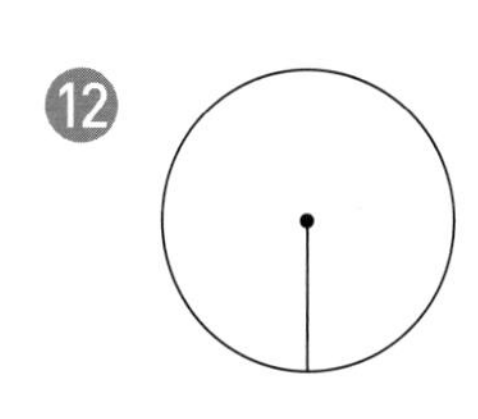

원주: 56.52 cm

(　　　　　　　　)

⑬
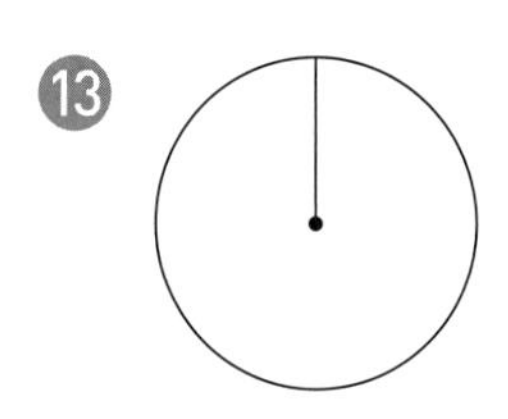

원주: 81.64 cm

(　　　　　　　　)

⑭
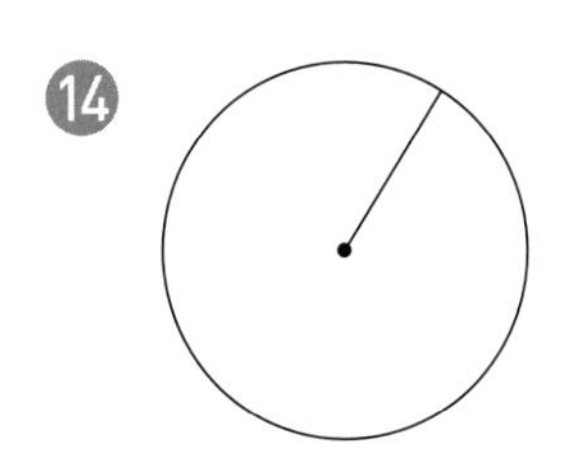

원주: 125.6 cm

(　　　　　　　　)

⑮
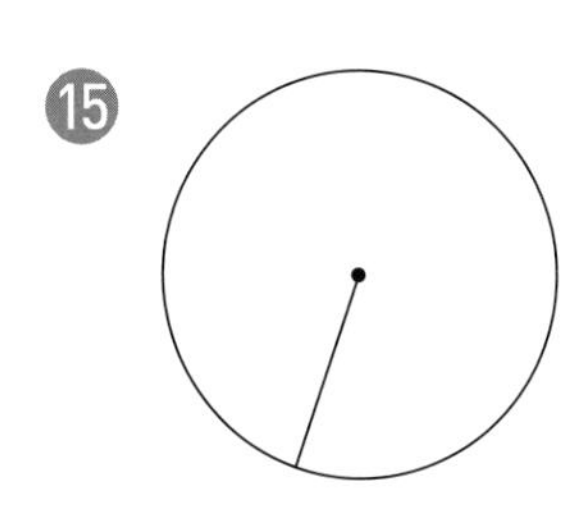

원주: 144.44 cm

(　　　　　　　　)

⑯

원주: 37.68 cm

(　　　　　　　　)

⑰
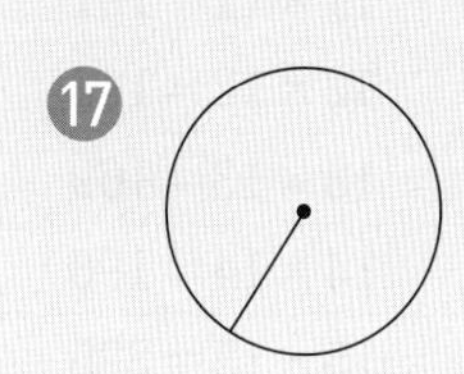

원주: 50.24 cm

(　　　　　　　　)

⑱
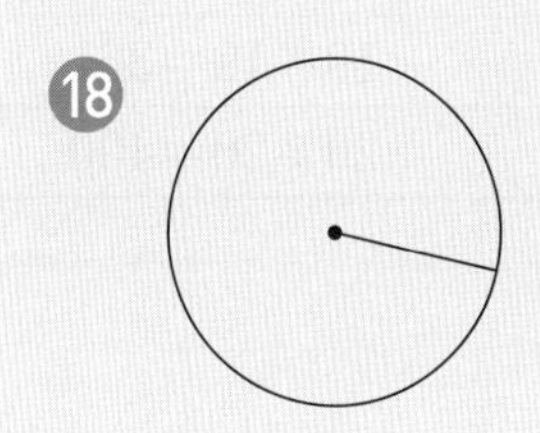

원주: 103.62 cm

(　　　　　　　　)

⑲

원주: 138.16 cm

(　　　　　　　　)

⑳
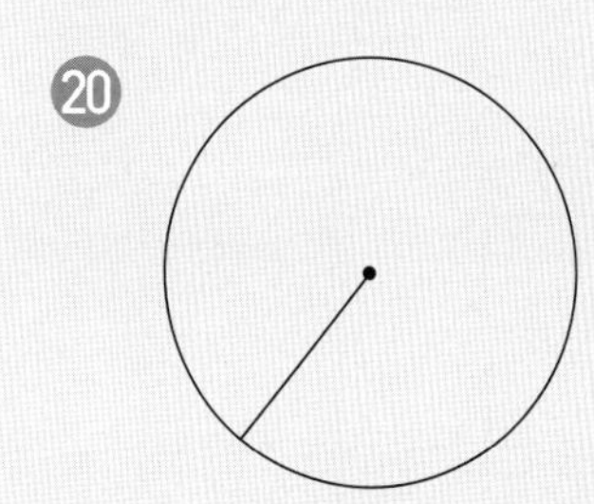

원주: 182.12 cm

(　　　　　　　　)

외워 두면 편리한 같은 수를 두 번 곱해 나오는 수 '제곱수'

제곱수를 외워 두면 원의 넓이를 쉽고 빠르게 구할 수 있습니다.

(원의 넓이)=(반지름)×(반지름)×(원주율)
└ 제곱수

1부터 25까지의 제곱수		
1×1=　1	11×11=121	21×21=441
2×2=　4	12×12=144	22×22=484
3×3=　9	13×13=169	23×23=529
4×4=16	14×14=196	24×24=576
5×5=25	15×15=225	25×25=625
6×6=36	16×16=256	
7×7=49	17×17=289	
8×8=64	18×18=324	
9×9=81	19×19=361	
10×10=100	20×20=400	

중학교 1학년 수학에서 제곱수에 대해 좀 더 자세히 배울 거야.

○ 제곱수를 외워 보고 □ 안에 알맞은 수를 써넣으시오.

1

5×5= □

6×6= □

7×7= □

2

9×9= □

10×10= □

11×11= □

3

13×13= □

14×14= □

15×15= □

4

17×17= □

18×18= □

19×19= □

○ 제곱수를 구하는 식을 나타낸 것입니다. □ 안에 알맞은 수를 써넣으시오.

⑤ $12\times12=\square$

⑥ $13\times13=\square$

⑦ $16\times16=\square$

⑧ $15\times15=\square$

⑨ $14\times14=\square$

⑩ $19\times19=\square$

⑪ $17\times17=\square$

⑫ $\square\times\square=121$

⑬ $\square\times\square=196$

⑭ $\square\times\square=225$

⑮ $\square\times\square=144$

⑯ $\square\times\square=256$

⑰ $\square\times\square=169$

⑱ $\square\times\square=324$

3 원의 넓이

원의 넓이는
(반지름)×(반지름)×(원주율)로!

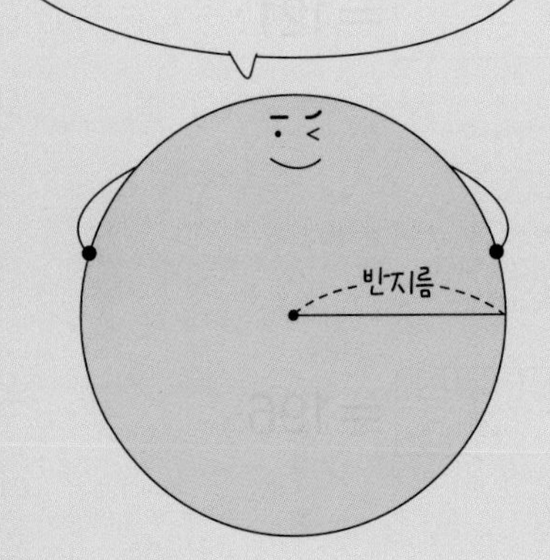

• **원의 넓이**

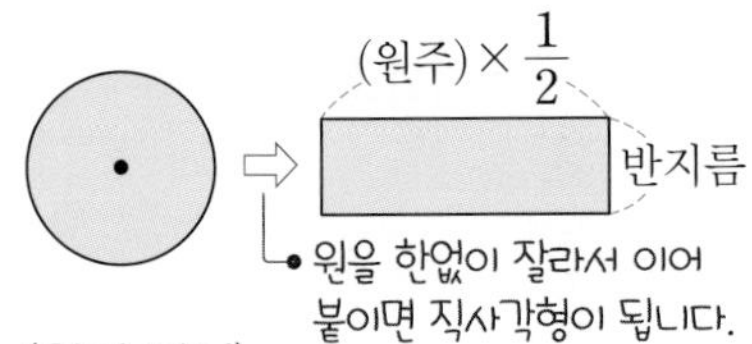

(원의 넓이)
=(직사각형의 넓이)
=(원주)×$\frac{1}{2}$×(반지름)
=(원주율)×(지름)×$\frac{1}{2}$×(반지름)
=(반지름)×(반지름)×(원주율)

예 반지름이 2 cm인 원의 넓이 구하기(원주율: 3.14)

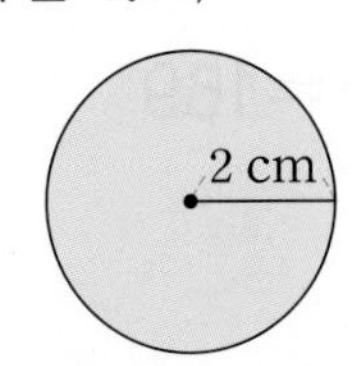

(원의 넓이)
=(반지름)×(반지름)×(원주율)
=2×2×3.14
=12.56(cm^2)

○ **원의 넓이를 구해 보시오. (원주율: 3)**

1

(   )

2

(   )

3

(   )

4

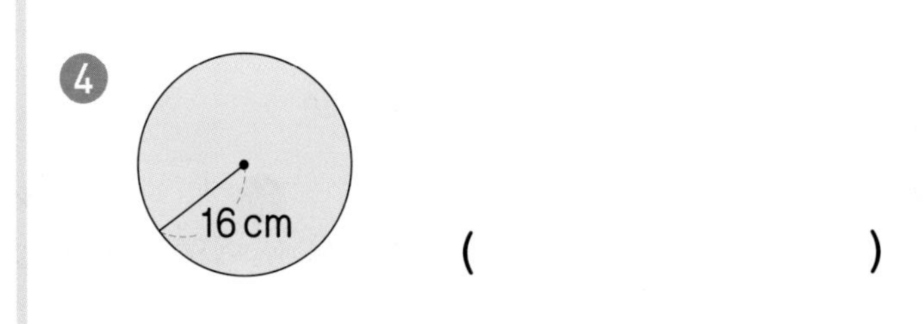

(   )

5

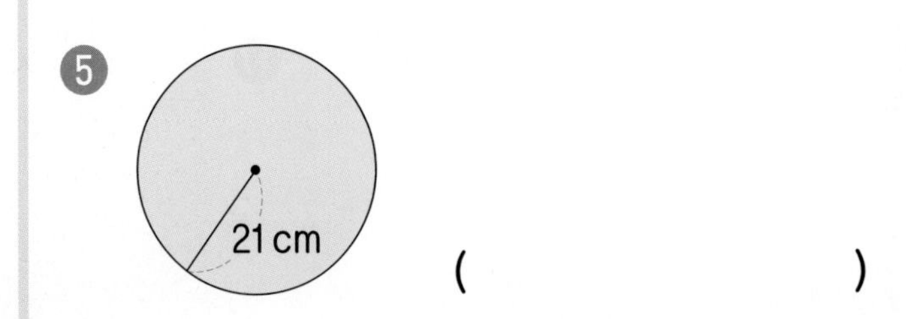

(   )

정답 • 23쪽

◎ 원의 넓이를 구해 보시오. (원주율: 3.1)

❻ 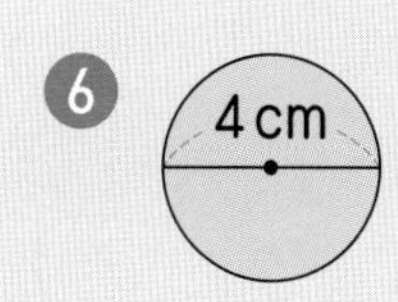

(   )

❼ 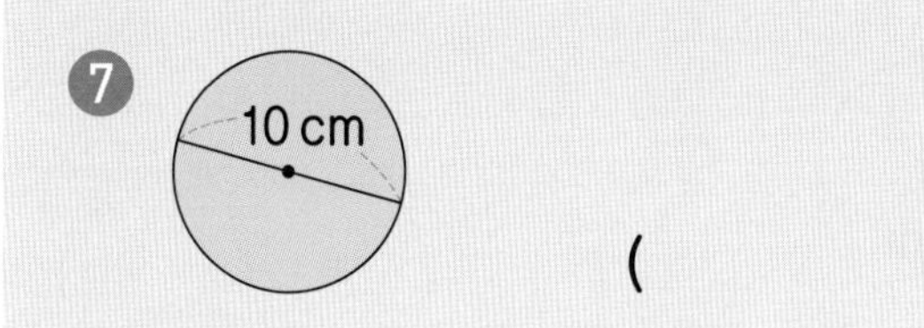

(   )

❽ 

(   )

❾ 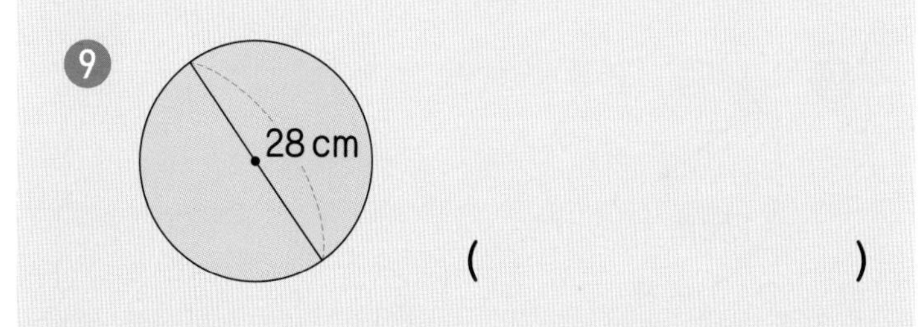

(   )

❿ 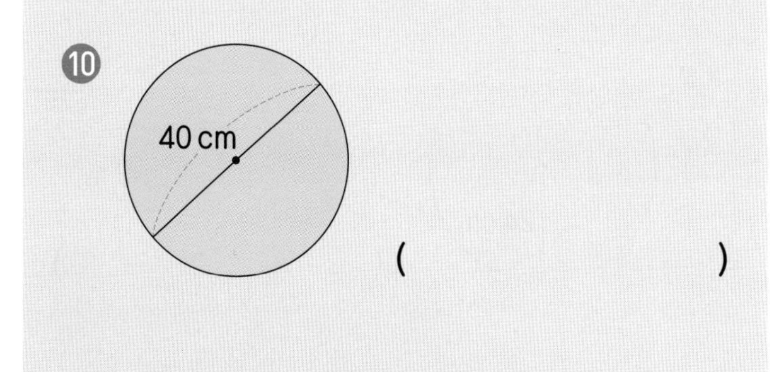

(   )

⓫ 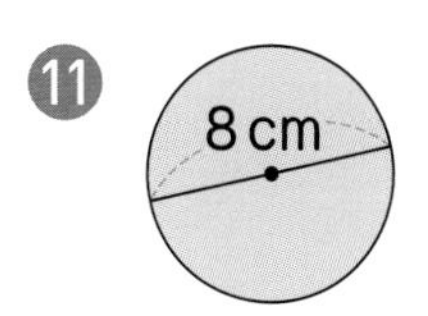

(   )

⓬ 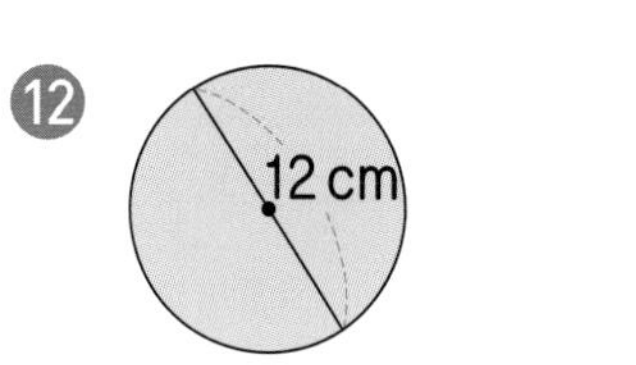

(   )

⓭ 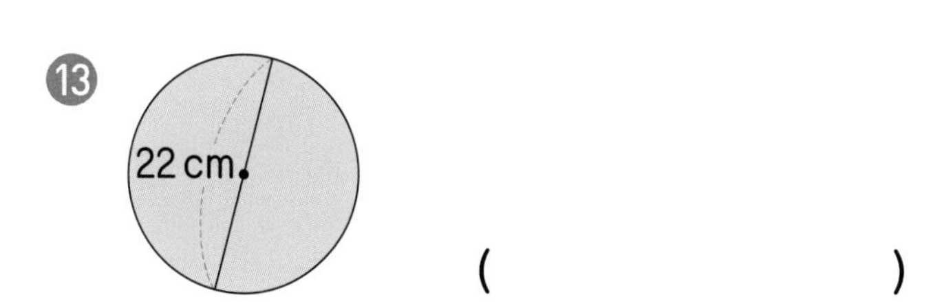

(   )

⓮ 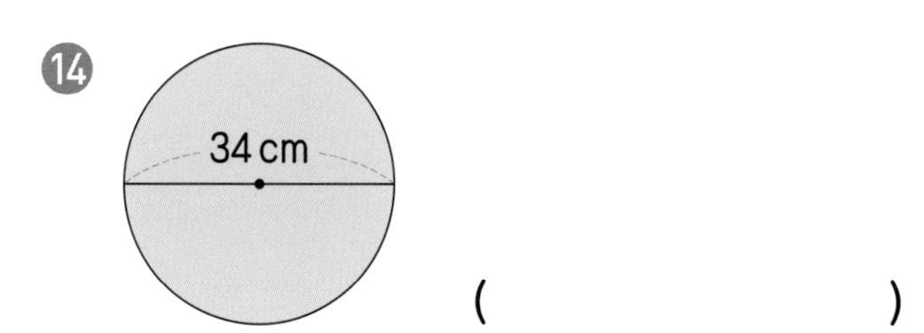

(   )

⓯ 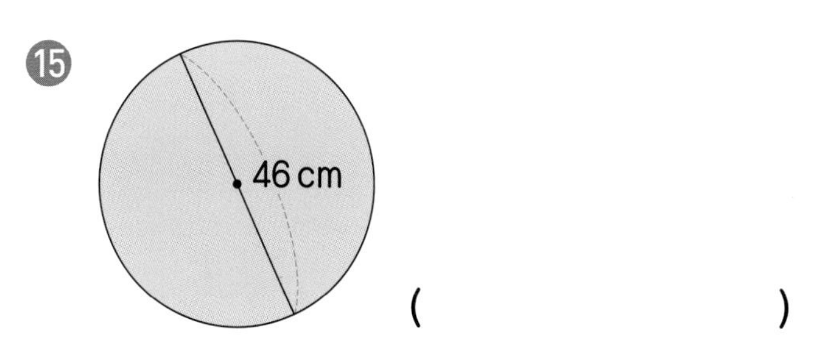

(   )

3 원의 넓이

○ 원의 넓이를 구해 보시오. (원주율: 3)

❶ 4 cm

(　　　　　　　　　　)

❷ 6 cm

(　　　　　　　　　　)

❸ 11 cm

(　　　　　　　　　　)

❹ 15 cm

(　　　　　　　　　　)

❺ 20 cm

(　　　　　　　　　　)

❻ 5 cm

(　　　　　　　　　　)

❼ 9 cm

(　　　　　　　　　　)

❽ 14 cm

(　　　　　　　　　　)

❾ 17 cm

(　　　　　　　　　　)

❿

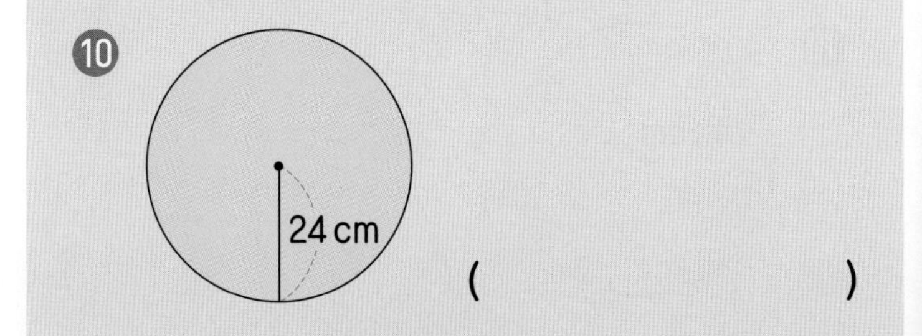

(　　　　　　　　　　)

정답 • 23쪽

○ 원의 넓이를 구해 보시오. (원주율: 3.14)

⑪
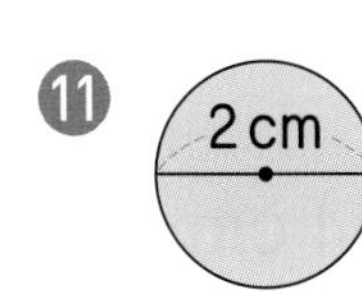

( )

⑫
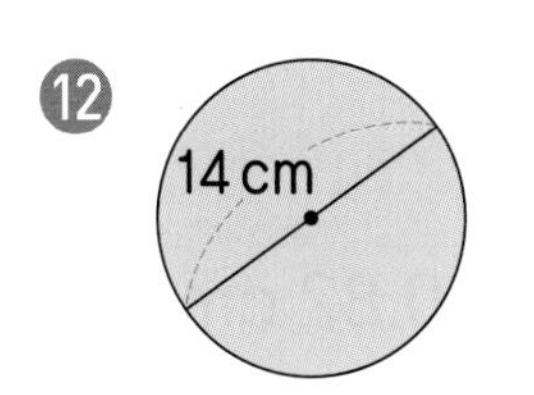

( )

⑬
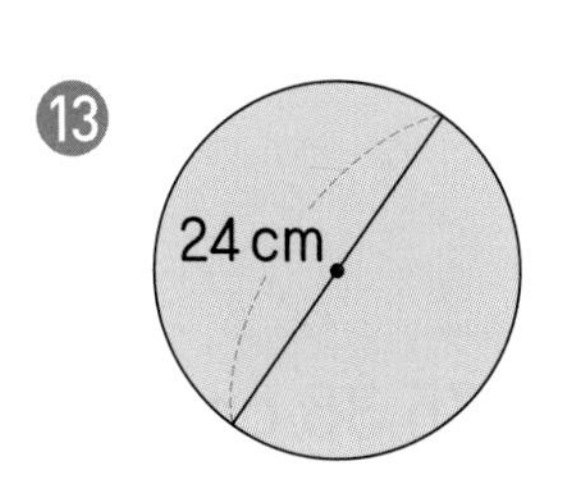

( )

⑭
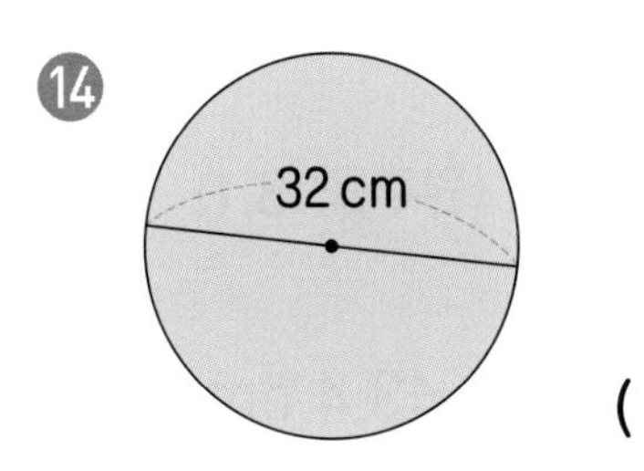

( )

⑮ 44 cm

( )

⑯ 6 cm

( )

⑰ 16 cm

( )

⑱ 26 cm

( )

⑲ 36 cm

( )

⑳ 50 cm

( )

평가 5. 원의 넓이

○ 원주를 구해 보시오. (원주율: 3.1)

1 3 cm

( )

2

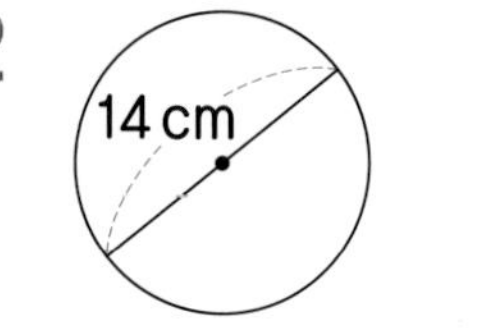

( )

3

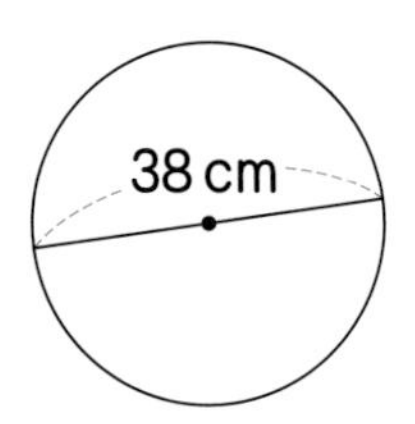

( )

4

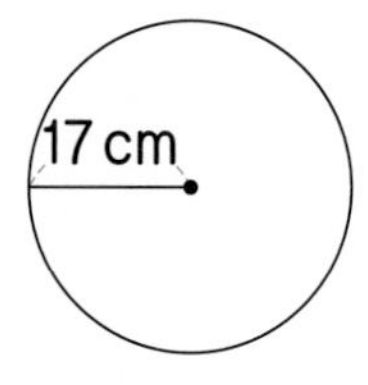

( )

5

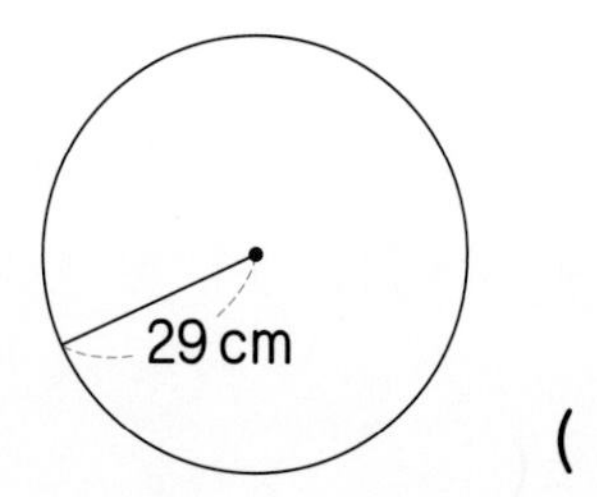

( )

○ 원의 지름을 구해 보시오. (원주율: 3.14)

6

원주: 18.84 cm

( )

7

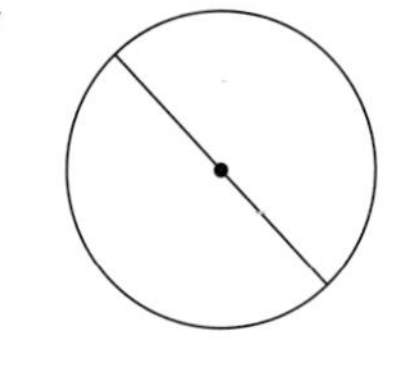

원주: 40.82 cm

( )

8

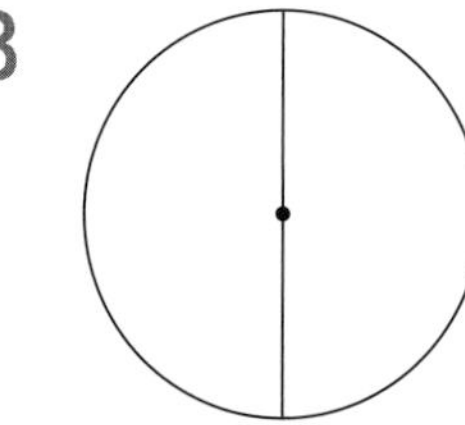

원주: 75.36 cm

( )

○ 원의 반지름을 구해 보시오. (원주율: 3.1)

9

원주: 43.4 cm

( )

10

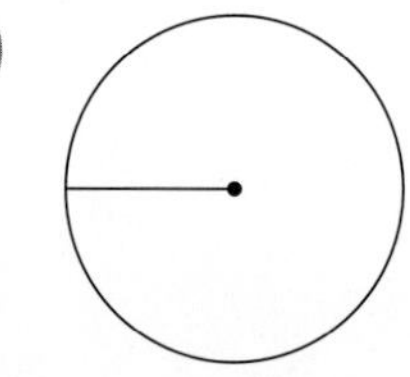

원주: 93 cm

( )

◎ 원의 넓이를 구해 보시오. (원주율: 3)

11

8 cm

( )

12

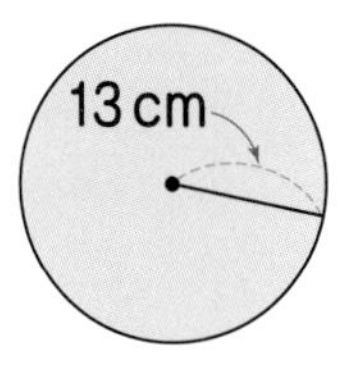

( )

13

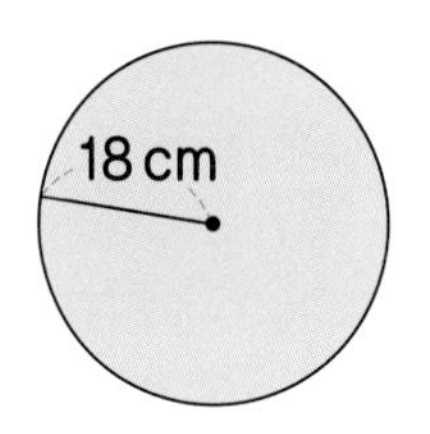

( )

14

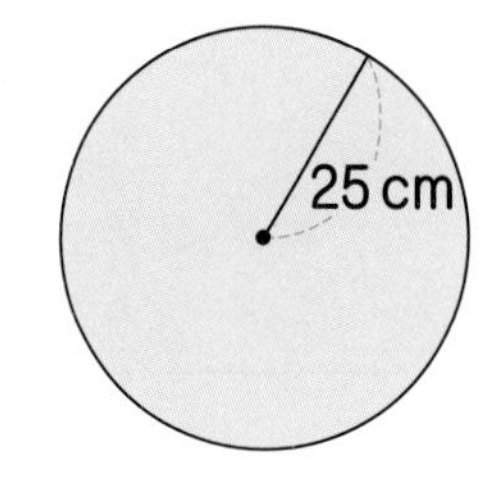

( )

15

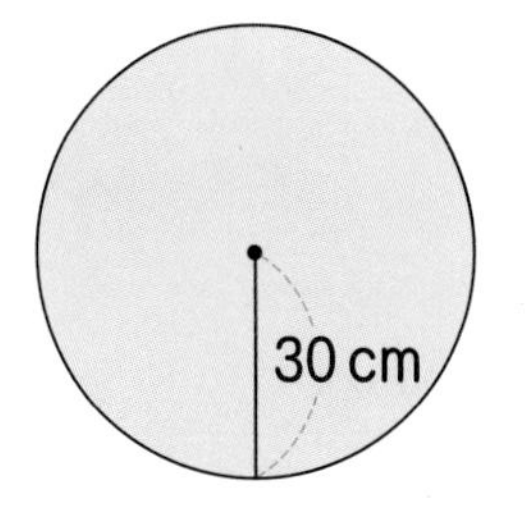

( )

◎ 원의 넓이를 구해 보시오. (원주율: 3.1)

16

20 cm

( )

17

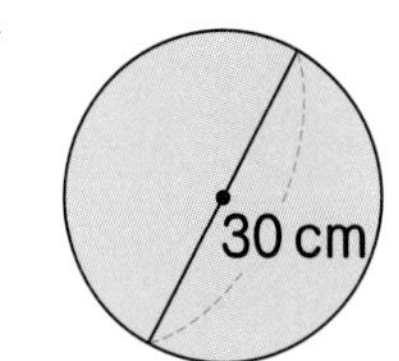

( )

18

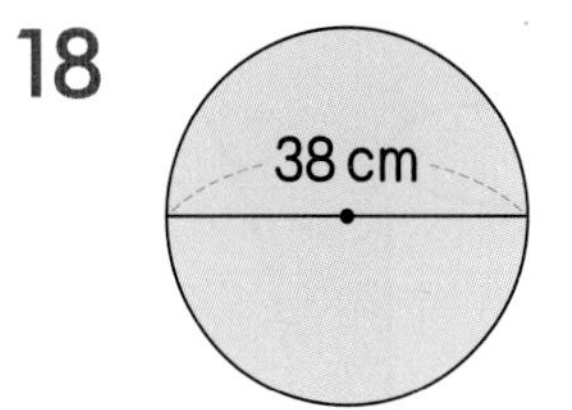

( )

19

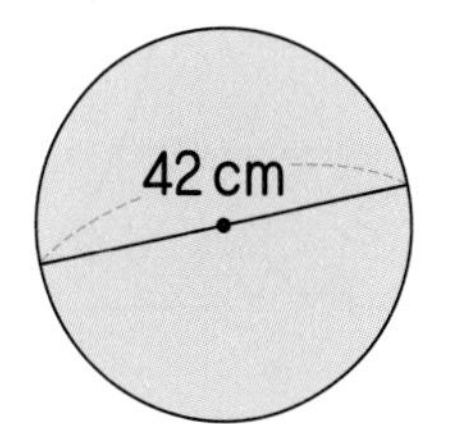

( )

20

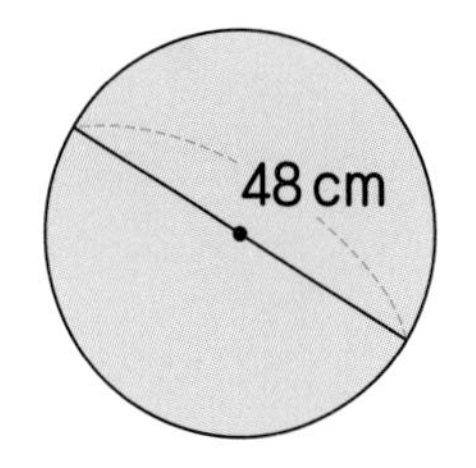

( )

5단원의 연산 실력을 보충하고 싶다면 **클리닉 북 31~33쪽**을 풀어 보세요.

원기둥, 원뿔, 구

학습하는 데 걸린 시간을 작성해 봐요!

학습 내용	학습 회차	걸린 시간
1 원기둥	1일 차	/7분
2 원기둥의 전개도	2일 차	/6분
3 원뿔	3일 차	/6분
4 구	4일 차	/7분
평가 6. 원기둥, 원뿔, 구	5일 차	/13분

1 원기둥

- **원기둥**

원기둥: 위와 아래에 있는 면이 서로 평행하고 합동인 원으로 이루어진 기둥 모양의 입체도형

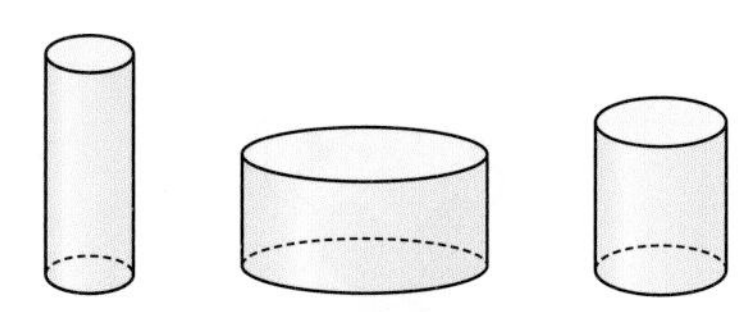

- **원기둥의 구성 요소**

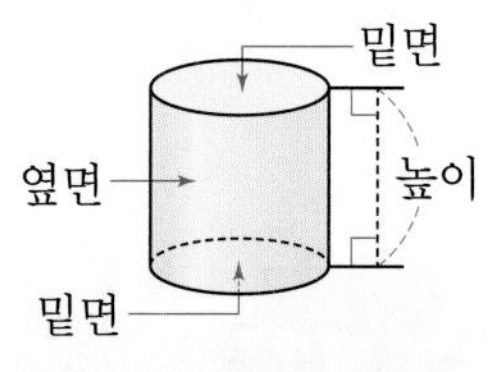

- 밑면: 서로 평행하고 합동인 두 면
- 옆면: 두 밑면과 만나는 면
- 높이: 두 밑면에 수직인 선분의 길이

◎ 원기둥이면 ○표, 원기둥이 아니면 ×표 하시오.

❶
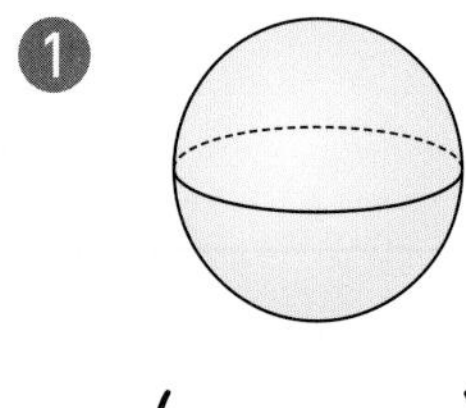
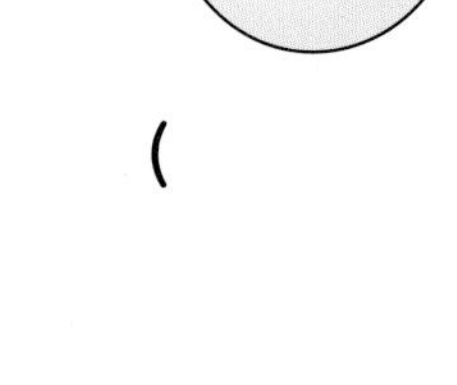
(　　　)

❷
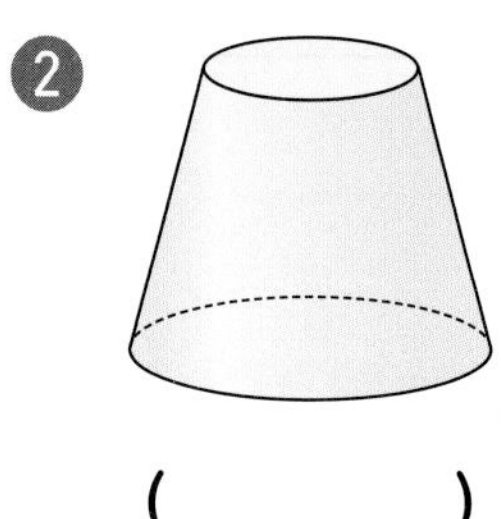
(　　　)

❸
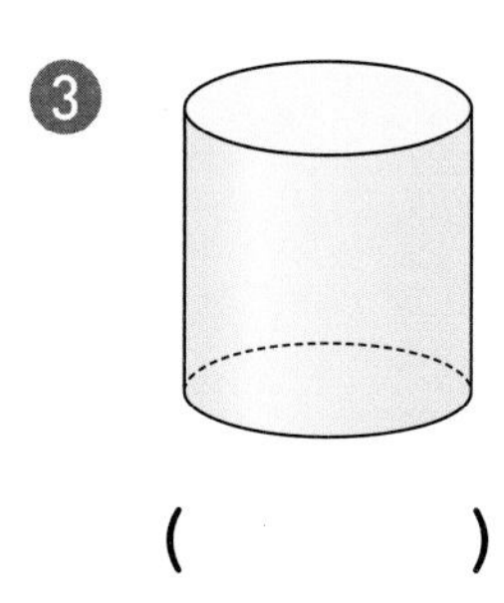
(　　　)

❹
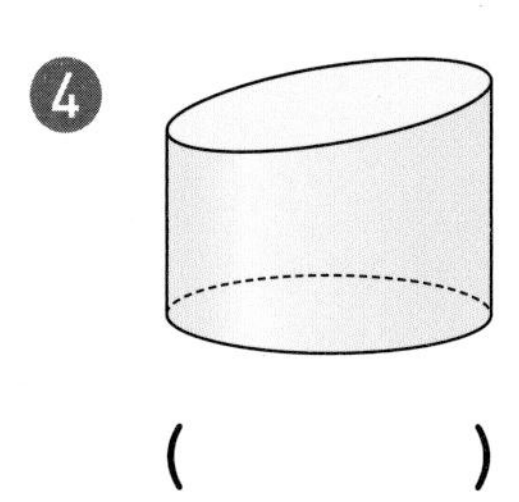
(　　　)

❺
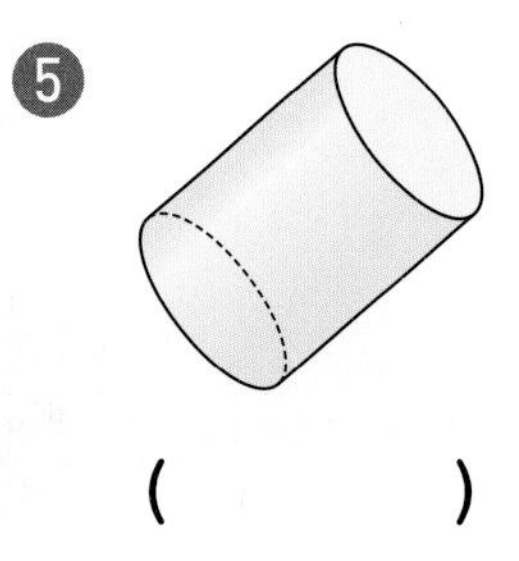
(　　　)

❻
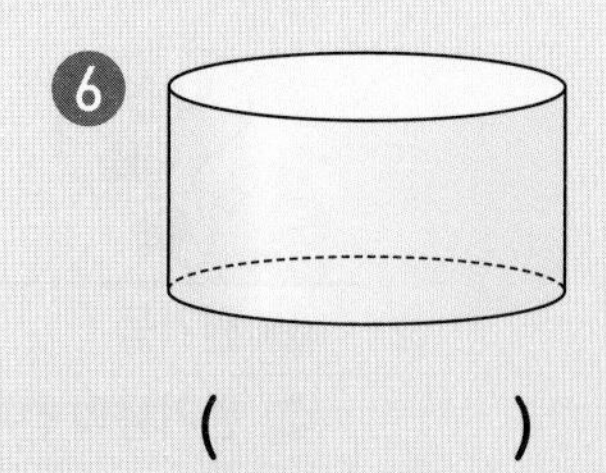
(　　　)

❼
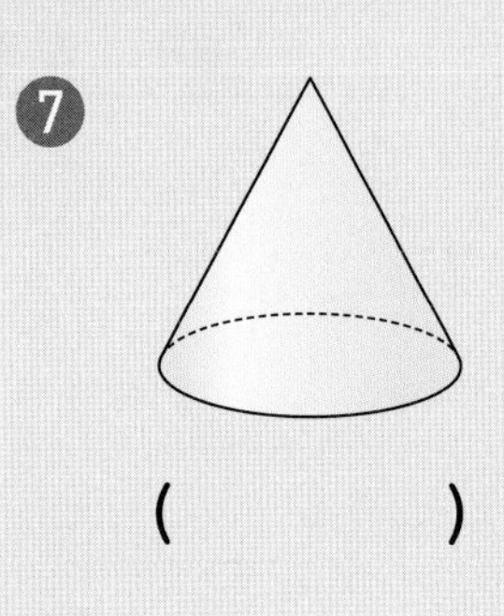
(　　　)

❽
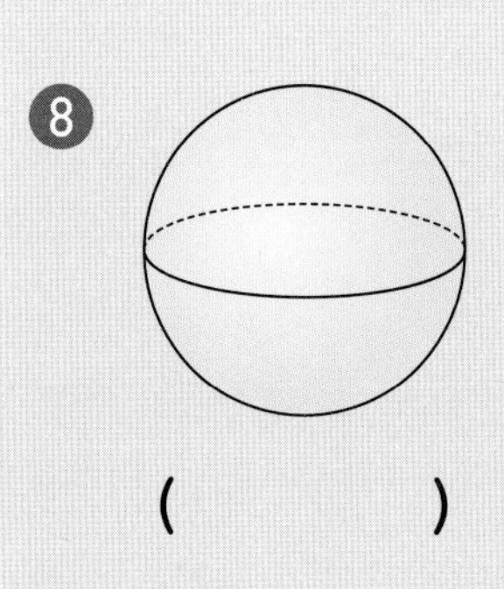
(　　　)

❾
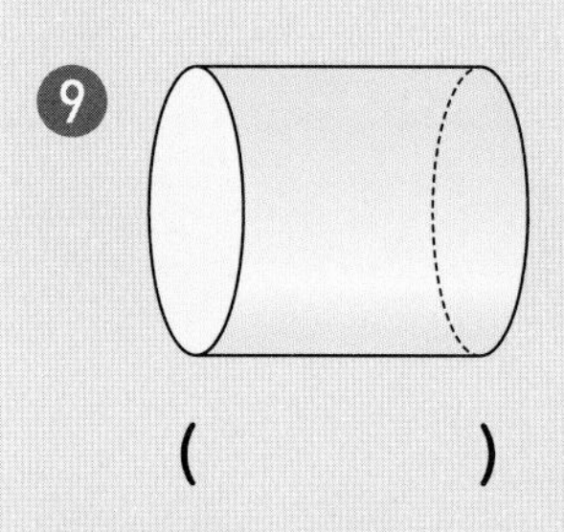
(　　　)

❿
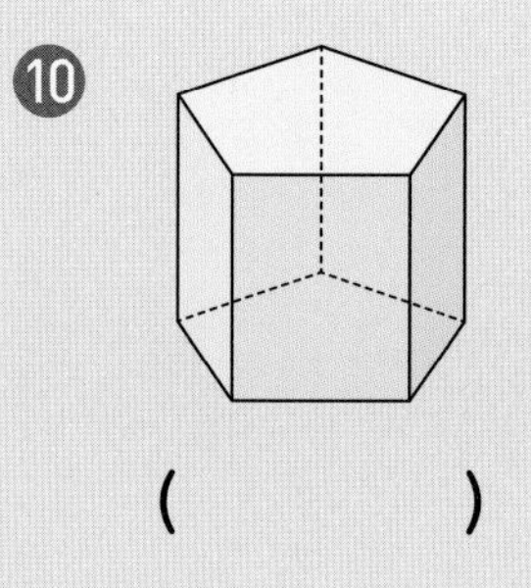
(　　　)

○ 원기둥에서 밑면의 지름과 높이는 각각 몇 cm인지 구해 보시오.

⑪

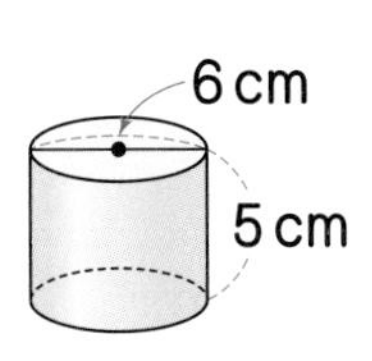

밑면의 지름(cm)	
높이(cm)	

⑫

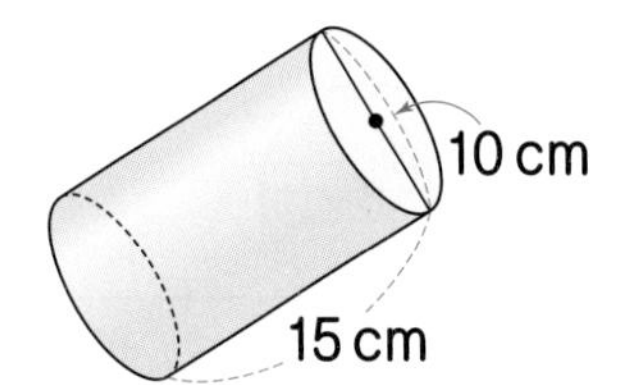

밑면의 지름(cm)	
높이(cm)	

⑬

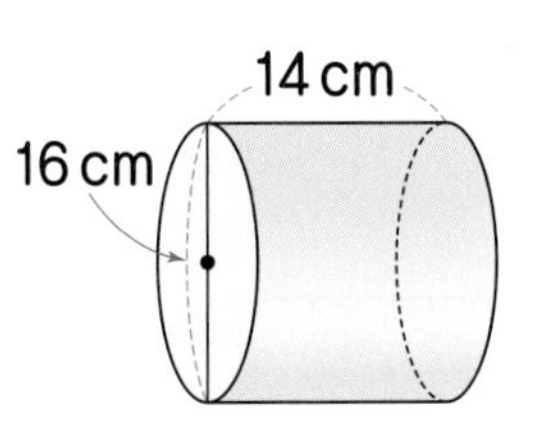

밑면의 지름(cm)	
높이(cm)	

⑭

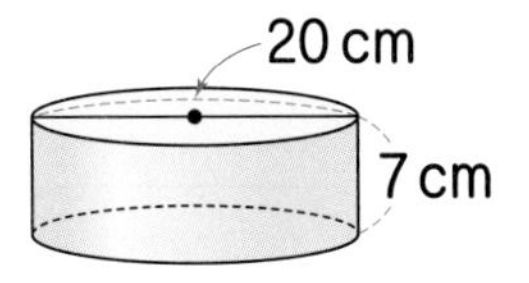

밑면의 지름(cm)	
높이(cm)	

⑮

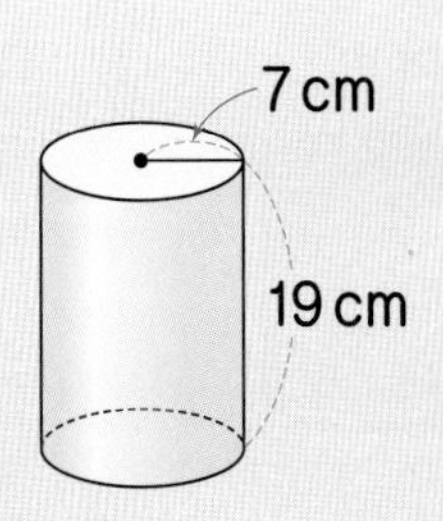

밑면의 지름(cm)	
높이(cm)	

⑯

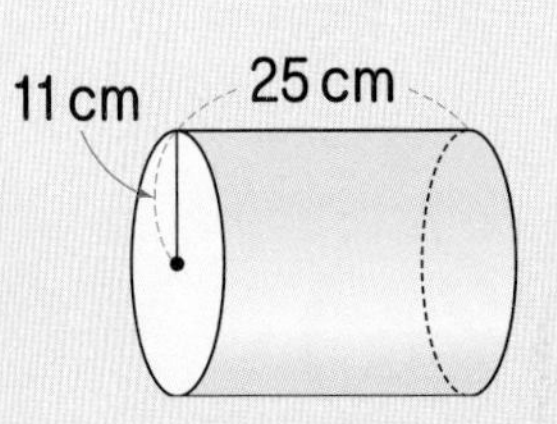

밑면의 지름(cm)	
높이(cm)	

⑰

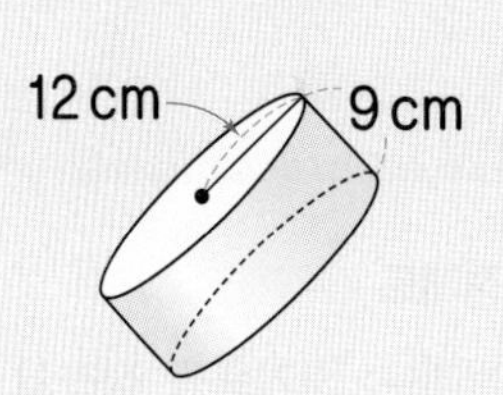

밑면의 지름(cm)	
높이(cm)	

⑱

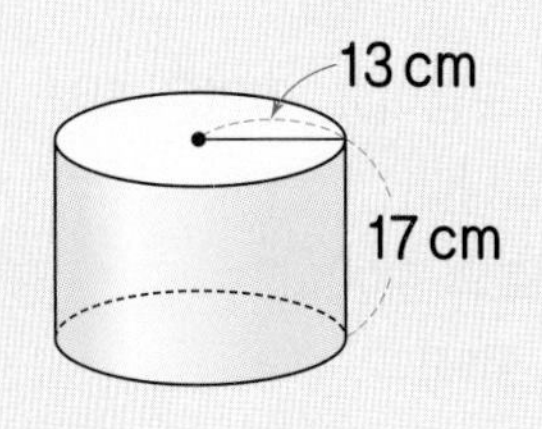

밑면의 지름(cm)	
높이(cm)	

2 원기둥의 전개도

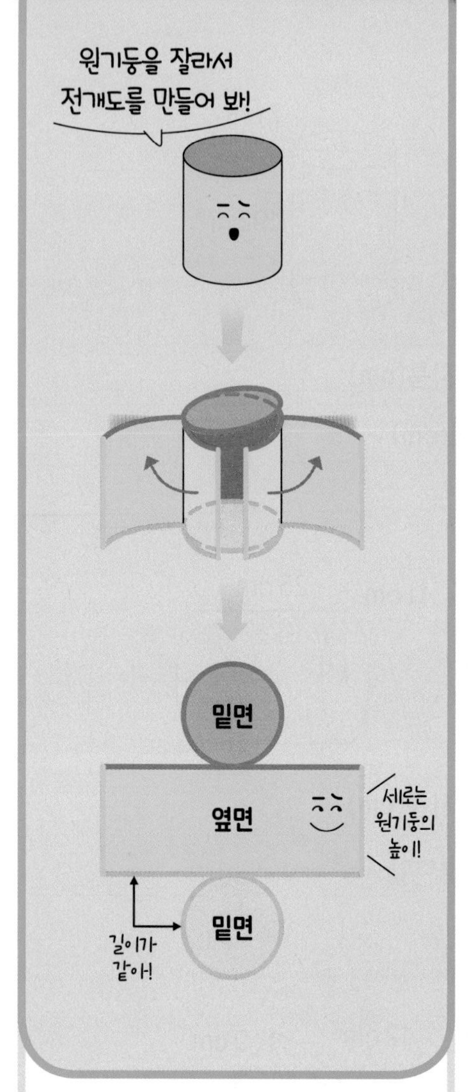

- 원기둥의 전개도
- 원기둥의 전개도: 원기둥을 잘라서 펼쳐 놓은 그림

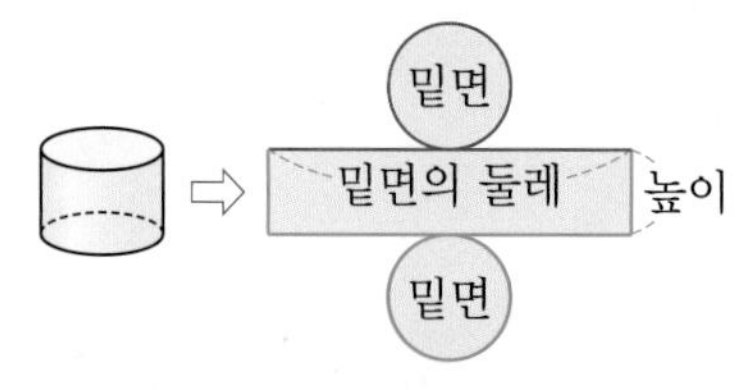

- 밑면은 원 모양이고, 옆면은 직사각형 모양입니다.
- (옆면의 가로의 길이)
  =(밑면의 둘레)
  =(밑면의 지름)×(원주율)
  (밑면의 반지름)×2
- (옆면의 세로의 길이)
  =(원기둥의 높이)

○ 원기둥과 원기둥의 전개도를 보고 □ 안에 알맞은 수를 써넣으시오.
(원주율: 3)

❶
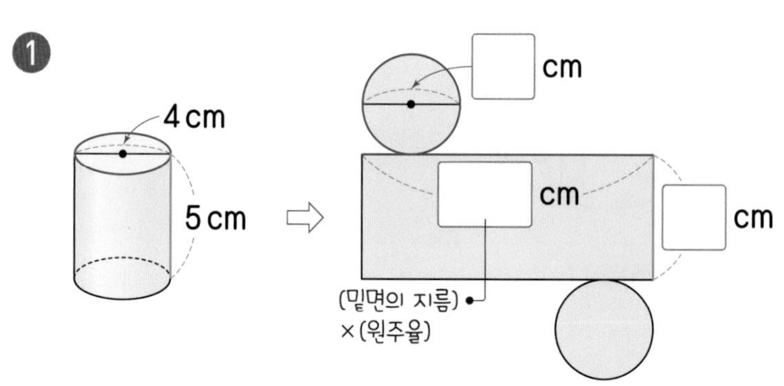

❷
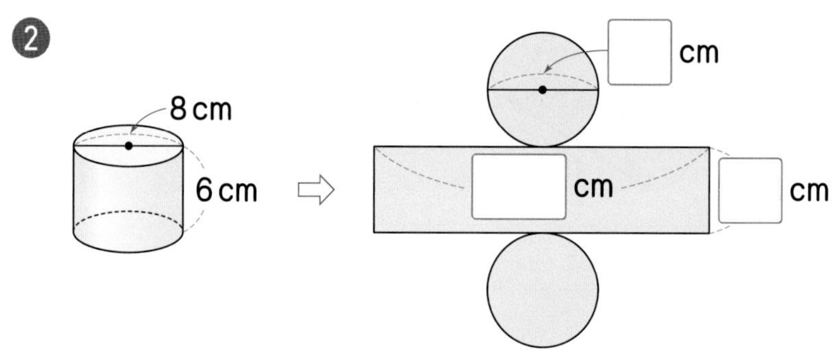

❸
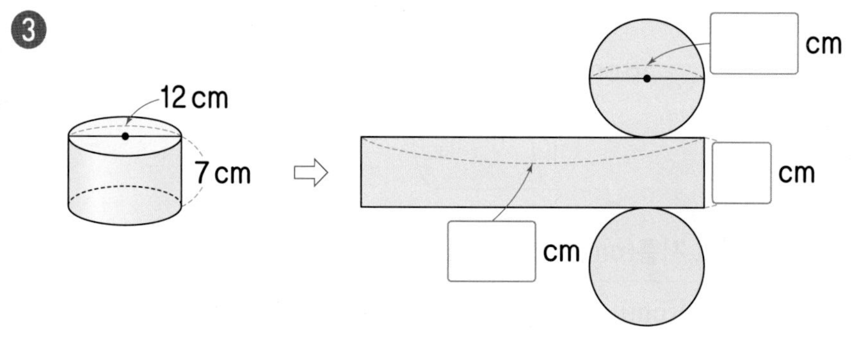

❹
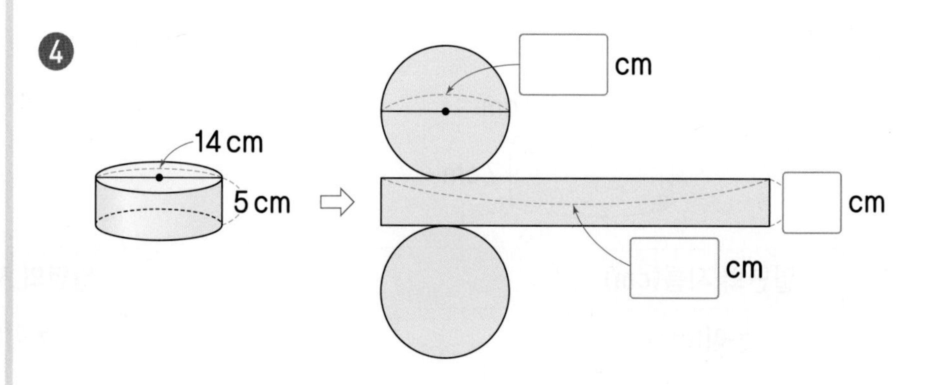

◦ 원기둥과 원기둥의 전개도를 보고 ☐ 안에 알맞은 수를 써넣으시오. (원주율: 3.1)

5

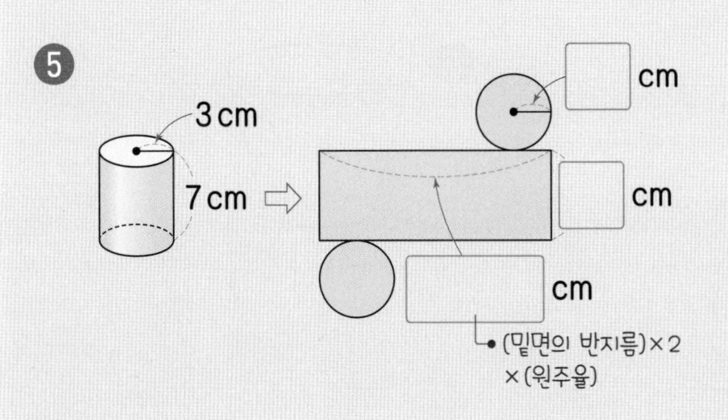

6

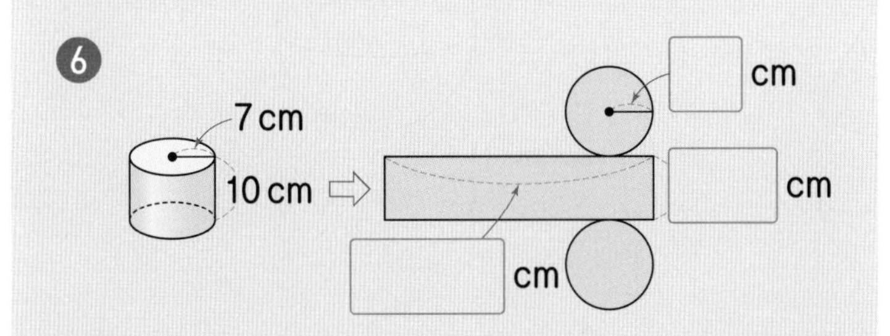

7

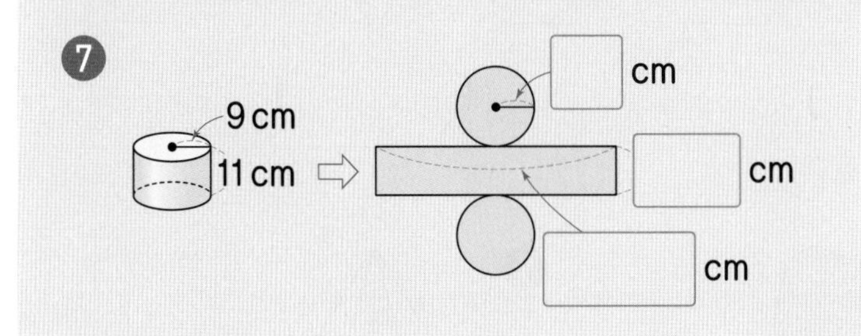

8

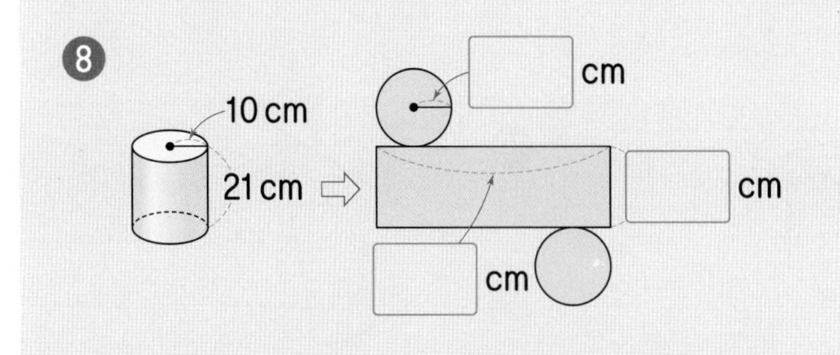

9

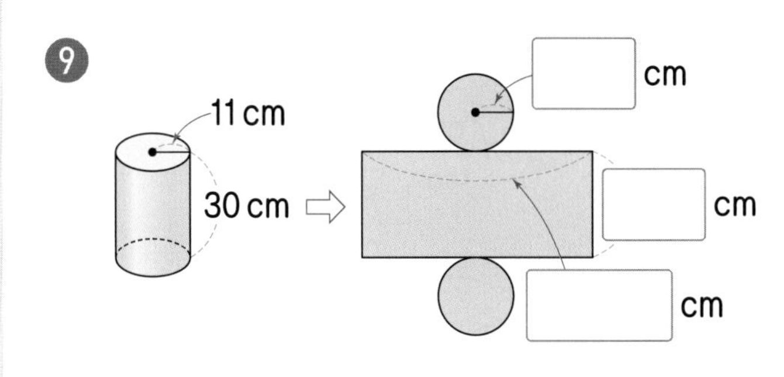

10

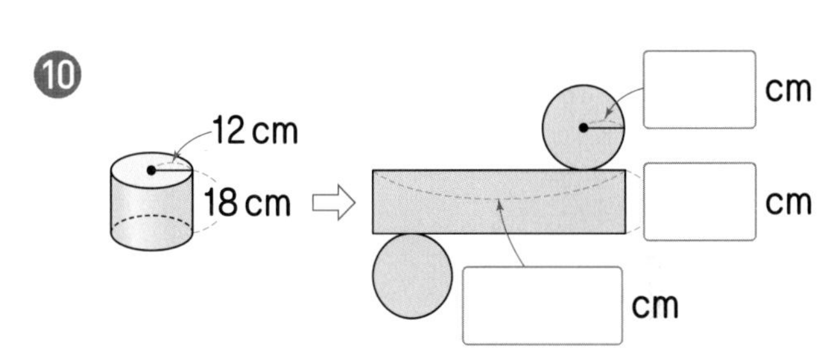

11

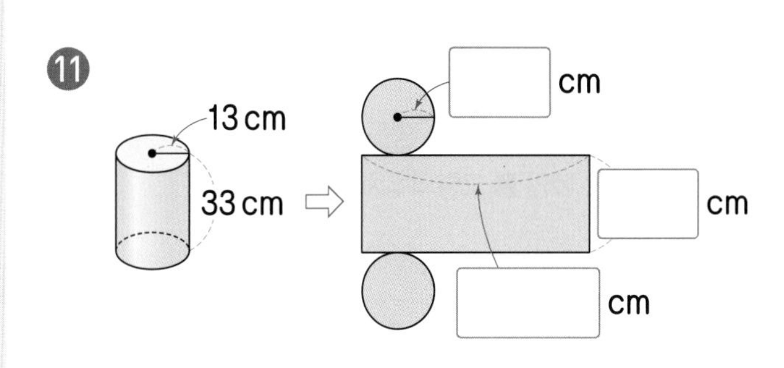

12

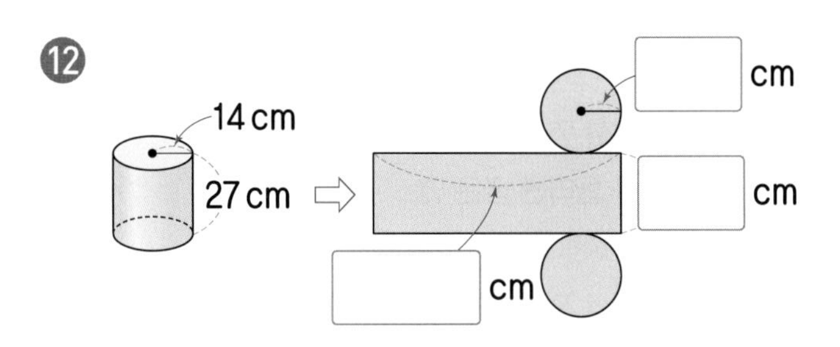

3 원뿔

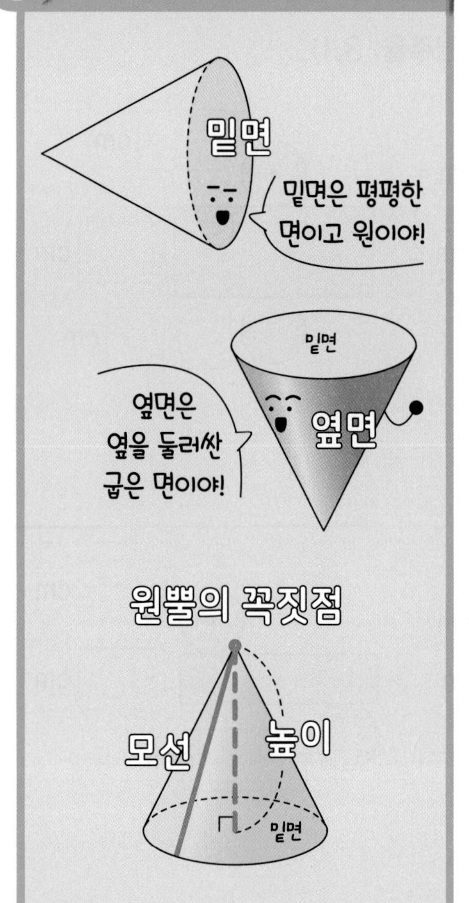

• **원뿔**

원뿔: 평평한 면이 원이고 옆을 둘러싼 면이 굽은 면인 뿔 모양의 입체도형

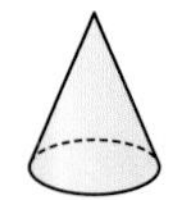 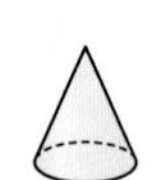 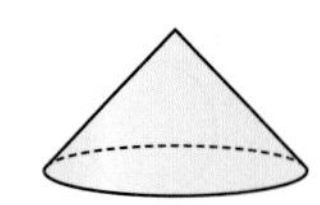

• **원뿔의 구성 요소**

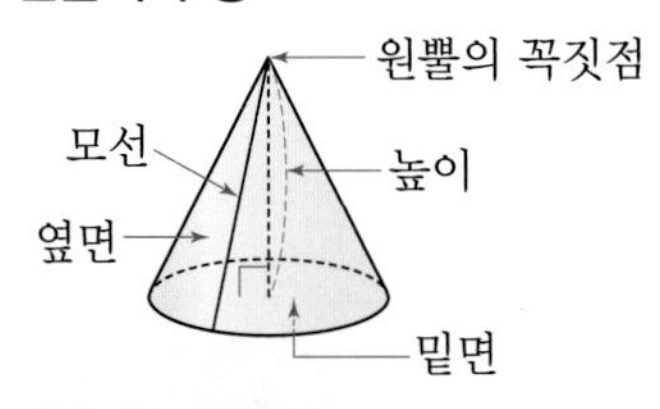

• 밑면: 평평한 면
• 옆면: 옆을 둘러싼 굽은 면
• 원뿔의 꼭짓점: 뾰족한 부분의 점
• 모선: 원뿔의 꼭짓점과 밑면인 원의 둘레의 한 점을 이은 선분
• 높이: 원뿔의 꼭짓점에서 밑면에 수직인 선분의 길이

◦ **원뿔이면 ○표, 원뿔이 아니면 ×표 하시오.**

❶ 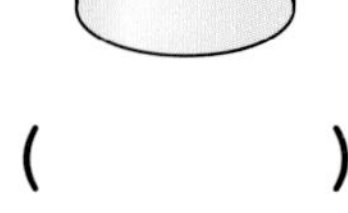

(　　　　)

❷ 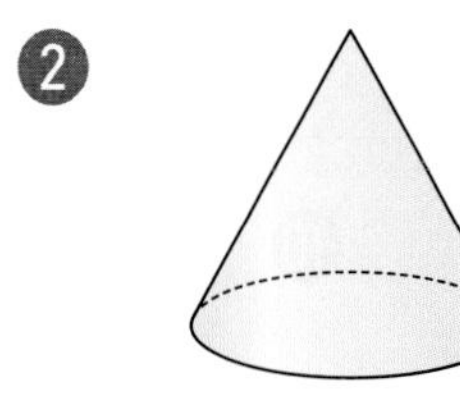

(　　　　)

❸ 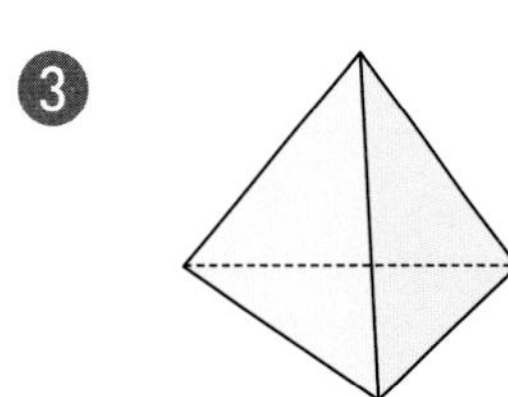

(　　　　)

❹ 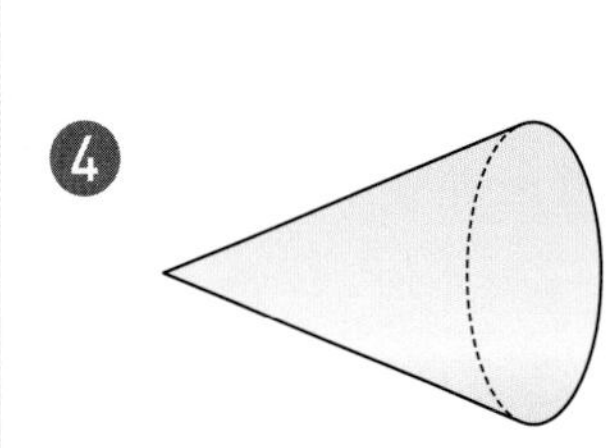

(　　　　)

❺ 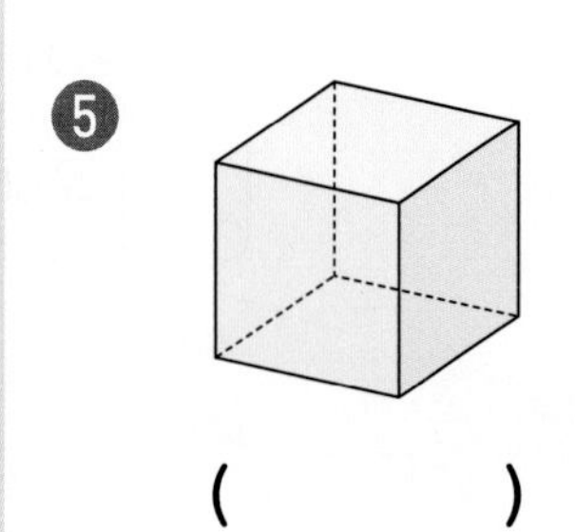

(　　　　)

❻ 

(　　　　)

❼ 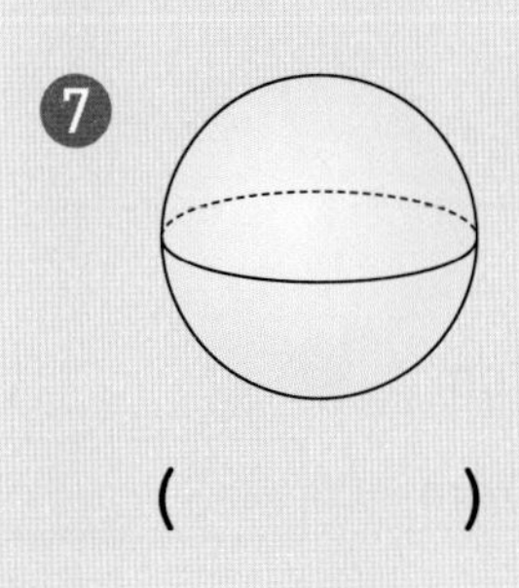

(　　　　)

❽ 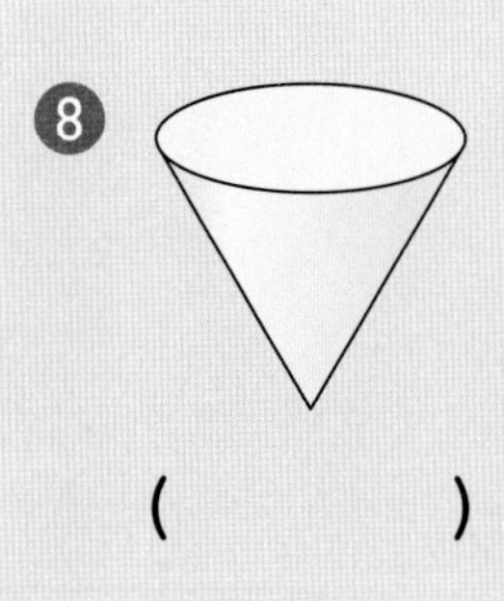

(　　　　)

❾ 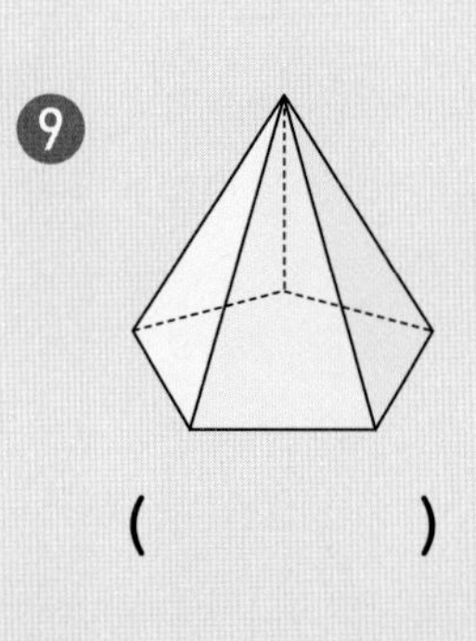

(　　　　)

❿ 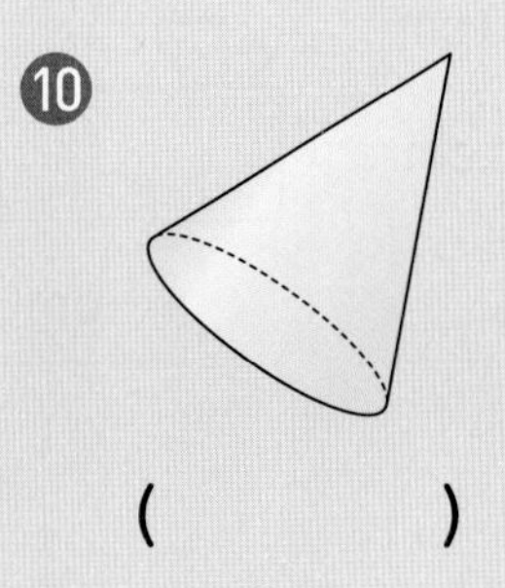

(　　　　)

정답 • 25쪽

○ 원뿔에서 높이와 모선의 길이, 밑면의 지름은 각각 몇 cm인지 구해 보시오.

⑪

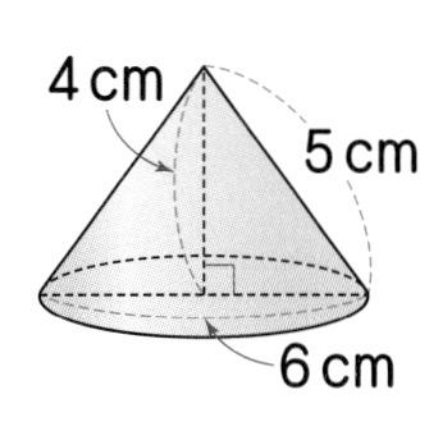

높이(cm)	
모선의 길이(cm)	
밑면의 지름(cm)	

⑫

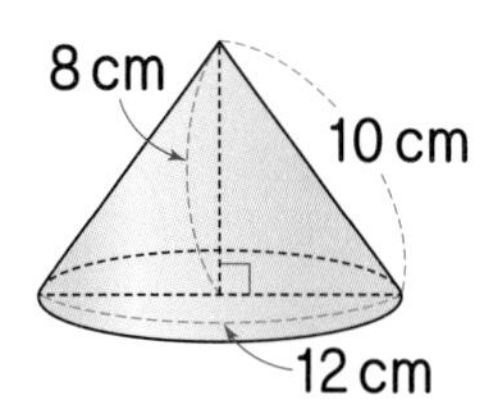

높이(cm)	
모선의 길이(cm)	
밑면의 지름(cm)	

⑬

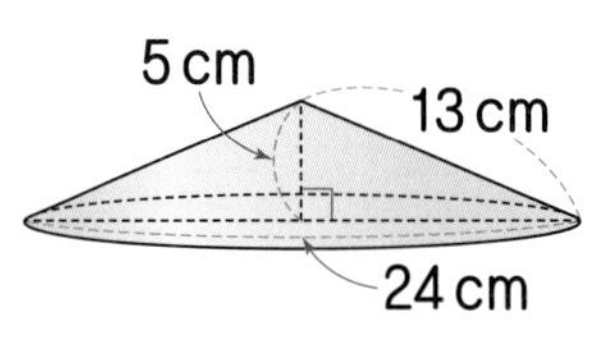

높이(cm)	
모선의 길이(cm)	
밑면의 지름(cm)	

⑭

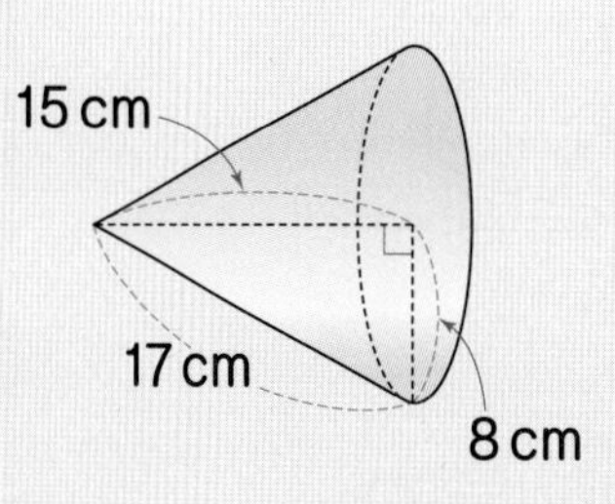

높이(cm)	
모선의 길이(cm)	
밑면의 지름(cm)	

⑮

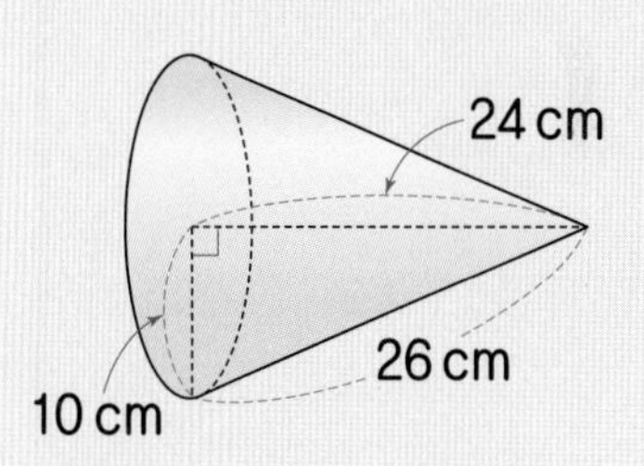

높이(cm)	
모선의 길이(cm)	
밑면의 지름(cm)	

⑯

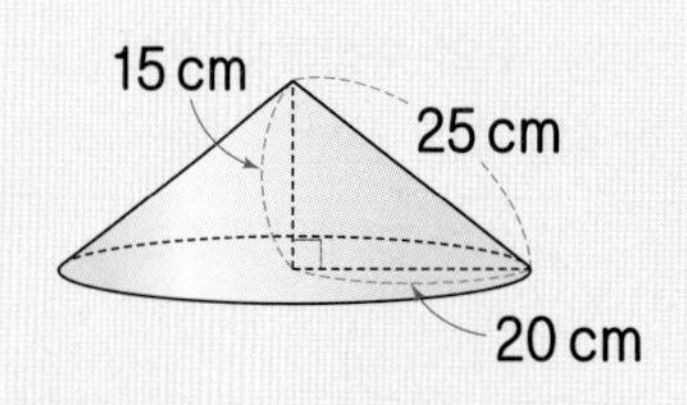

높이(cm)	
모선의 길이(cm)	
밑면의 지름(cm)	

4 구

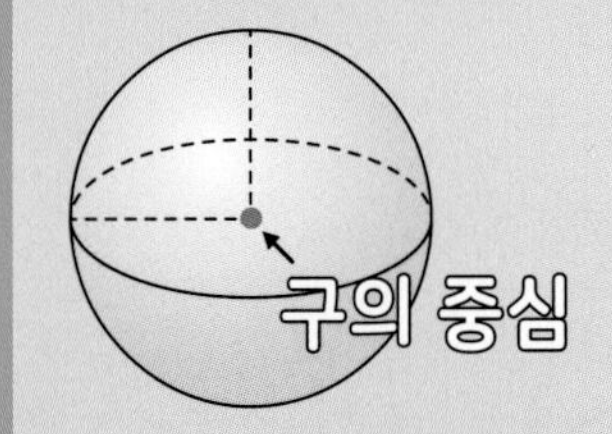

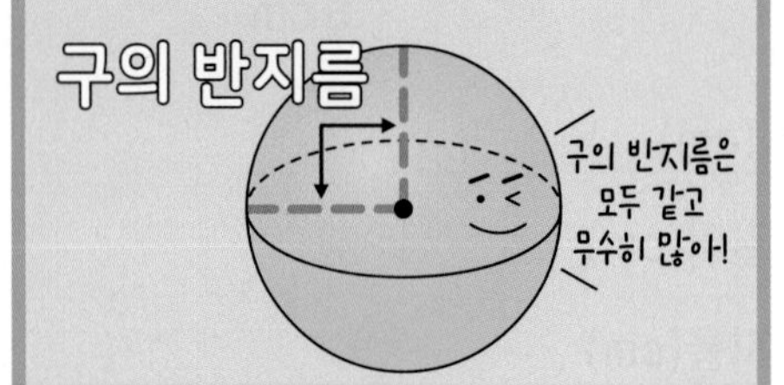

- 구

구: 공 모양의 입체도형

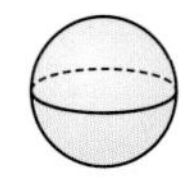 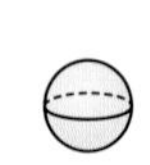 

- 구의 구성 요소

• 구의 중심: 가장 안쪽에 있는 점

• 구의 반지름: 구의 중심에서 구의 겉면의 한 점을 이은 선분

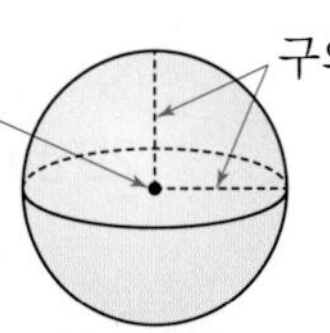

참고 • 구의 중심에서 구의 겉면에 있는 어느 점까지 이르는 거리는 모두 같습니다.

• 구의 반지름은 모두 같고 무수히 많습니다.

◎ 구이면 ◯표, 구가 아니면 ×표 하시오.

❶ 

(　　　　)

❷

(　　　　)

❸ 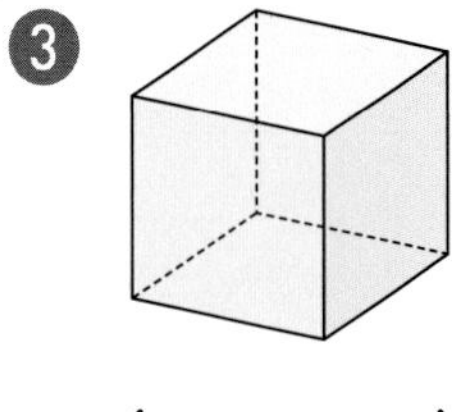

(　　　　)

❹ 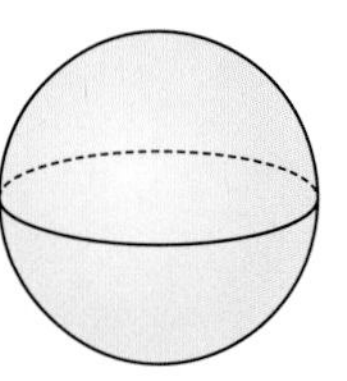

(　　　　)

❺  

(　　　　)

❻ 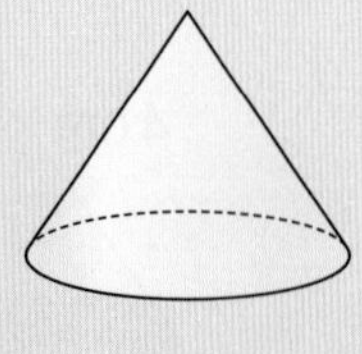

(　　　　)

❼ 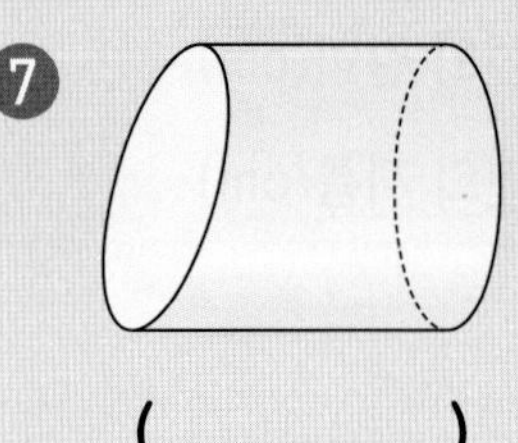

(　　　　)

❽ 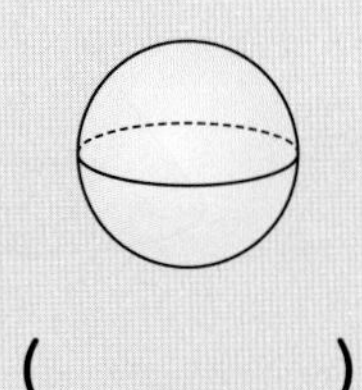

(　　　　)

❾ 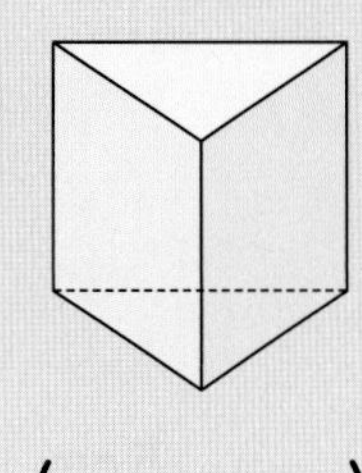

(　　　　)

❿ 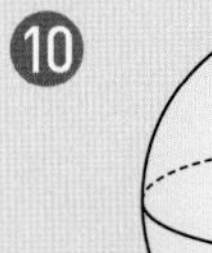 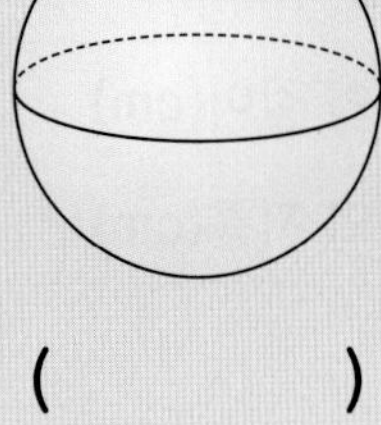

(　　　　)

정답 • 25쪽

○ 구에서 반지름은 몇 cm인지 구해 보시오.

⑪

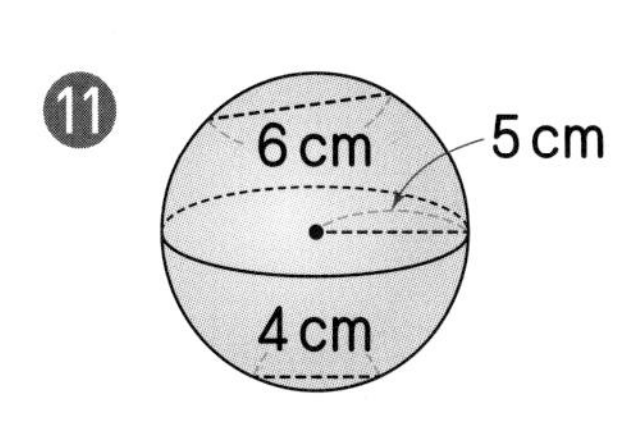

(　　　　　　　　)

⑫

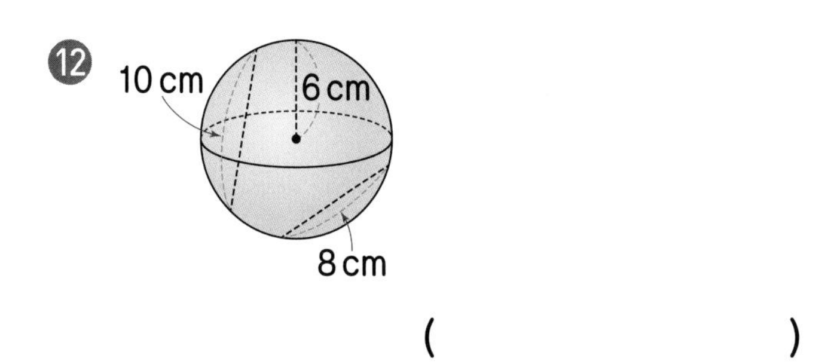

(　　　　　　　　)

⑬

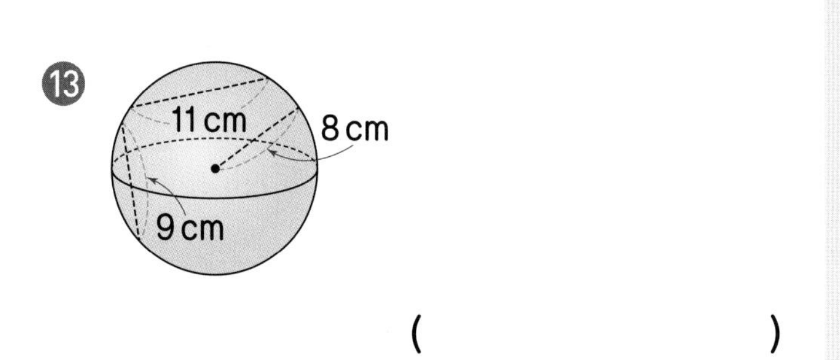

(　　　　　　　　)

⑭

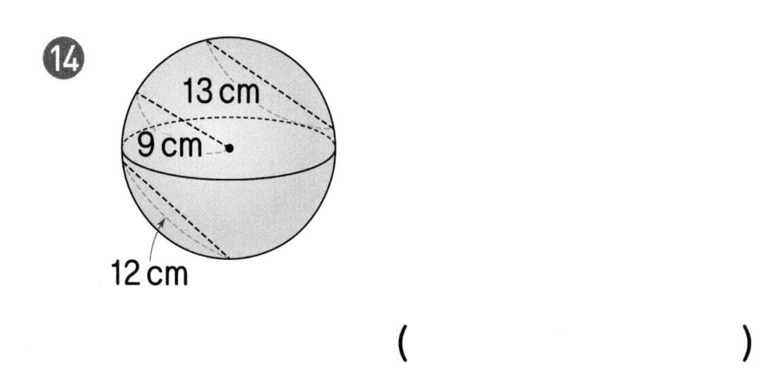

(　　　　　　　　)

⑮

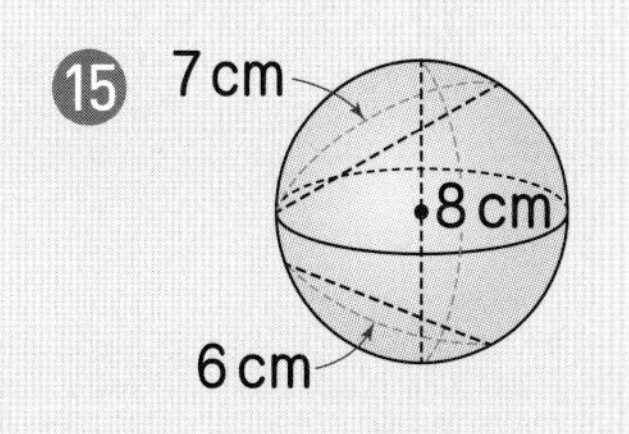

(　　　　　　　　)

⑯

10 cm
4 cm
9 cm

(　　　　　　　　)

⑰

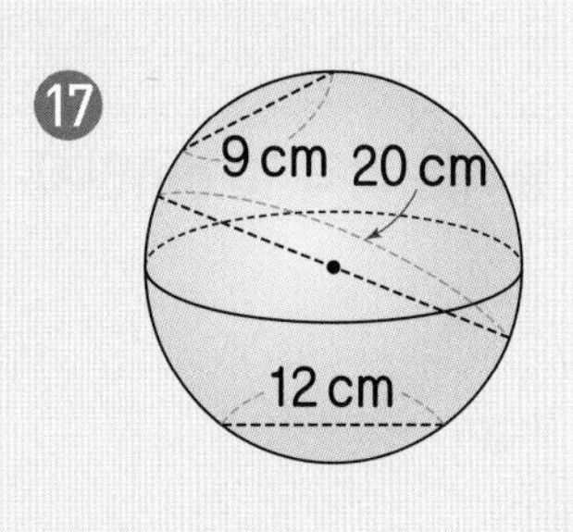

(　　　　　　　　)

⑱

21 cm
24 cm
10 cm

(　　　　　　　　)

○ 원기둥이면 ◯표, 원기둥이 아니면 ×표 하시오.

1

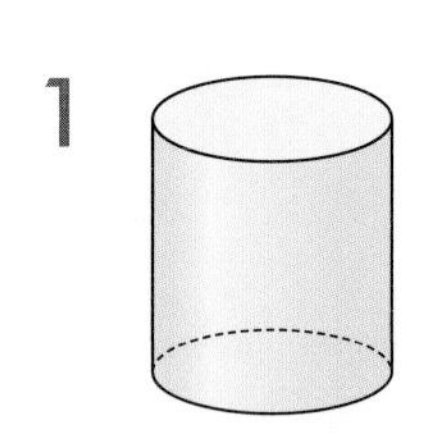

( )

2

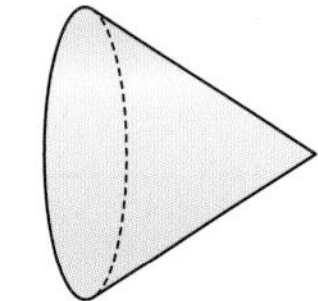

( )

3

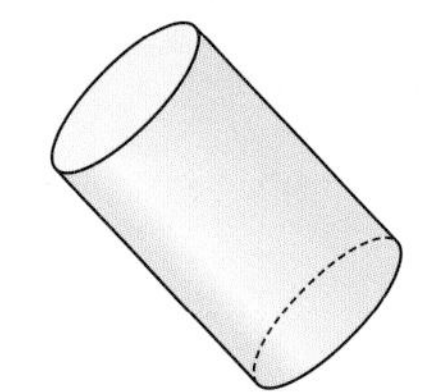

( )

○ 원기둥에서 밑면의 지름과 높이는 각각 몇 cm인지 구해 보시오.

4

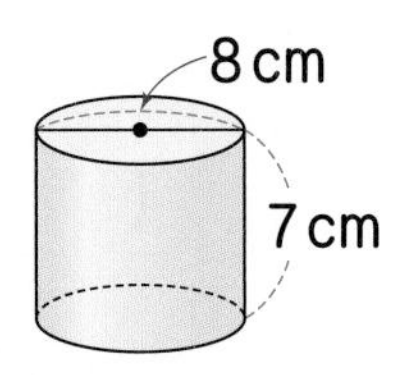

밑면의 지름(cm)	
높이(cm)	

5

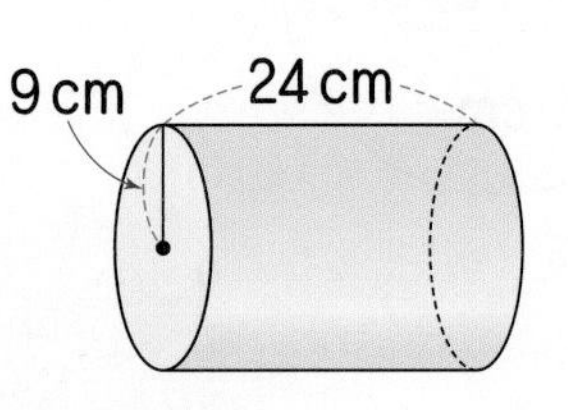

밑면의 지름(cm)	
높이(cm)	

○ 원기둥과 원기둥의 전개도를 보고 ☐ 안에 알맞은 수를 써넣으시오. (원주율: 3.1)

6

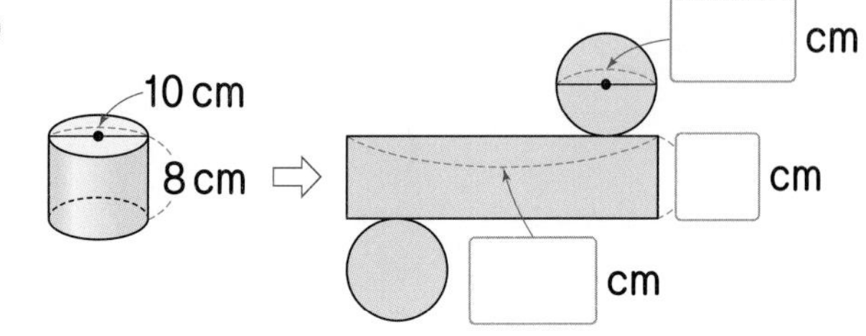

7

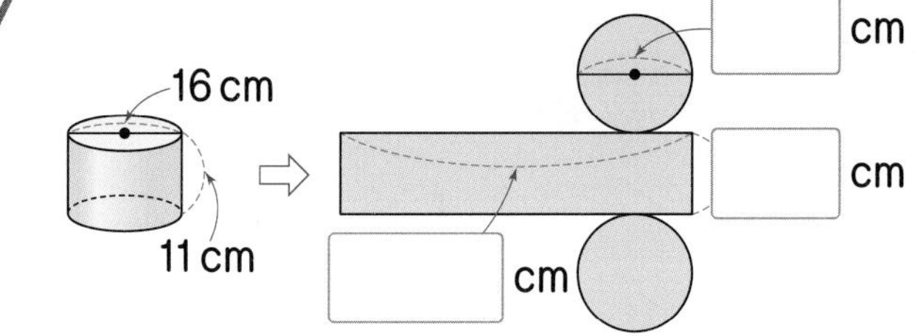

8

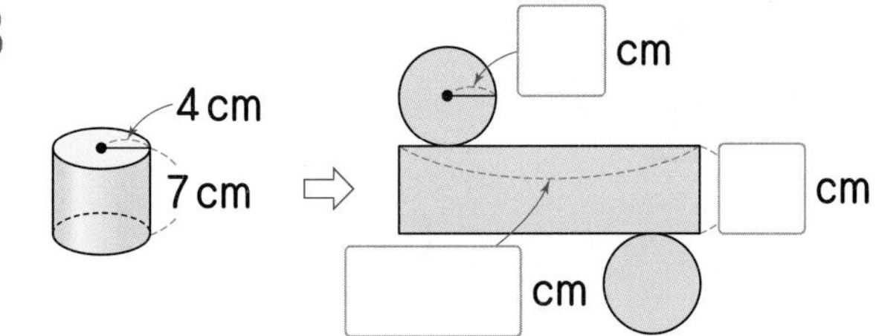

9

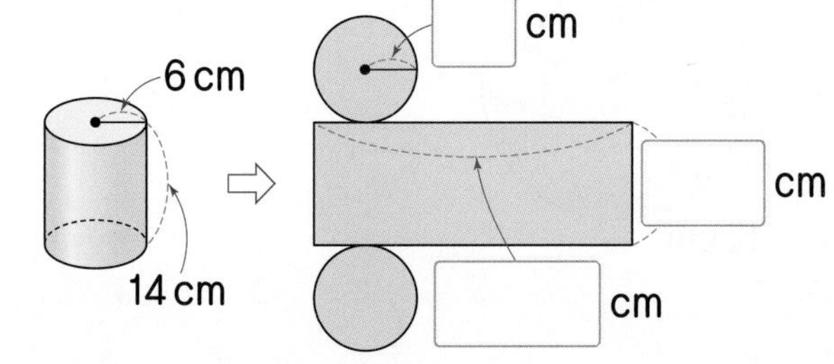

○ 원뿔이면 ○표, 원뿔이 아니면 ×표 하시오.

10

( )

11
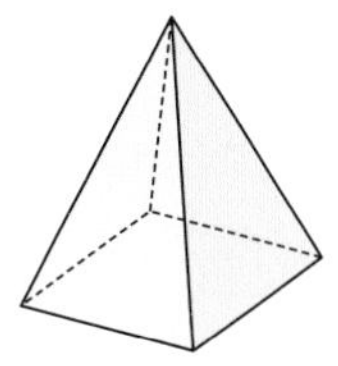
( )

12
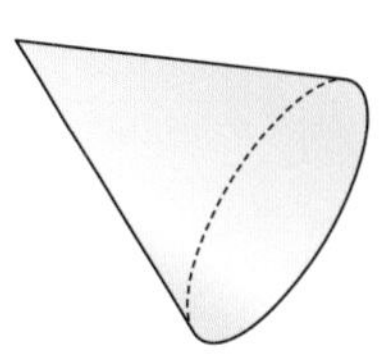
( )

○ 원뿔에서 높이와 모선의 길이, 밑면의 지름은 각각 몇 cm인지 구해 보시오.

13
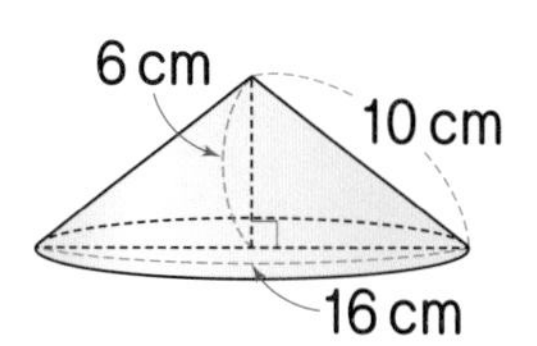

높이(cm)	
모선의 길이(cm)	
밑면의 지름(cm)	

14
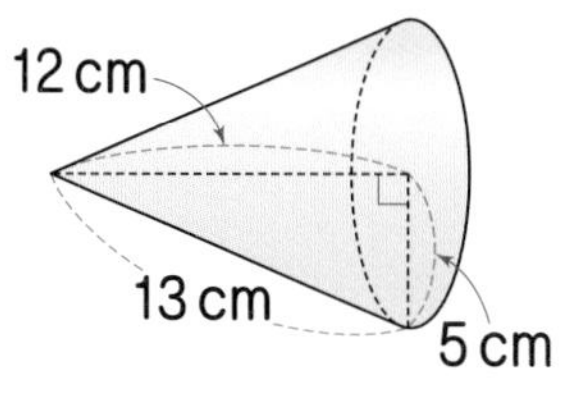

높이(cm)	
모선의 길이(cm)	
밑면의 지름(cm)	

○ 구이면 ○표, 구가 아니면 ×표 하시오.

15
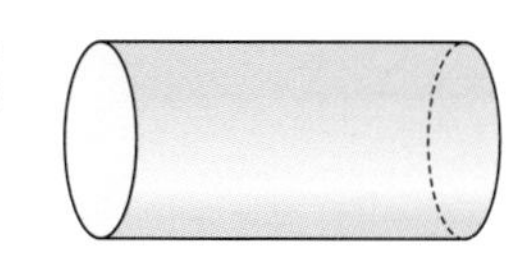
( )

16
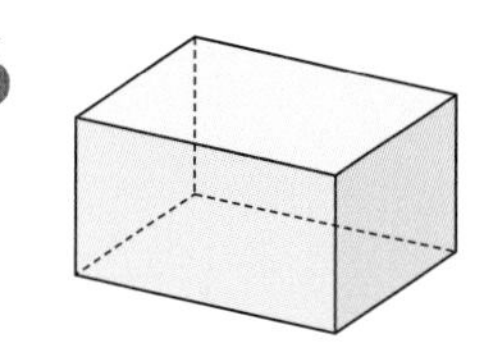
( )

17
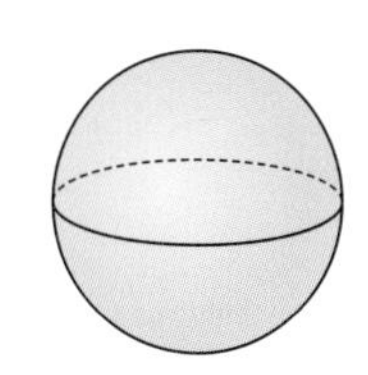
( )

○ 구에서 반지름은 몇 cm인지 구해 보시오.

18
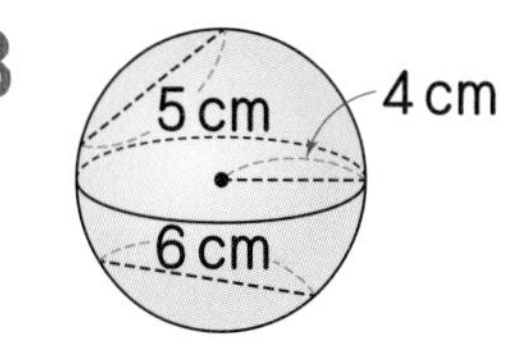

( )

19
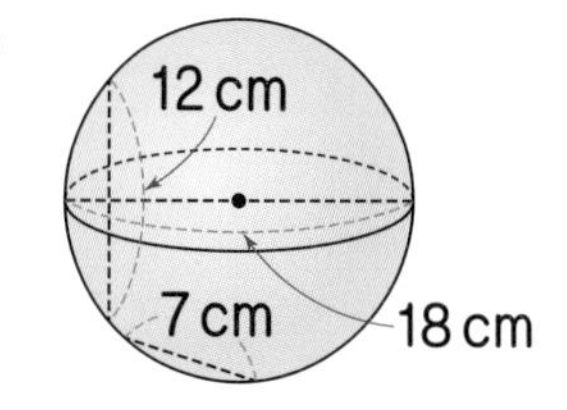

( )

6단원의 연산 실력을 보충하고 싶다면 **클리닉 북 35~38쪽**을 풀어 보세요.

memo

슥삭!
슥삭!

연산 능력 강화
개념 기억력 강화
기초력 완성

memo

슥삭!
슥삭!

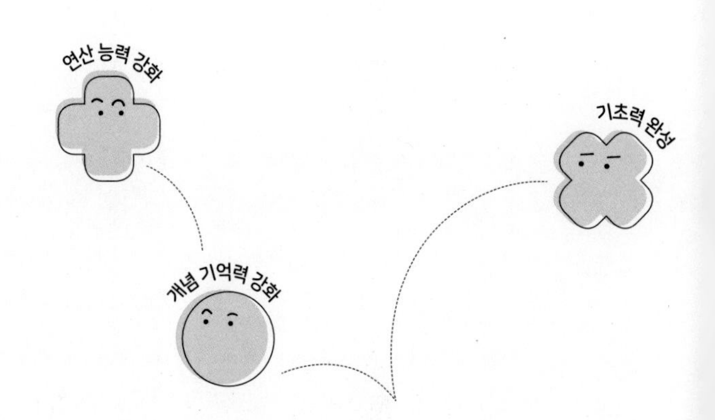

개념+연산 라이트

PLUS

클리닉 북

「메인 북」에서 단원별 평가 후 부족한 연산력은 「클리닉 북」에서 보완합니다.

차례 6-2

ABOVE IMAGINATION

우리는 남다른 상상과 혁신으로
교육 문화의 새로운 전형을 만들어
모든 이의 행복한 경험과 성장에 기여한다

1 분자끼리 나누어떨어지는 분모가 같은 (진분수) ÷ (진분수)

정답 • 26쪽

○ 계산해 보시오.

❶ $\frac{2}{3} \div \frac{1}{3} =$

❷ $\frac{3}{5} \div \frac{1}{5} =$

❸ $\frac{6}{7} \div \frac{3}{7} =$

❹ $\frac{7}{9} \div \frac{1}{9} =$

❺ $\frac{10}{11} \div \frac{2}{11} =$

❻ $\frac{8}{13} \div \frac{4}{13} =$

❼ $\frac{9}{14} \div \frac{3}{14} =$

❽ $\frac{14}{15} \div \frac{2}{15} =$

❾ $\frac{15}{17} \div \frac{3}{17} =$

❿ $\frac{15}{19} \div \frac{5}{19} =$

⓫ $\frac{9}{20} \div \frac{3}{20} =$

⓬ $\frac{16}{21} \div \frac{4}{21} =$

⓭ $\frac{18}{22} \div \frac{9}{22} =$

⓮ $\frac{16}{23} \div \frac{2}{23} =$

⓯ $\frac{24}{25} \div \frac{12}{25} =$

⓰ $\frac{25}{26} \div \frac{5}{26} =$

⓱ $\frac{20}{27} \div \frac{4}{27} =$

⓲ $\frac{27}{28} \div \frac{9}{28} =$

⓳ $\frac{28}{29} \div \frac{7}{29} =$

⓴ $\frac{30}{31} \div \frac{10}{31} =$

㉑ $\frac{32}{39} \div \frac{16}{39} =$

2 분자끼리 나누어떨어지지 않는 분모가 같은 (진분수) ÷ (진분수)

정답 • 26쪽

○ 계산해 보시오.

❶ $\frac{1}{4} \div \frac{3}{4} =$

❷ $\frac{4}{5} \div \frac{3}{5} =$

❸ $\frac{1}{6} \div \frac{5}{6} =$

❹ $\frac{3}{7} \div \frac{6}{7} =$

❺ $\frac{7}{8} \div \frac{2}{8} =$

❻ $\frac{4}{9} \div \frac{5}{9} =$

❼ $\frac{10}{11} \div \frac{3}{11} =$

❽ $\frac{5}{13} \div \frac{9}{13} =$

❾ $\frac{15}{16} \div \frac{7}{16} =$

❿ $\frac{13}{17} \div \frac{2}{17} =$

⓫ $\frac{14}{19} \div \frac{18}{19} =$

⓬ $\frac{11}{20} \div \frac{3}{20} =$

⓭ $\frac{10}{21} \div \frac{4}{21} =$

⓮ $\frac{15}{23} \div \frac{20}{23} =$

⓯ $\frac{23}{24} \div \frac{7}{24} =$

⓰ $\frac{6}{25} \div \frac{21}{25} =$

⓱ $\frac{13}{29} \div \frac{8}{29} =$

⓲ $\frac{18}{31} \div \frac{27}{31} =$

⓳ $\frac{28}{33} \div \frac{12}{33} =$

⓴ $\frac{17}{38} \div \frac{29}{38} =$

㉑ $\frac{37}{40} \div \frac{9}{40} =$

3 분모가 다른 (진분수) ÷ (진분수)

정답 • 26쪽

○ 계산해 보시오.

❶ $\frac{1}{2} \div \frac{1}{5} =$

❷ $\frac{1}{3} \div \frac{3}{4} =$

❸ $\frac{3}{4} \div \frac{1}{2} =$

❹ $\frac{2}{5} \div \frac{5}{7} =$

❺ $\frac{4}{5} \div \frac{4}{7} =$

❻ $\frac{5}{6} \div \frac{3}{8} =$

❼ $\frac{2}{7} \div \frac{2}{3} =$

❽ $\frac{6}{7} \div \frac{5}{6} =$

❾ $\frac{3}{8} \div \frac{6}{7} =$

❿ $\frac{7}{8} \div \frac{9}{10} =$

⓫ $\frac{8}{9} \div \frac{5}{12} =$

⓬ $\frac{9}{10} \div \frac{3}{8} =$

⓭ $\frac{10}{11} \div \frac{5}{22} =$

⓮ $\frac{7}{12} \div \frac{11}{16} =$

⓯ $\frac{14}{15} \div \frac{7}{20} =$

⓰ $\frac{13}{16} \div \frac{2}{3} =$

⓱ $\frac{5}{18} \div \frac{4}{15} =$

⓲ $\frac{8}{21} \div \frac{13}{14} =$

⓳ $\frac{7}{24} \div \frac{15}{16} =$

⓴ $\frac{23}{30} \div \frac{2}{15} =$

㉑ $\frac{32}{35} \div \frac{20}{21} =$

4 (자연수) ÷ (진분수)

정답 • 26쪽

○ 계산해 보시오.

❶ $3 \div \frac{1}{4} =$

❷ $4 \div \frac{1}{2} =$

❸ $6 \div \frac{1}{3} =$

❹ $2 \div \frac{2}{3} =$

❺ $3 \div \frac{4}{5} =$

❻ $4 \div \frac{5}{6} =$

❼ $5 \div \frac{7}{8} =$

❽ $6 \div \frac{2}{3} =$

❾ $7 \div \frac{5}{7} =$

❿ $8 \div \frac{10}{11} =$

⓫ $9 \div \frac{6}{13} =$

⓬ $10 \div \frac{5}{7} =$

⓭ $11 \div \frac{11}{15} =$

⓮ $12 \div \frac{9}{10} =$

⓯ $14 \div \frac{7}{9} =$

⓰ $15 \div \frac{5}{9} =$

⓱ $16 \div \frac{4}{7} =$

⓲ $18 \div \frac{5}{12} =$

⓳ $22 \div \frac{11}{18} =$

⓴ $27 \div \frac{9}{17} =$

㉑ $30 \div \frac{4}{5} =$

(가분수)÷(진분수)

정답 • 26쪽

○ 계산해 보시오.

❶ $\frac{3}{2} \div \frac{3}{4} =$

❷ $\frac{7}{2} \div \frac{3}{5} =$

❸ $\frac{5}{3} \div \frac{1}{2} =$

❹ $\frac{8}{3} \div \frac{4}{7} =$

❺ $\frac{9}{4} \div \frac{5}{6} =$

❻ $\frac{11}{4} \div \frac{5}{8} =$

❼ $\frac{6}{5} \div \frac{4}{9} =$

❽ $\frac{8}{5} \div \frac{6}{7} =$

❾ $\frac{12}{5} \div \frac{10}{11} =$

❿ $\frac{7}{6} \div \frac{1}{3} =$

⓫ $\frac{11}{6} \div \frac{2}{9} =$

⓬ $\frac{9}{7} \div \frac{2}{3} =$

⓭ $\frac{15}{7} \div \frac{5}{6} =$

⓮ $\frac{13}{8} \div \frac{2}{3} =$

⓯ $\frac{15}{8} \div \frac{9}{10} =$

⓰ $\frac{21}{8} \div \frac{3}{4} =$

⓱ $\frac{10}{9} \div \frac{5}{8} =$

⓲ $\frac{14}{9} \div \frac{7}{12} =$

⓳ $\frac{16}{9} \div \frac{8}{13} =$

⓴ $\frac{13}{10} \div \frac{2}{7} =$

㉑ $\frac{27}{10} \div \frac{18}{25} =$

(대분수) ÷ (진분수)

정답 • 26쪽

○ 계산해 보시오.

❶ $1\frac{1}{2} \div \frac{3}{5} =$

❷ $1\frac{2}{3} \div \frac{4}{7} =$

❸ $1\frac{3}{4} \div \frac{7}{9} =$

❹ $1\frac{1}{5} \div \frac{2}{3} =$

❺ $1\frac{3}{5} \div \frac{8}{9} =$

❻ $1\frac{5}{6} \div \frac{2}{5} =$

❼ $1\frac{2}{7} \div \frac{3}{4} =$

❽ $1\frac{7}{8} \div \frac{1}{4} =$

❾ $1\frac{5}{9} \div \frac{6}{7} =$

❿ $2\frac{1}{3} \div \frac{7}{8} =$

⓫ $2\frac{3}{4} \div \frac{3}{5} =$

⓬ $2\frac{2}{5} \div \frac{6}{7} =$

⓭ $2\frac{4}{5} \div \frac{4}{9} =$

⓮ $2\frac{5}{6} \div \frac{2}{5} =$

⓯ $2\frac{1}{7} \div \frac{5}{6} =$

⓰ $2\frac{5}{8} \div \frac{3}{5} =$

⓱ $3\frac{1}{3} \div \frac{5}{7} =$

⓲ $3\frac{3}{5} \div \frac{4}{7} =$

⓳ $4\frac{1}{2} \div \frac{3}{8} =$

⓴ $4\frac{3}{4} \div \frac{1}{6} =$

㉑ $5\frac{5}{6} \div \frac{7}{9} =$

7 (대분수)÷(대분수)

정답 • 27쪽

○ 계산해 보시오.

❶ $1\frac{1}{2} \div 1\frac{2}{3} =$

❷ $1\frac{2}{3} \div 2\frac{1}{4} =$

❸ $1\frac{3}{4} \div 1\frac{1}{2} =$

❹ $1\frac{2}{5} \div 3\frac{1}{3} =$

❺ $1\frac{4}{5} \div 2\frac{3}{4} =$

❻ $1\frac{5}{6} \div 1\frac{2}{5} =$

❼ $1\frac{1}{7} \div 2\frac{3}{4} =$

❽ $1\frac{3}{7} \div 1\frac{1}{5} =$

❾ $1\frac{7}{8} \div 3\frac{1}{4} =$

❿ $1\frac{4}{9} \div 1\frac{2}{3} =$

⓫ $2\frac{3}{4} \div 1\frac{1}{2} =$

⓬ $2\frac{1}{5} \div 3\frac{1}{3} =$

⓭ $2\frac{2}{5} \div 2\frac{3}{7} =$

⓮ $2\frac{1}{6} \div 1\frac{2}{3} =$

⓯ $2\frac{3}{7} \div 3\frac{2}{5} =$

⓰ $2\frac{7}{8} \div 5\frac{3}{4} =$

⓱ $2\frac{5}{9} \div 4\frac{2}{3} =$

⓲ $3\frac{1}{2} \div 6\frac{1}{8} =$

⓳ $3\frac{3}{4} \div 3\frac{3}{5} =$

⓴ $4\frac{1}{6} \div 5\frac{3}{4} =$

㉑ $5\frac{5}{7} \div 4\frac{4}{9} =$

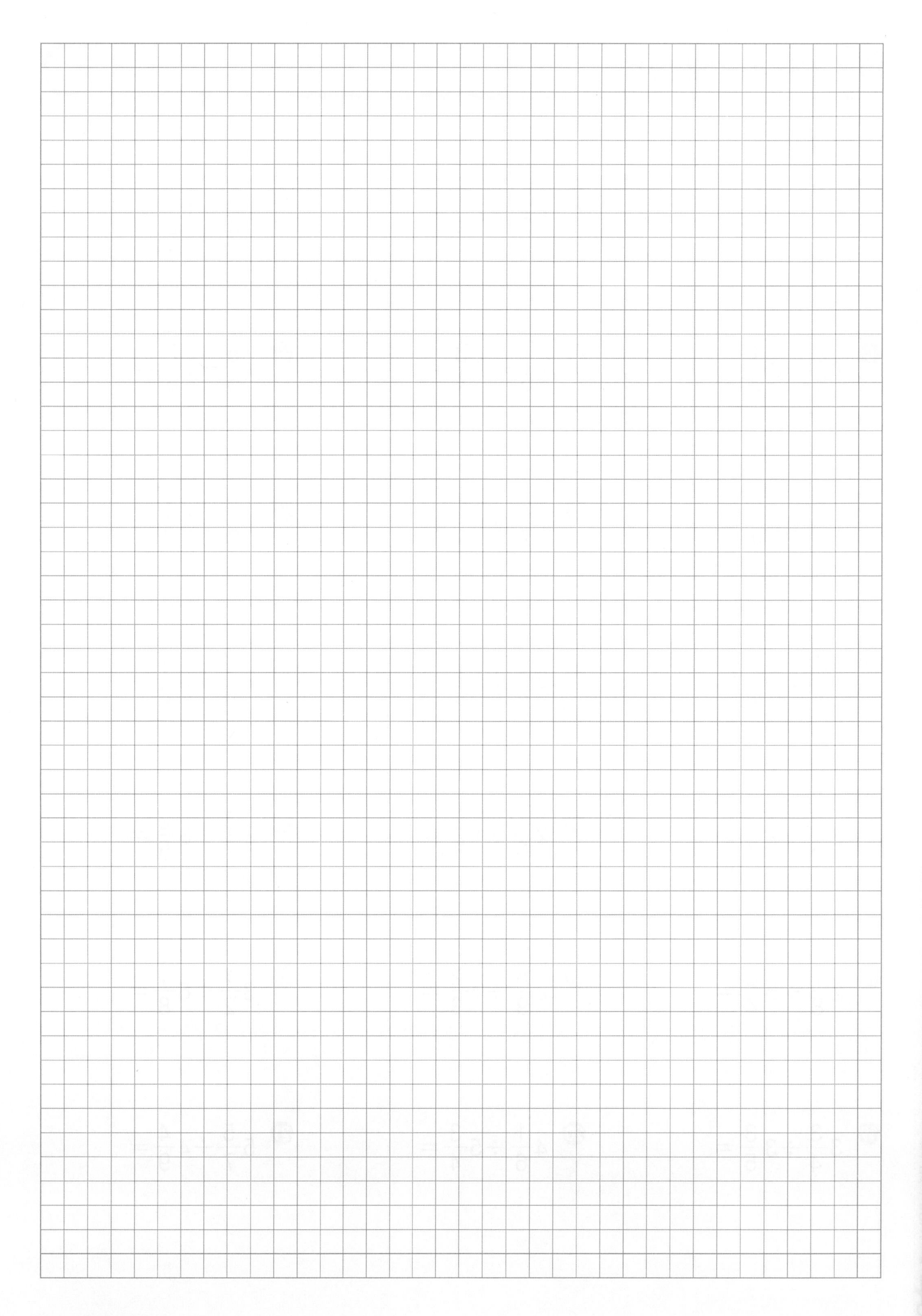

자연수의 나눗셈을 이용한 (소수) ÷ (소수)

정답 • 27쪽

○ 자연수의 나눗셈을 이용하여 소수의 나눗셈을 계산해 보시오.

1

2.1 ÷ 0.3

□ 배 □ 배

□ ÷ □ = □

⇨ 2.1÷0.3= □

2

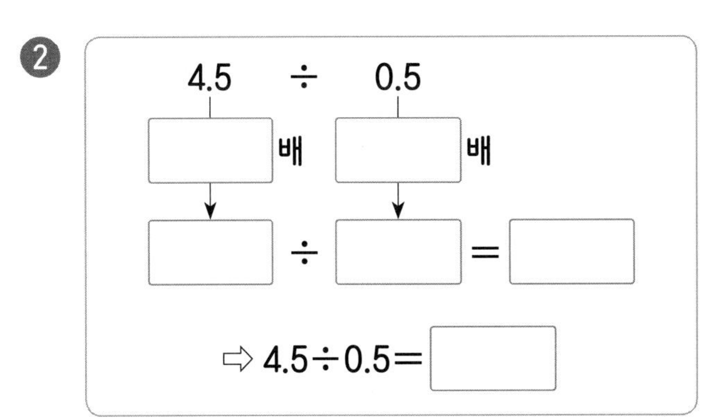

3

7.7 ÷ 0.7

□ 배 □ 배

□ ÷ □ = □

⇨ 7.7÷0.7= □

4

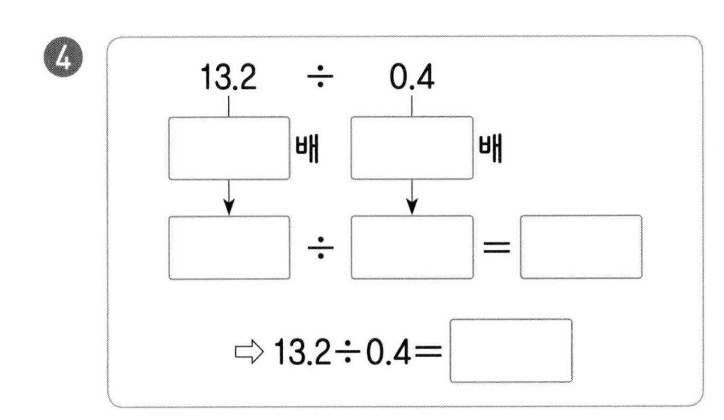

5

1.89 ÷ 0.09

□ 배 □ 배

□ ÷ □ = □

⇨ 1.89÷0.09= □

6

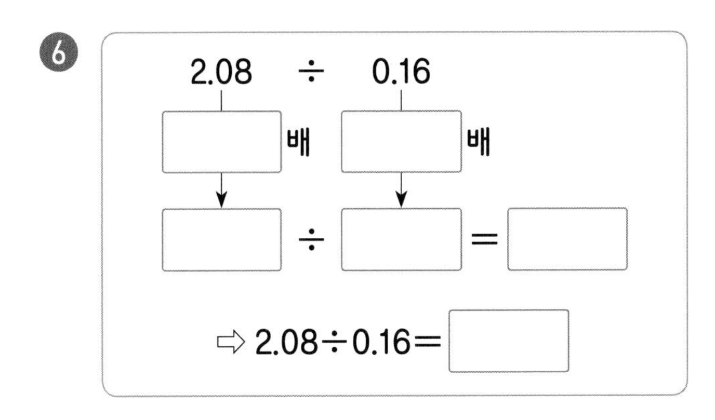

7

5.04 ÷ 0.84

□ 배 □ 배

□ ÷ □ = □

⇨ 5.04÷0.84= □

8

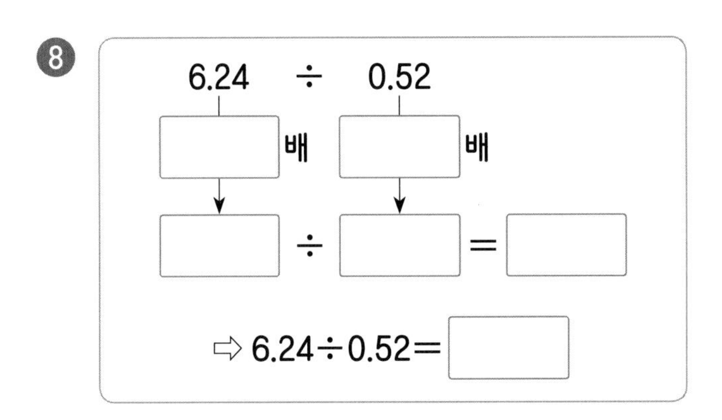

2 (소수 한 자리 수)÷(소수 한 자리 수)

정답 • 27쪽

○ 계산해 보시오.

❶ $0.2\overline{)\,0.8}$

❷ $0.8\overline{)\,7.2}$

❸ $1.3\overline{)\,16.9}$

❹ $2.2\overline{)\,37.4}$

❺ $3.9\overline{)\,62.4}$

❻ $5.7\overline{)\,119.7}$

❼ $6.4\overline{)\,121.6}$

❽ $8.1\overline{)\,145.8}$

❾ $9.2\overline{)\,220.8}$

❿ $0.9 \div 0.3 =$

⓫ $5.6 \div 0.7 =$

⓬ $10.8 \div 1.2 =$

⓭ $31.2 \div 2.6 =$

⓮ $47.6 \div 3.4 =$

⓯ $61.1 \div 4.7 =$

⓰ $127.8 \div 7.1 =$

⓱ $182.6 \div 8.3 =$

⓲ $284.2 \div 9.8 =$

(소수 두 자리 수)÷(소수 두 자리 수)

정답 • 27쪽

○ 계산해 보시오.

❶ $0.07\overline{)0.56}$

❷ $0.14\overline{)1.26}$

❸ $0.29\overline{)3.19}$

❹ $0.31\overline{)4.34}$

❺ $0.98\overline{)16.66}$

❻ $1.27\overline{)24.13}$

❼ $2.53\overline{)53.13}$

❽ $4.06\overline{)64.96}$

❾ $8.13\overline{)203.25}$

⑩ $0.27 \div 0.09 =$

⑪ $0.91 \div 0.13 =$

⑫ $4.56 \div 0.38 =$

⑬ $13.44 \div 0.84 =$

⑭ $21.85 \div 1.15 =$

⑮ $43.26 \div 3.09 =$

⑯ $97.92 \div 5.44 =$

⑰ $152.46 \div 7.26 =$

⑱ $218.96 \div 9.52 =$

4 (소수 두 자리 수)÷(소수 한 자리 수)

정답 • 27쪽

○ 계산해 보시오.

❶ $0.4\overline{)0.48}$

❷ $0.9\overline{)2.43}$

❸ $1.3\overline{)3.12}$

❹ $2.5\overline{)7.75}$

❺ $4.3\overline{)8.17}$

❻ $5.6\overline{)15.68}$

❼ $11.9\overline{)19.04}$

❽ $32.7\overline{)120.99}$

❾ $40.2\overline{)168.84}$

⑩ $1.12 \div 0.8 =$

⑪ $2.04 \div 1.2 =$

⑫ $3.33 \div 3.7 =$

⑬ $7.56 \div 4.2 =$

⑭ $8.05 \div 3.5 =$

⑮ $19.14 \div 6.6 =$

⑯ $57.46 \div 16.9 =$

⑰ $117.67 \div 28.7 =$

⑱ $150.85 \div 43.1 =$

5 (자연수)÷(소수 한 자리 수)

정답 • 27쪽

○ 계산해 보시오.

❶ $0.5\overline{)\,1}$

❷ $0.8\overline{)\,4}$

❸ $1.5\overline{)\,1\ 8}$

❹ $1.6\overline{)\,2\ 4}$

❺ $2.5\overline{)\,3\ 5}$

❻ $3.2\overline{)\,6\ 4}$

❼ $5.5\overline{)\,8\ 8}$

❽ $6.2\overline{)\,1\ 5\ 5}$

❾ $7.5\overline{)\,2\ 4\ 0}$

⑩ $2 \div 0.4 =$

⑪ $4 \div 0.5 =$

⑫ $6 \div 1.2 =$

⑬ $27 \div 1.8 =$

⑭ $55 \div 2.2 =$

⑮ $84 \div 3.5 =$

⑯ $126 \div 4.5 =$

⑰ $169 \div 6.5 =$

⑱ $287 \div 8.2 =$

(자연수) ÷ (소수 두 자리 수)

정답 • 27쪽

○ 계산해 보시오.

❶ $0.25\overline{)2}$

❷ $0.75\overline{)1\ 2}$

❸ $1.15\overline{)2\ 3}$

❹ $1.36\overline{)3\ 4}$

❺ $1.56\overline{)7\ 8}$

❻ $2.25\overline{)8\ 1}$

❼ $3.25\overline{)1\ 0\ 4}$

❽ $5.72\overline{)1\ 4\ 3}$

❾ $8.25\overline{)1\ 9\ 8}$

⑩ $3 \div 0.12 =$

⑪ $10 \div 1.25 =$

⑫ $12 \div 0.75 =$

⑬ $31 \div 1.24 =$

⑭ $51 \div 4.25 =$

⑮ $77 \div 2.75 =$

⑯ $100 \div 6.25 =$

⑰ $186 \div 3.72 =$

⑱ $226 \div 5.65 =$

7 몫을 반올림하여 나타내기

정답 • 27쪽

○ 몫을 반올림하여 일의 자리까지 나타내어 보시오.

❶ $7\overline{)15}$

⇨ (　　　　　)

❷ $11\overline{)42.3}$

⇨ (　　　　　)

❸ $9.3\overline{)64.6}$

⇨ (　　　　　)

○ 몫을 반올림하여 소수 첫째 자리까지 나타내어 보시오.

❹ $9\overline{)21}$

⇨ (　　　　　)

❺ $6\overline{)4.4}$

⇨ (　　　　　)

❻ $3.4\overline{)32.5}$

⇨ (　　　　　)

○ 몫을 반올림하여 소수 둘째 자리까지 나타내어 보시오.

❼ $3\overline{)2}$

⇨ (　　　　　)

❽ $13\overline{)19.8}$

⇨ (　　　　　)

❾ $1.7\overline{)6.5}$

⇨ (　　　　　)

○ 몫을 반올림하여 주어진 자리까지 나타내어 보시오.

❿ $8 \div 3$

⇨ 일의 자리
(　　　　　)

⓫ $9.7 \div 9$

⇨ 소수 둘째 자리
(　　　　　)

⓬ $40.5 \div 6.6$

⇨ 소수 첫째 자리
(　　　　　)

8 나누어 주고 남는 양

정답 • 28쪽

○ 나눗셈의 몫을 자연수 부분까지 구하고 남는 수를 구해 보시오.

❶ $2\overline{)4.1}$

몫 (　　　　)
남는 수 (　　　　)

❷ $3\overline{)10.1}$

몫 (　　　　)
남는 수 (　　　　)

❸ $3\overline{)25.7}$

몫 (　　　　)
남는 수 (　　　　)

❹ $4\overline{)36.3}$

몫 (　　　　)
남는 수 (　　　　)

❺ $7\overline{)87.5}$

몫 (　　　　)
남는 수 (　　　　)

❻ $8\overline{)111.6}$

몫 (　　　　)
남는 수 (　　　　)

❼ $6.9 \div 2$

몫 (　　　　)
남는 수 (　　　　)

❽ $19.4 \div 3$

몫 (　　　　)
남는 수 (　　　　)

❾ $22.7 \div 4$

몫 (　　　　)
남는 수 (　　　　)

❿ $53.9 \div 5$

몫 (　　　　)
남는 수 (　　　　)

⓫ $80.3 \div 7$

몫 (　　　　)
남는 수 (　　　　)

⓬ $127.6 \div 9$

몫 (　　　　)
남는 수 (　　　　)

1 쌓기나무로 쌓은 모양과 위에서 본 모양을 보고 쌓은 모양과 쌓기나무의 개수 알아보기

정답 • 28쪽

○ 주어진 모양과 똑같이 쌓는 데 필요한 쌓기나무의 개수를 구해 보시오.

1

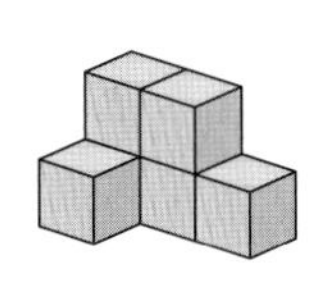

위에서 본 모양

(　　　　　　　　)

2

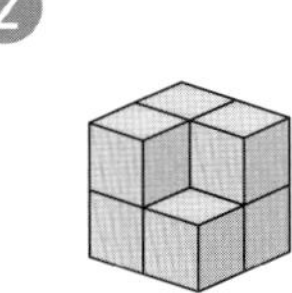

위에서 본 모양

(　　　　　　　　)

3

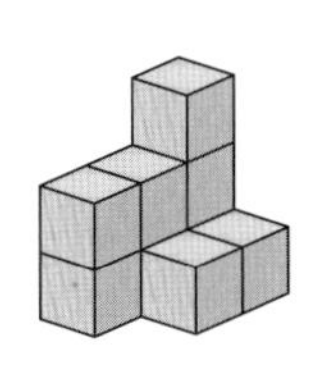

위에서 본 모양

(　　　　　　　　)

4

위에서 본 모양

(　　　　　　　　)

5

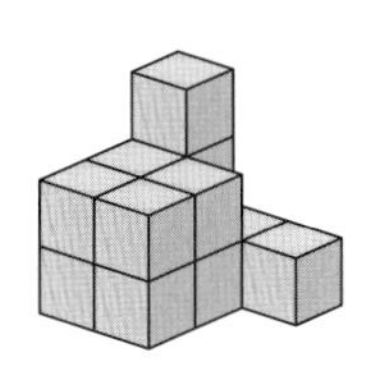

위에서 본 모양

(　　　　　　　　)

6

위에서 본 모양

(　　　　　　　　)

7

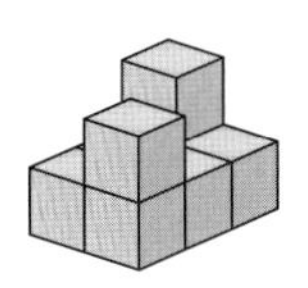

위에서 본 모양

(　　　　　　　　)

8

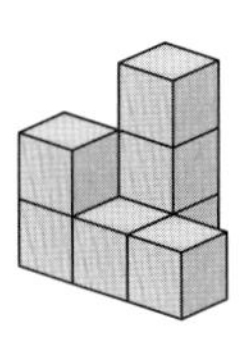

위에서 본 모양

(　　　　　　　　)

쌓기나무로 쌓은 모양을 보고 위, 앞, 옆에서 본 모양 그리기

정답 • 28쪽

○ 쌓기나무로 쌓은 모양과 위에서 본 모양입니다. 앞과 옆에서 본 모양을 각각 그려 보시오.

❶

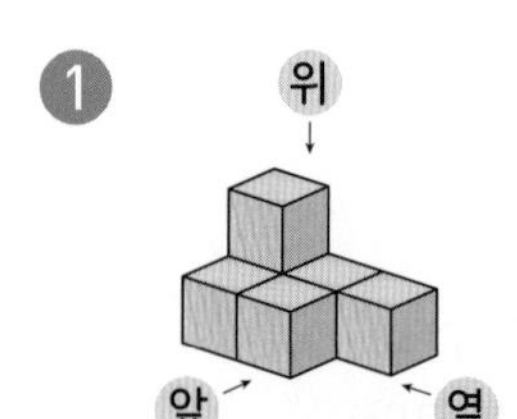

위 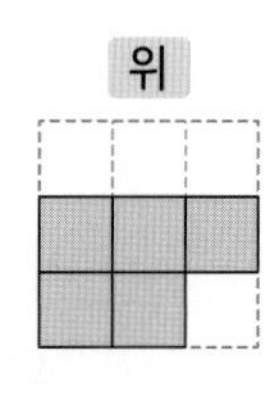 앞 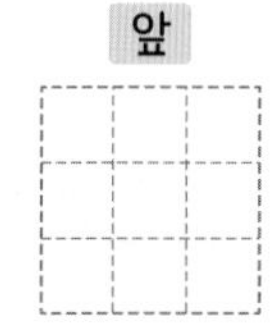 옆 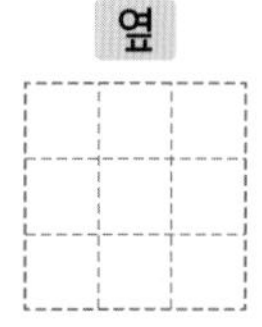

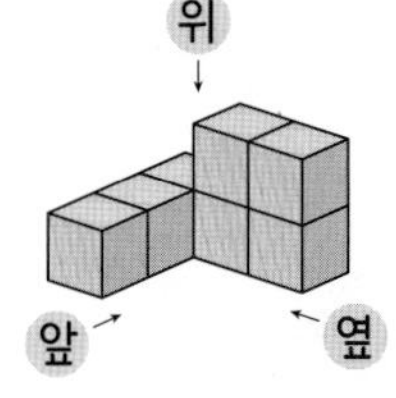

위 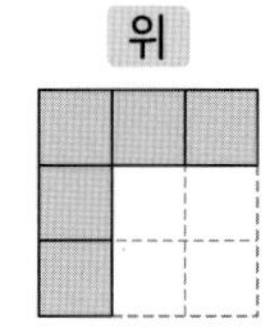 앞 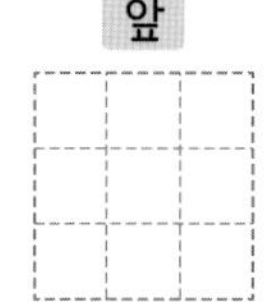 옆 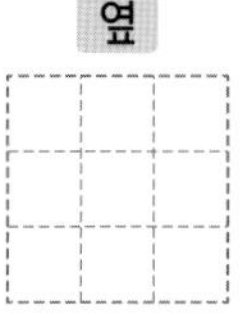

❸

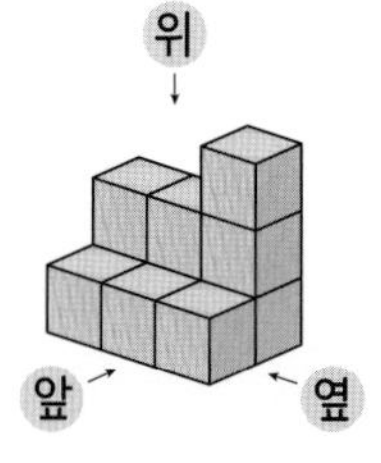

위 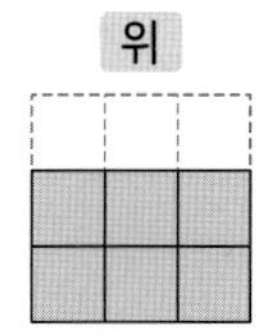 앞 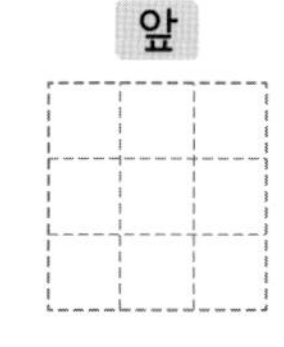 옆 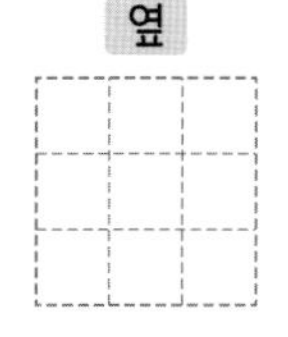

❹

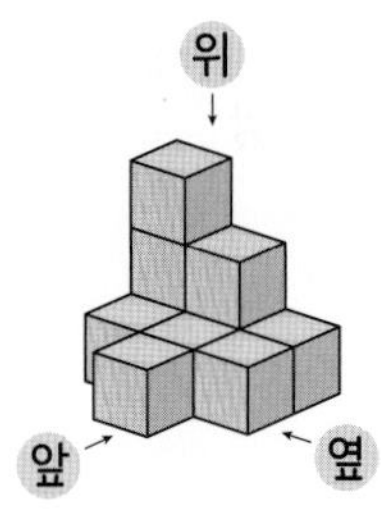

위 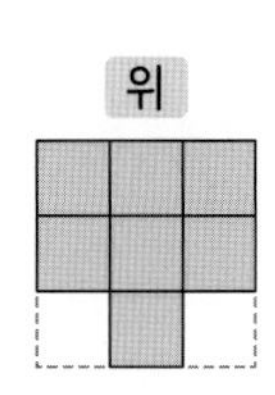 앞 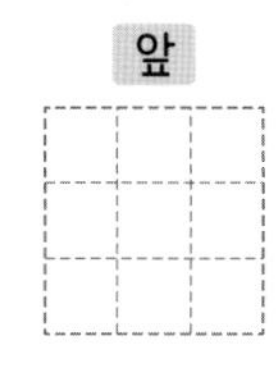 옆 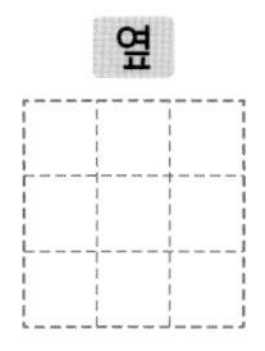

❺

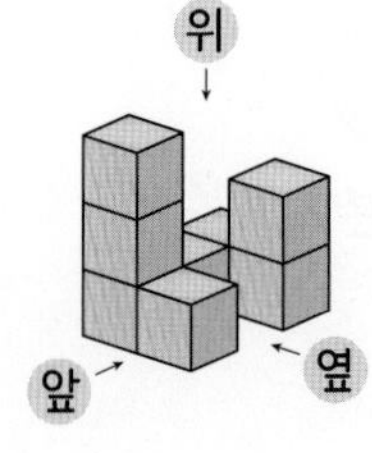

위 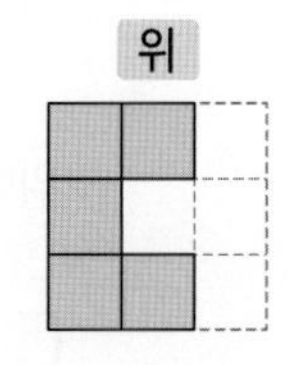 앞 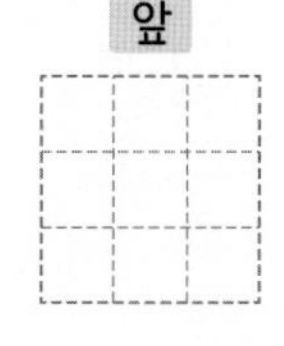 옆 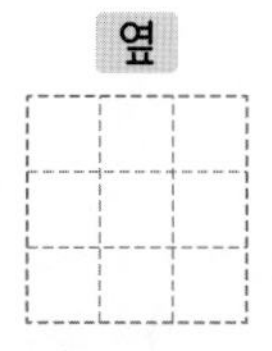

3 위, 앞, 옆에서 본 모양을 보고 쌓은 모양과 쌓기나무의 개수 알아보기

정답 • 28쪽

○ 쌓기나무로 쌓은 모양을 위, 앞, 옆에서 본 모양입니다. 똑같은 모양으로 쌓는 데 필요한 쌓기나무의 개수를 구해 보시오.

1 위 앞 옆

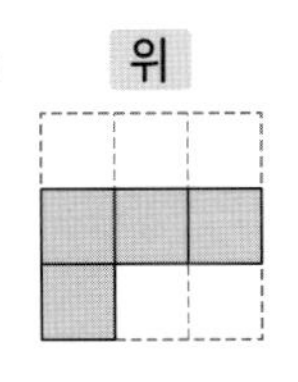
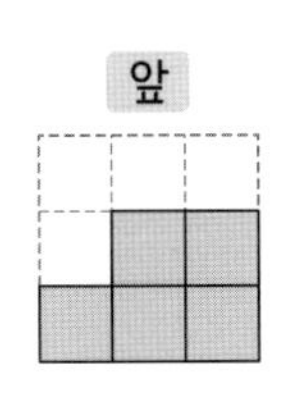
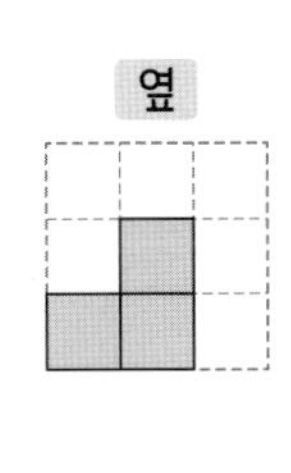

(　　　　　　　　　)

2 위 앞 옆

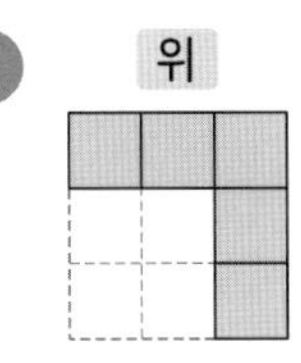
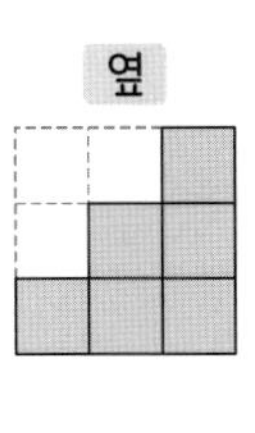

(　　　　　　　　　)

3 위 앞 옆

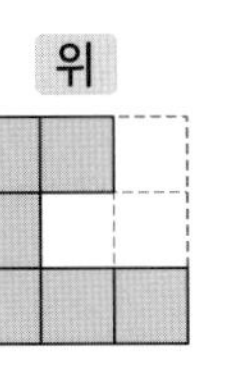
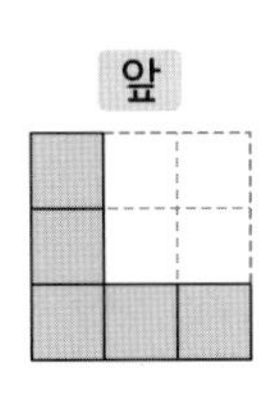
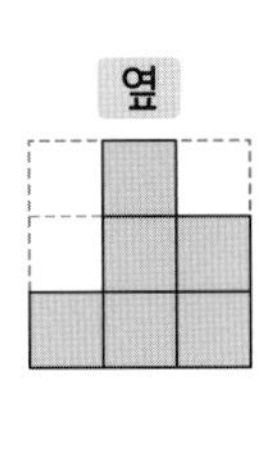

(　　　　　　　　　)

4 위 앞 옆

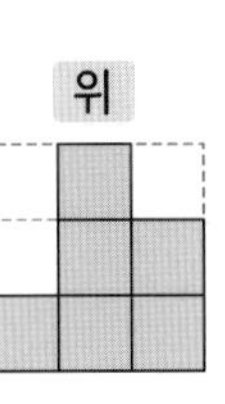

(　　　　　　　　　)

5 위 앞 옆

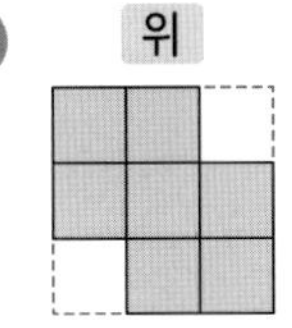
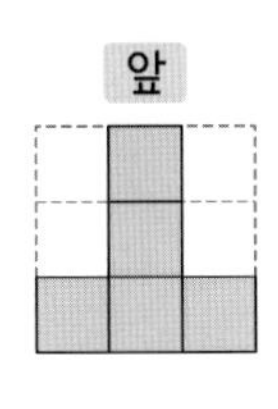
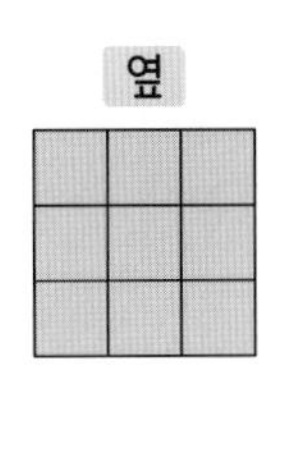

(　　　　　　　　　)

6 위 앞 옆

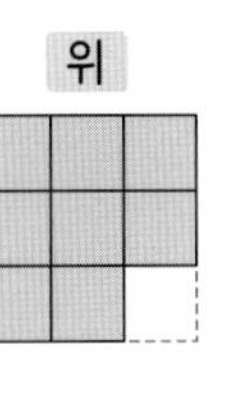

(　　　　　　　　　)

7 위 앞 옆

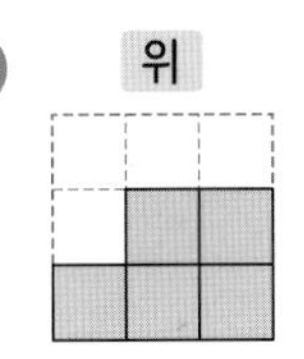
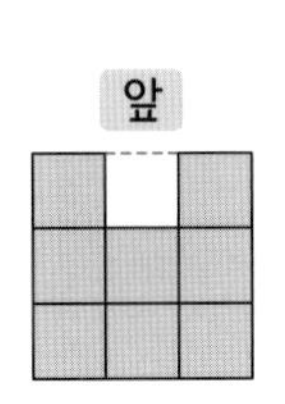
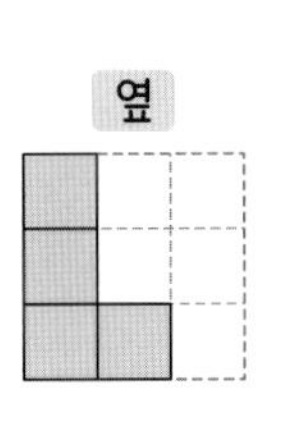

(　　　　　　　　　)

8 위 앞 옆

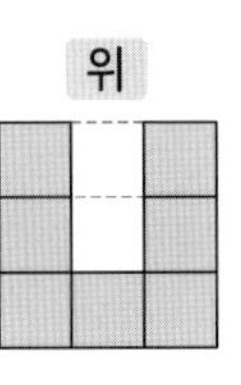
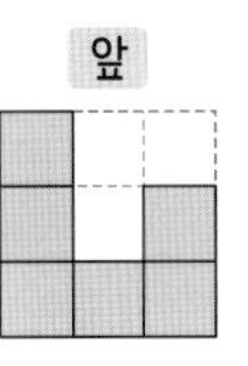

(　　　　　　　　　)

9 위 앞 옆

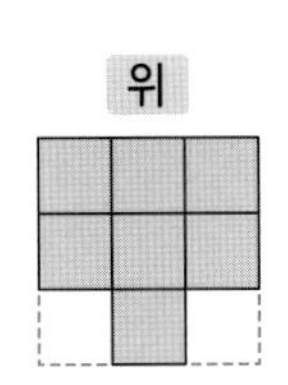

(　　　　　　　　　)

10 위 앞 옆

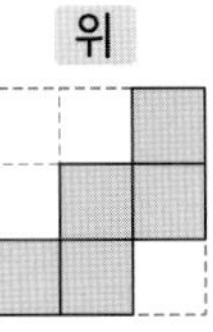

(　　　　　　　　　)

절단시 사용할 수 있습니다.

4 위에서 본 모양에 수를 써서 쌓기나무의 개수 알아보기

정답 • 28쪽

○ 쌓기나무로 쌓은 모양을 보고 위에서 본 모양에 수를 써 보시오.

❶

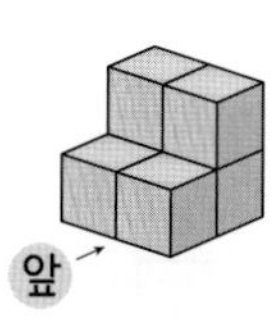

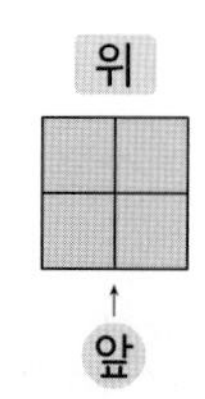

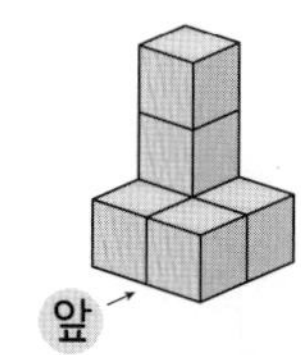

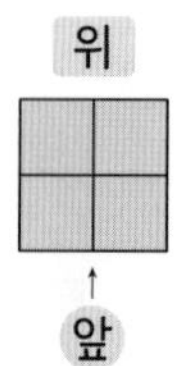

❸

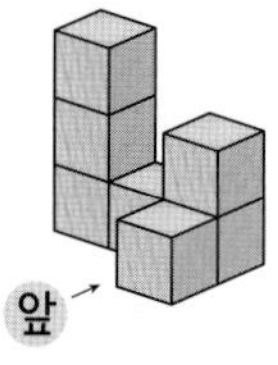

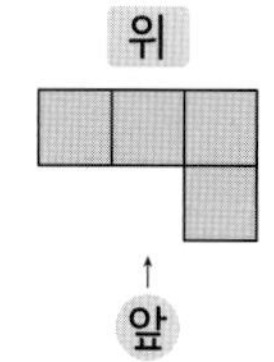

❹

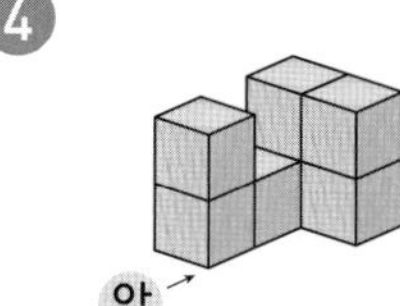

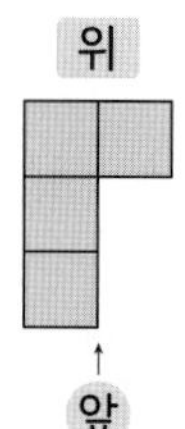

❺

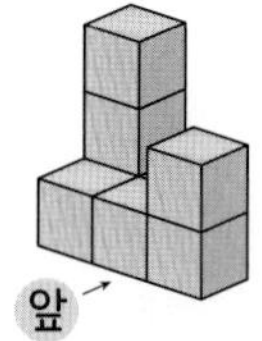

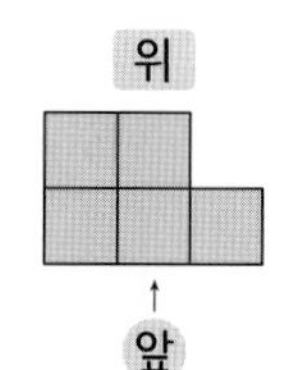

❻

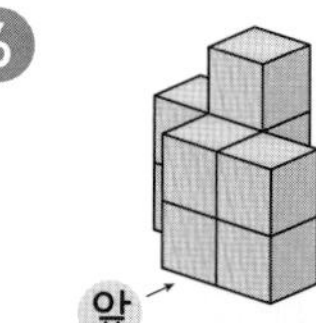

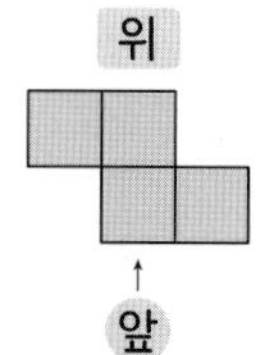

❼

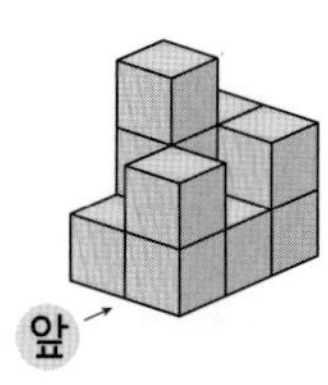

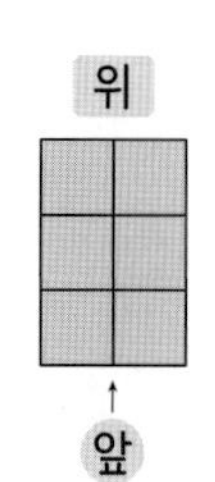

❽

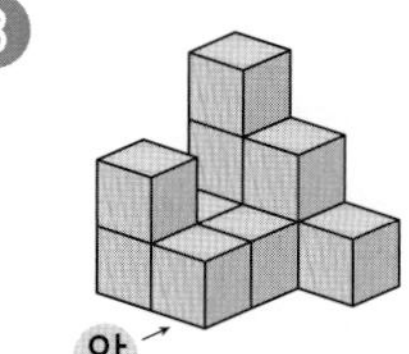

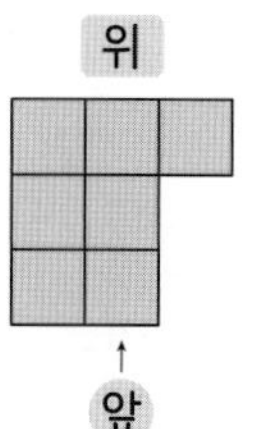

❾

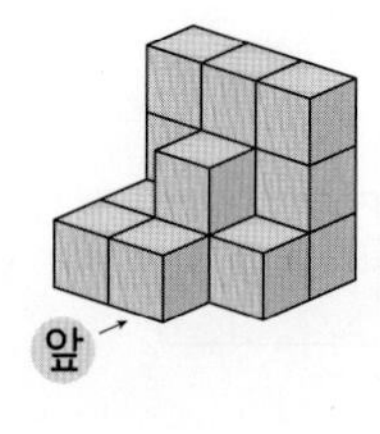

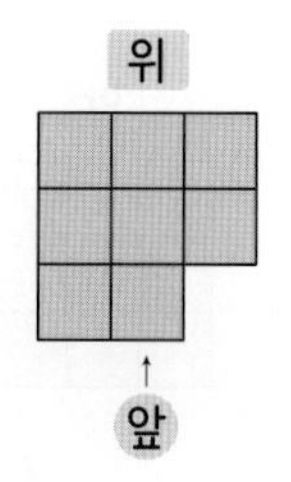

❿

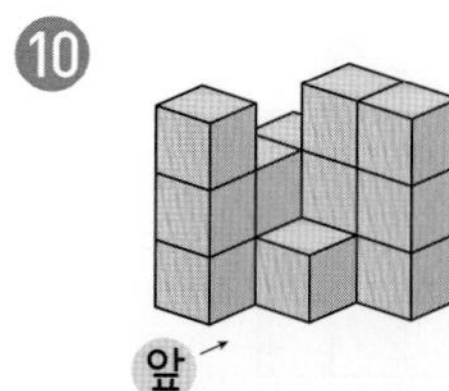

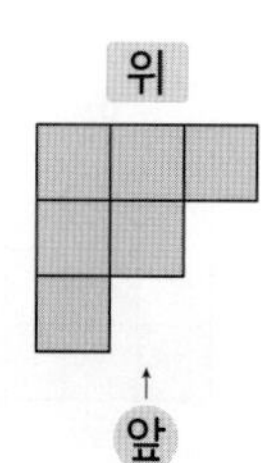

5 쌓기나무로 쌓은 모양을 보고 층별로 나타낸 모양 그리기

정답 • 28쪽

○ 쌓기나무로 쌓은 모양을 보고 1층과 2층 모양을 각각 그려 보시오.

❶

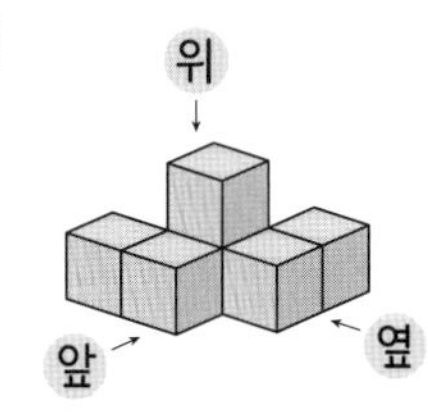

1층 2층

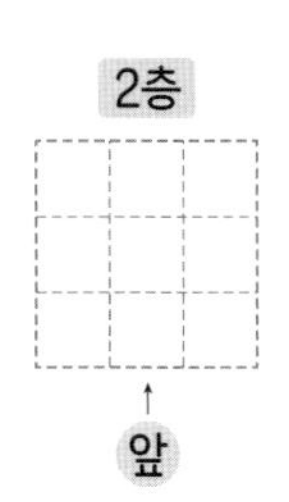

앞 앞

❷

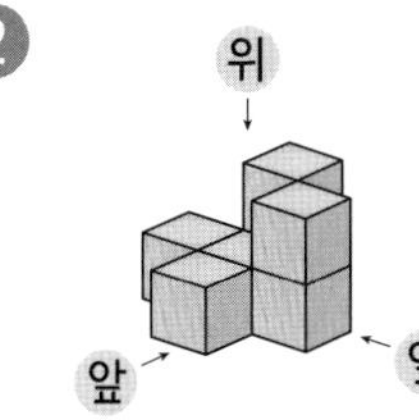

1층 2층

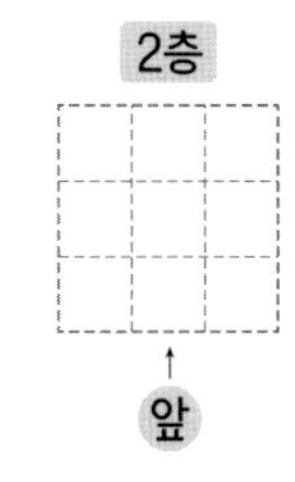

앞 앞

❸

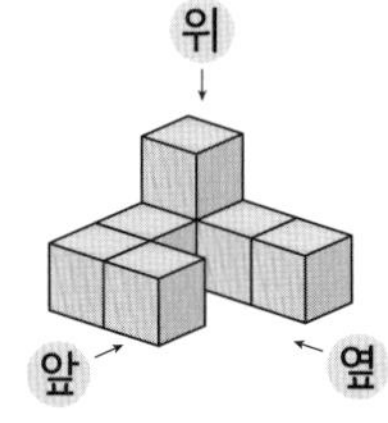

1층 2층

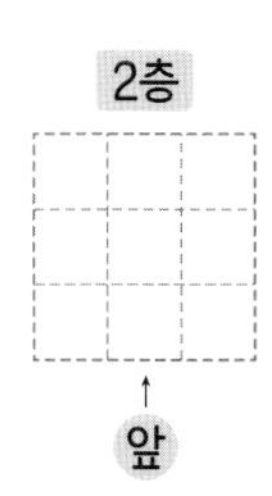

앞 앞

❹

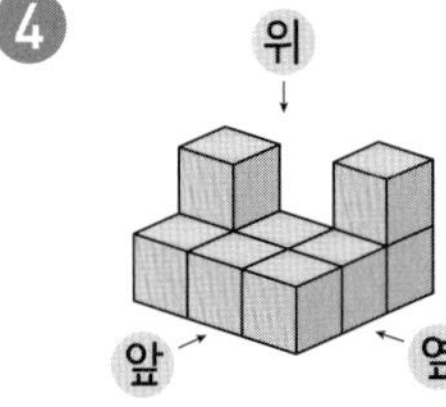

1층 2층

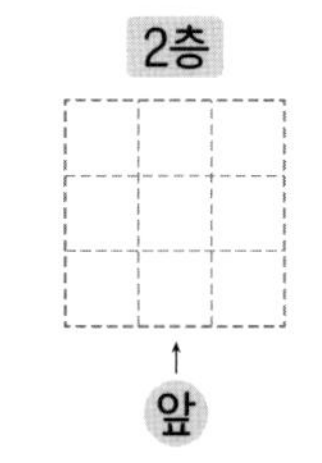

앞 앞

○ 쌓기나무로 쌓은 모양과 1층 모양을 보고 2층과 3층 모양을 각각 그려 보시오.

❺

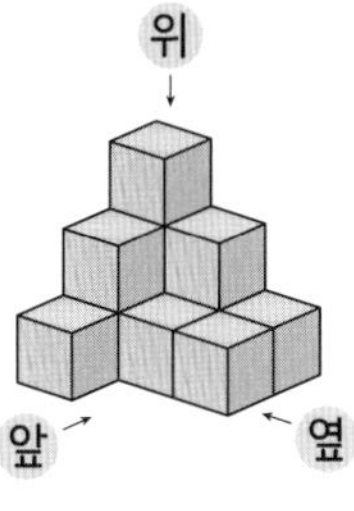

1층 2층 3층

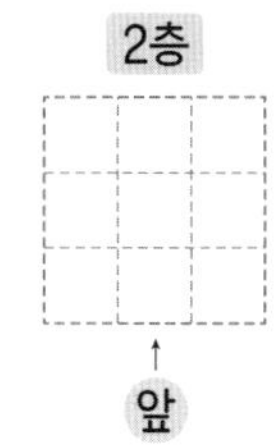

앞 앞 앞

❻

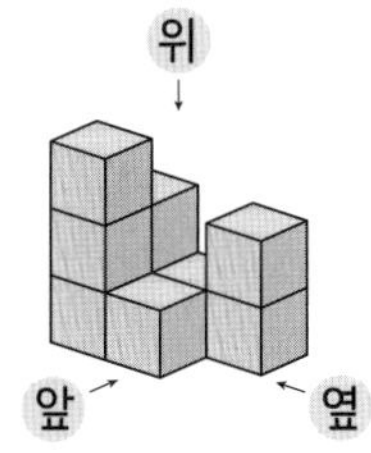

1층 2층 3층

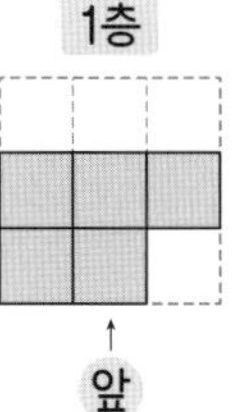

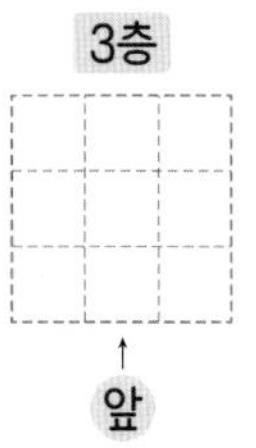

앞 앞 앞

❼

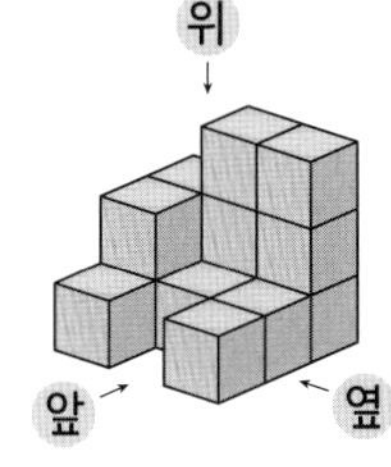

1층 2층 3층

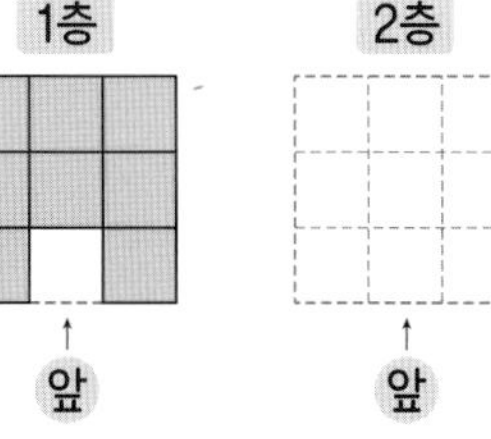

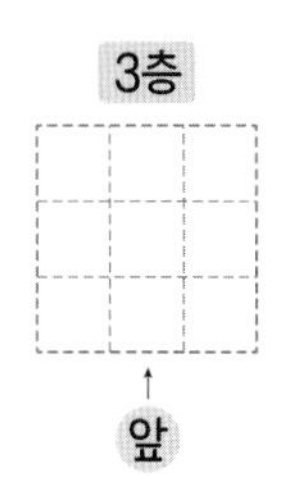

앞 앞 앞

6 층별로 나타낸 모양을 보고 쌓은 모양과 쌓기나무의 개수 알아보기

정답 • 29쪽

○ 쌓기나무로 쌓은 모양을 층별로 나타낸 모양입니다. 위에서 본 모양을 그리고, 각 자리에 쌓은 쌓기나무의 개수를 써 보시오.

1

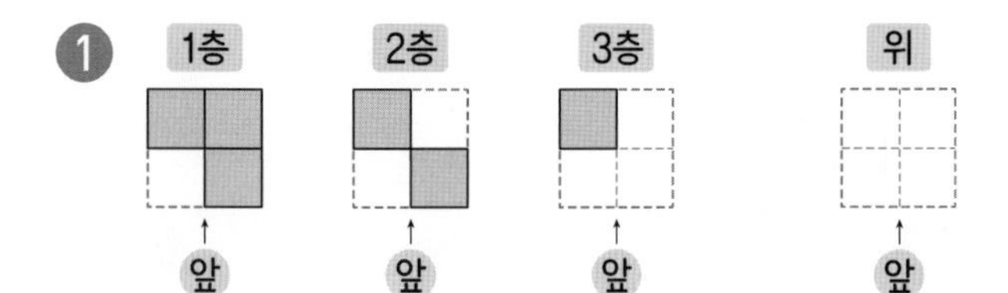

2

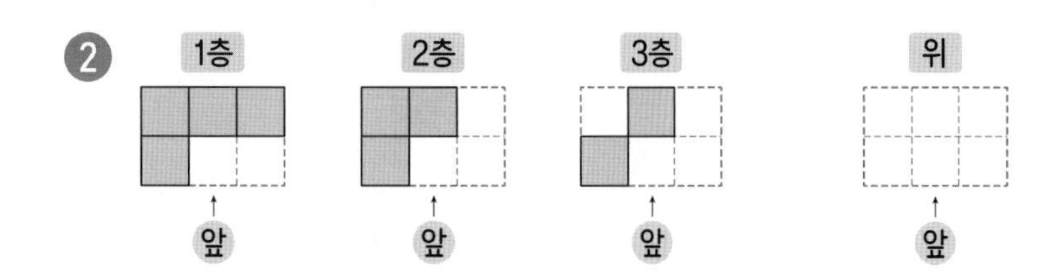

3

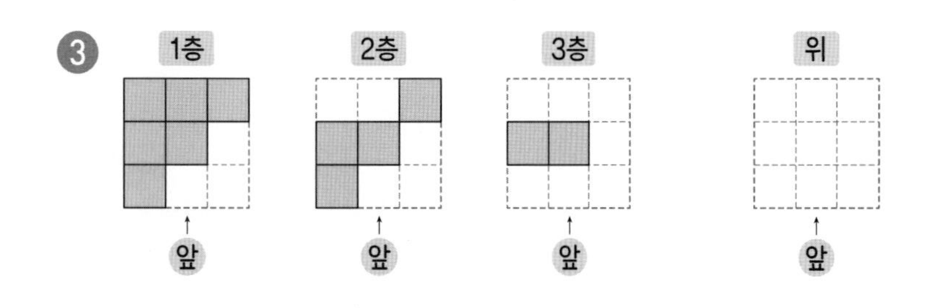

4

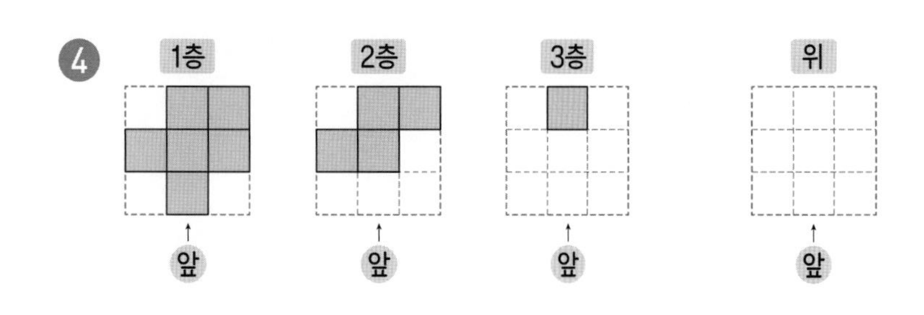

5

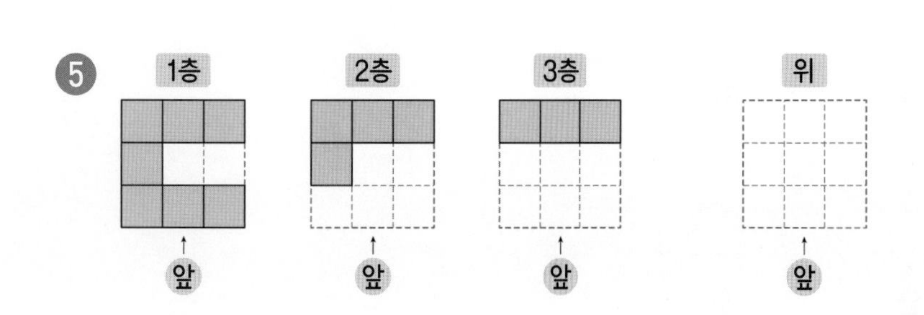

1 비의 성질

정답 • 29쪽

○ 비의 전항과 후항에 0이 아닌 같은 수를 곱하여 비율이 같은 비를 만들려고 합니다. □ 안에 알맞은 수를 써넣으시오.

❶

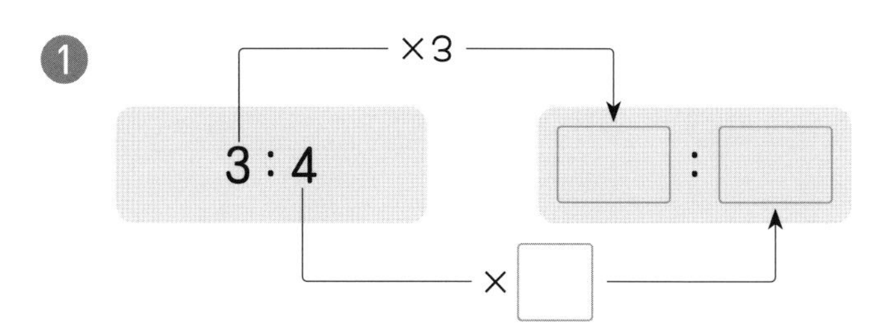

❷

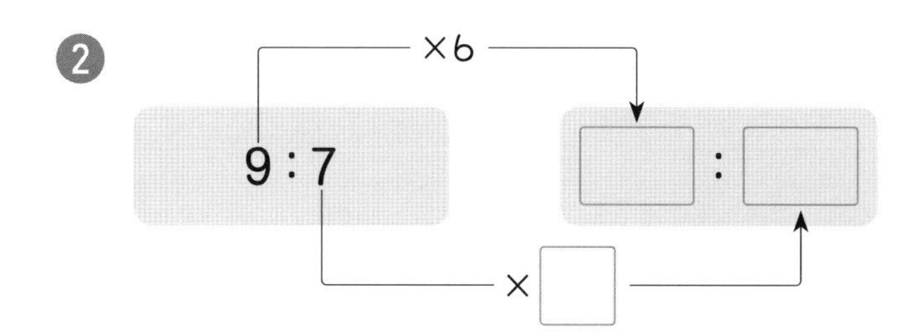

❸

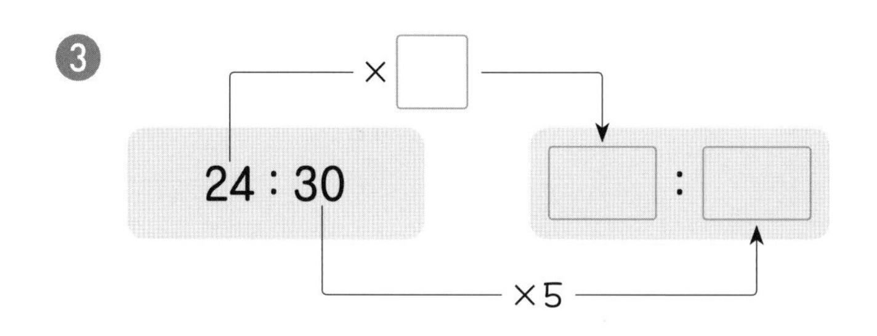

❹

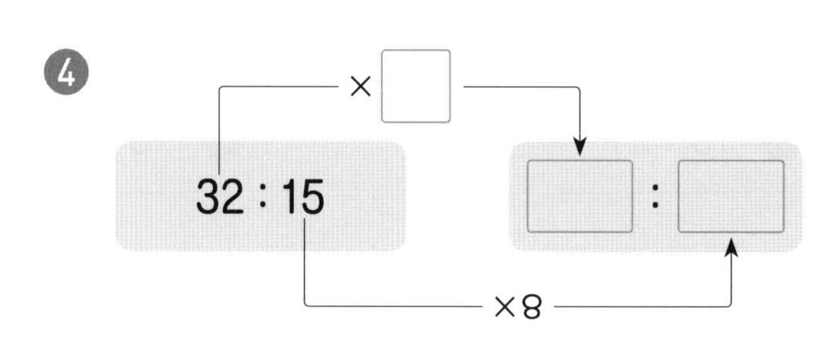

○ 비의 전항과 후항을 0이 아닌 같은 수로 나누어 비율이 같은 비를 만들려고 합니다. □ 안에 알맞은 수를 써넣으시오.

❺

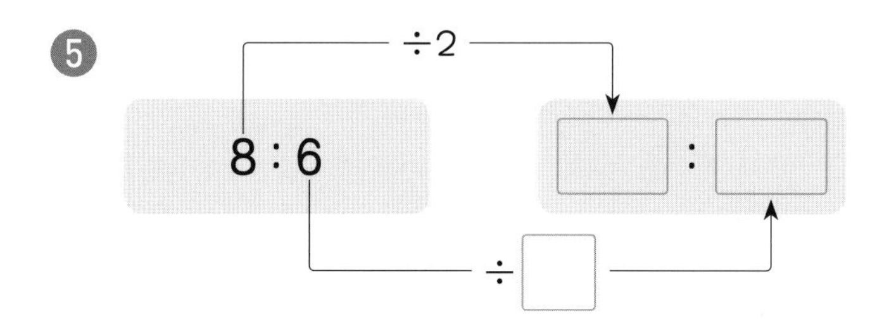

❻

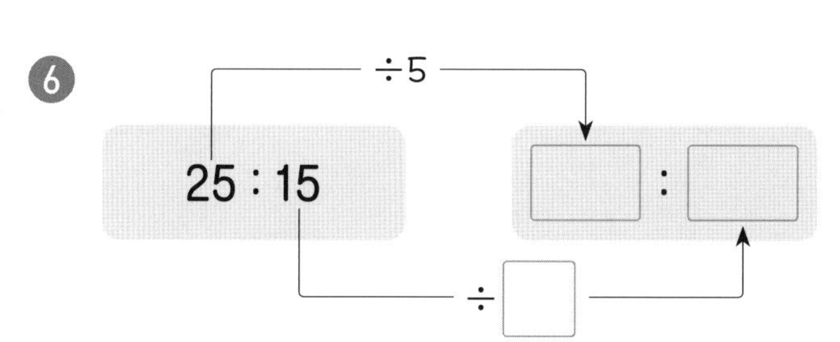

❼

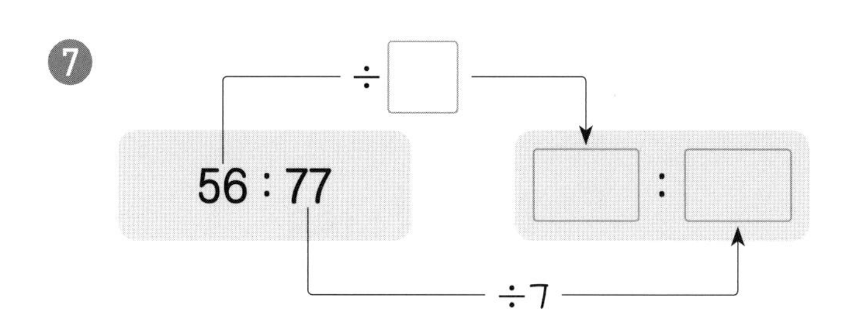

❽

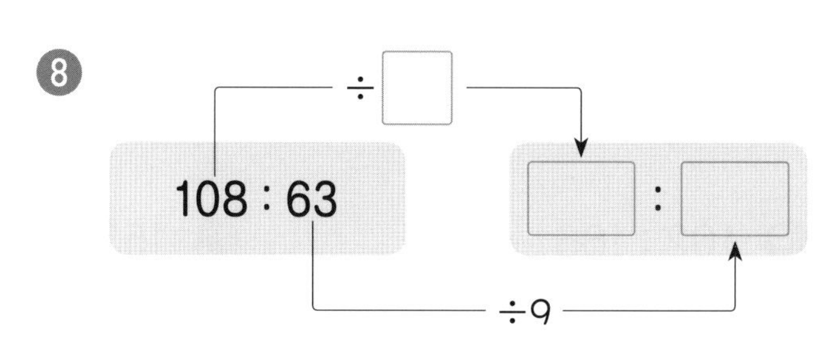

2 간단한 자연수의 비로 나타내기

정답 • 29쪽

○ 가장 간단한 자연수의 비로 나타내어 보시오.

❶ 4 : 2

❷ 5 : 25

❸ 6 : 8

❹ 9 : 18

❺ 10 : 14

❻ 12 : 4

❼ 15 : 21

❽ 18 : 30

❾ 20 : 12

❿ 22 : 99

⓫ 34 : 51

⓬ 39 : 78

⓭ 40 : 64

⓮ 52 : 78

⓯ 65 : 100

⓰ 78 : 32

⓱ 81 : 180

⓲ 93 : 81

⓳ 102 : 166

⓴ 153 : 84

㉑ 216 : 198

3 소수의 비를 간단한 자연수의 비로 나타내기

정답 • 29쪽

○ 가장 간단한 자연수의 비로 나타내어 보시오.

❶ 0.2 : 0.3

❷ 0.9 : 1.2

❸ 1.2 : 2.6

❹ 1.4 : 0.7

❺ 2.5 : 4.5

❻ 3.6 : 2.7

❼ 4.4 : 1.1

❽ 5.8 : 1.4

❾ 7.6 : 9.5

❿ 0.51 : 0.68

⓫ 0.75 : 2.55

⓬ 0.84 : 1.52

⓭ 1.62 : 2.52

⓮ 2.18 : 1.54

⓯ 3.15 : 1.26

⓰ 0.28 : 1.7

⓱ 0.7 : 2.03

⓲ 0.93 : 1.2

⓳ 1.6 : 0.94

⓴ 2.34 : 3.9

㉑ 3.6 : 2.19

4 분수의 비를 간단한 자연수의 비로 나타내기

정답 • 29쪽

○ 가장 간단한 자연수의 비로 나타내어 보시오.

❶ $\frac{1}{2} : \frac{2}{3}$

❷ $\frac{3}{4} : \frac{5}{6}$

❸ $\frac{4}{7} : \frac{2}{9}$

❹ $\frac{11}{12} : \frac{4}{5}$

❺ $\frac{5}{16} : \frac{7}{18}$

❻ $\frac{17}{20} : \frac{11}{15}$

❼ $1\frac{2}{3} : 1\frac{1}{5}$

❽ $1\frac{1}{4} : 2\frac{1}{2}$

❾ $1\frac{3}{8} : 3\frac{1}{3}$

❿ $2\frac{4}{9} : 1\frac{2}{5}$

⓫ $2\frac{3}{10} : 3\frac{3}{4}$

⓬ $2\frac{7}{12} : 2\frac{4}{15}$

⓭ $1\frac{1}{2} : \frac{1}{4}$

⓮ $\frac{3}{4} : 1\frac{1}{8}$

⓯ $1\frac{1}{6} : \frac{4}{9}$

⓰ $\frac{7}{9} : 2\frac{2}{3}$

⓱ $1\frac{14}{15} : \frac{7}{10}$

⓲ $\frac{15}{16} : 2\frac{5}{8}$

5 소수와 분수의 비를 간단한 자연수의 비로 나타내기

정답 • 29쪽

○ 가장 간단한 자연수의 비로 나타내어 보시오.

❶ $0.04 : \frac{1}{8}$

❷ $0.3 : 1\frac{1}{2}$

❸ $0.42 : 2\frac{4}{5}$

❹ $0.8 : 1\frac{5}{6}$

❺ $0.91 : \frac{7}{8}$

❻ $1.3 : 2\frac{1}{10}$

❼ $1.54 : \frac{11}{12}$

❽ $1.9 : 1\frac{5}{6}$

❾ $3.15 : 2\frac{4}{7}$

❿ $\frac{1}{2} : 0.3$

⓫ $\frac{4}{5} : 1.05$

⓬ $\frac{3}{8} : 1.6$

⓭ $\frac{7}{12} : 0.42$

⓮ $\frac{16}{21} : 3.2$

⓯ $\frac{17}{40} : 1.4$

⓰ $1\frac{2}{3} : 2.5$

⓱ $2\frac{1}{5} : 0.99$

⓲ $3\frac{1}{9} : 2.52$

비례식

정답 • 29쪽

○ 주어진 비와 비율이 같은 비를 찾아 비례식으로 나타내어 보시오.

❶ 6 : 9　　9 : 6　　12 : 10

3 : 2 = ☐ : ☐

❷ 1 : 2　　12 : 3　　8 : 3

4 : 1 = ☐ : ☐

❸ 18 : 24　　12 : 6　　3 : 8

6 : 8 = ☐ : ☐

❹ 16 : 10　　2 : 4　　4 : 5

8 : 10 = ☐ : ☐

❺ 6 : 13　　18 : 40　　3 : 7

9 : 21 = ☐ : ☐

❻ 5 : 3　　15 : 10　　20 : 14

10 : 6 = ☐ : ☐

❼ 6 : 11　　36 : 44　　24 : 66

12 : 22 = ☐ : ☐

❽ 30 : 15　　3 : 2　　6 : 5

15 : 10 = ☐ : ☐

❾ 8 : 6　　4 : 2　　12 : 8

16 : 12 = ☐ : ☐

❿ 2 : 8　　6 : 9　　3 : 2

18 : 27 = ☐ : ☐

⓫ 10 : 9　　15 : 12　　40 : 30

20 : 16 = ☐ : ☐

⓬ 5 : 3　　10 : 4　　20 : 9

25 : 10 = ☐ : ☐

7 비례식의 성질

정답 • 30쪽

○ 비례식의 성질을 이용하여 □ 안에 알맞은 수를 써넣으시오.

❶ $1:2=\square:8$

❷ $2:3=6:\square$

❸ $6:8=15:\square$

❹ $10:14=\square:35$

❺ $13:\square=39:27$

❻ $\square:15=6:5$

❼ $\square:20=13:10$

❽ $51:\square=17:11$

❾ $\square:50=27:18$

❿ $84:32=21:\square$

⓫ $4:5=2.8:\square$

⓬ $\square:22=7.5:6.6$

⓭ $3:4=\square:\frac{2}{5}$

⓮ $12:\square=\frac{1}{3}:1\frac{1}{9}$

8 비례배분

정답 • 30쪽

○ ▭ 안의 수를 주어진 비로 나누어 [,] 안에 써 보시오.

❶ 3 　 1 : 2 ⇨ [,]

❷ 5 　 3 : 2 ⇨ [,]

❸ 10 　 3 : 7 ⇨ [,]

❹ 14 　 2 : 5 ⇨ [,]

❺ 18 　 7 : 2 ⇨ [,]

❻ 28 　 9 : 5 ⇨ [,]

❼ 33 　 4 : 7 ⇨ [,]

❽ 57 　 10 : 9 ⇨ [,]

❾ 72 　 4 : 5 ⇨ [,]

❿ 84 　 5 : 7 ⇨ [,]

⓫ 112 　 13 : 3 ⇨ [,]

⓬ 150 　 16 : 9 ⇨ [,]

⓭ 204 　 23 : 11 ⇨ [,]

⓮ 246 　 10 : 31 ⇨ [,]

원주와 원주율

정답 • 30쪽

○ 원주를 구해 보시오. (원주율: 3)

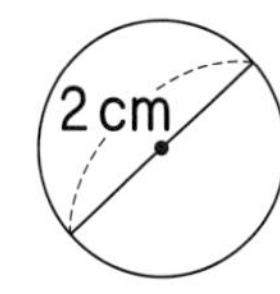

(　　　　　　　　)

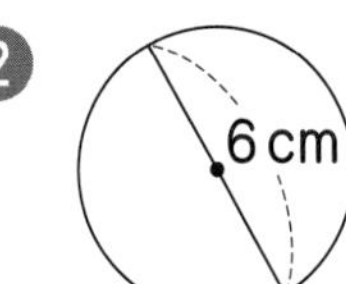

(　　　　　　　　)

❸

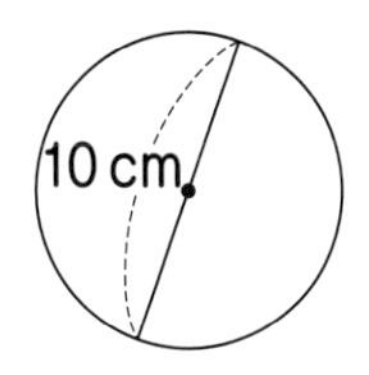

(　　　　　　　　)

❹

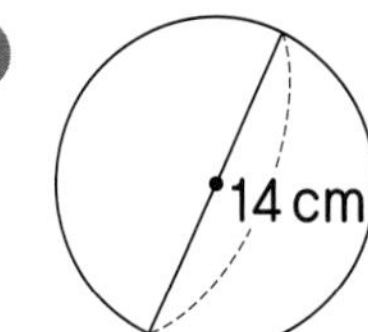

(　　　　　　　　)

❺

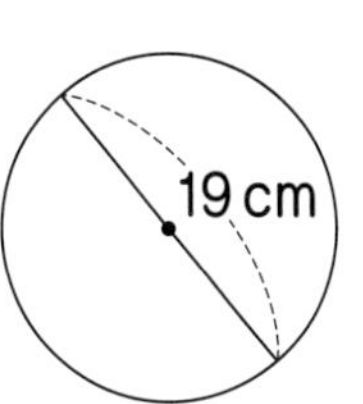

(　　　　　　　　)

❻

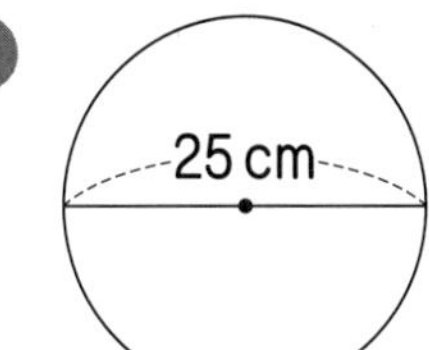

(　　　　　　　　)

○ 원주를 구해 보시오. (원주율: 3.1)

❼

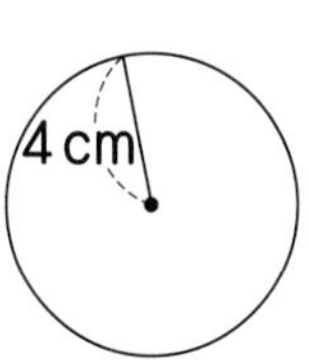

(　　　　　　　　)

❽

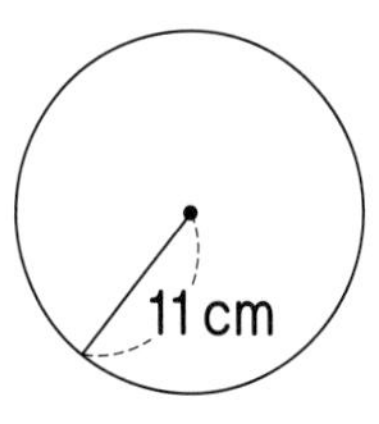

(　　　　　　　　)

❾

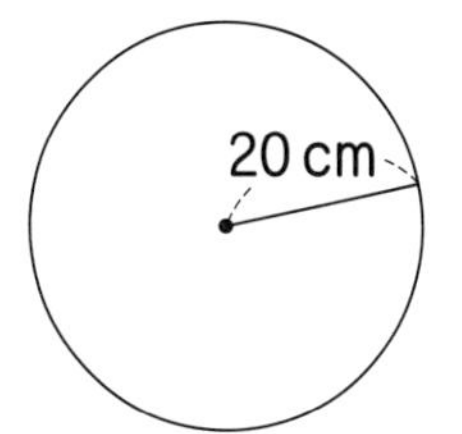

(　　　　　　　　)

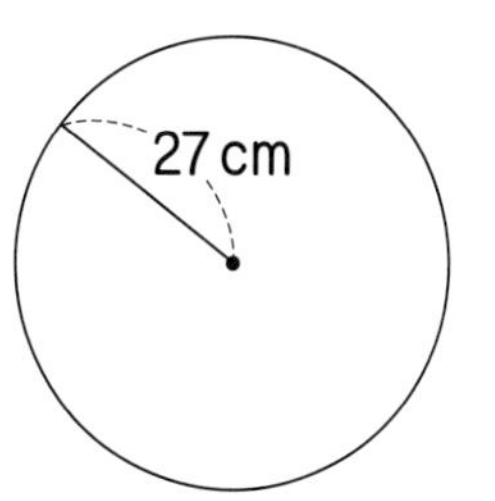

(　　　　　　　　)

2 원주를 이용하여 지름 구하기

정답 • 30쪽

○ 원의 지름을 구해 보시오. (원주율: 3)

❶ 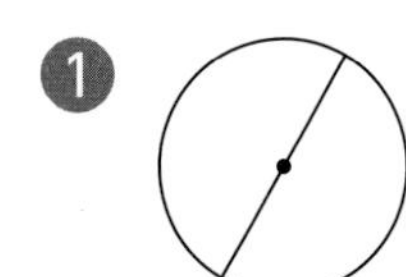

원주: 15 cm

(　　　　　　　　　)

❷ 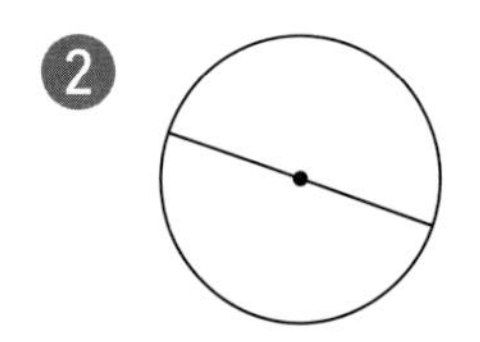

원주: 24 cm

(　　　　　　　　　)

❸

원주: 39 cm

(　　　　　　　　　)

❹ 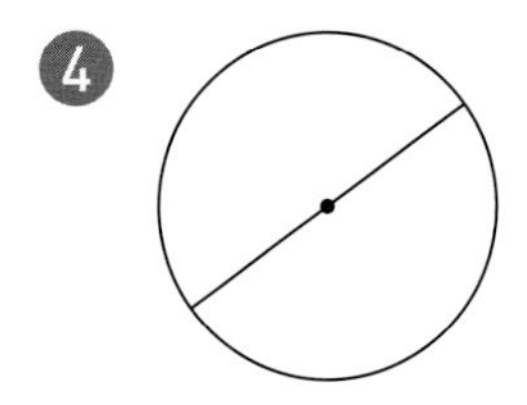

원주: 54 cm

(　　　　　　　　　)

❺

원주: 66 cm

(　　　　　　　　　)

❻ 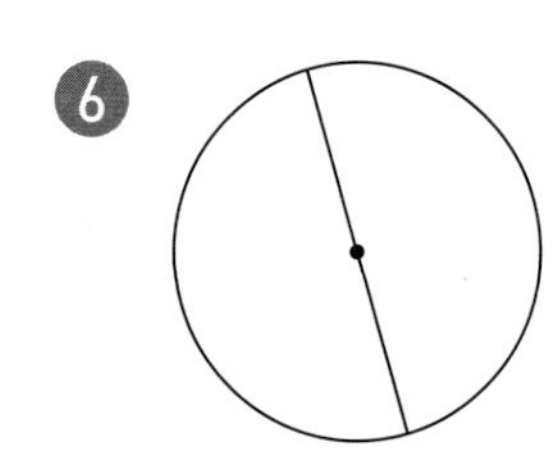

원주: 78 cm

(　　　　　　　　　)

○ 원의 반지름을 구해 보시오. (원주율: 3.14)

❼

원주: 62.8 cm

(　　　　　　　　　)

❽ 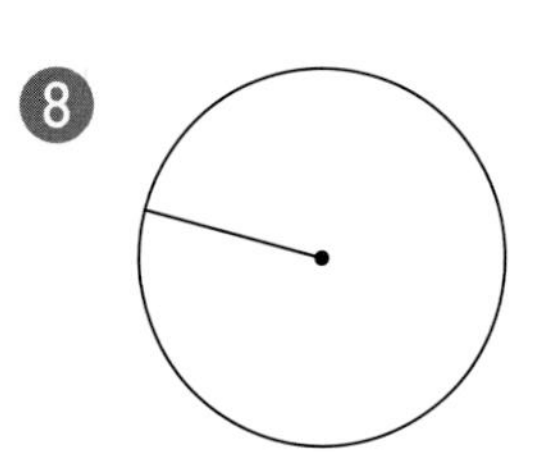

원주: 94.2 cm

(　　　　　　　　　)

❾

원주: 106.76 cm

(　　　　　　　　　)

❿ 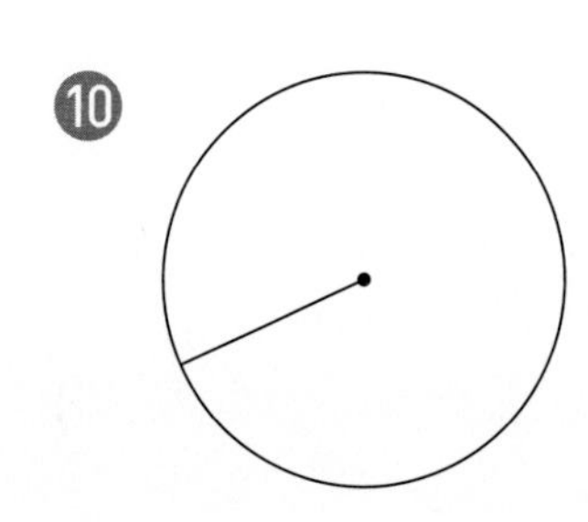

원주: 150.72 cm

(　　　　　　　　　)

3 원의 넓이

정답 • 30쪽

○ 원의 넓이를 구해 보시오. (원주율: 3)

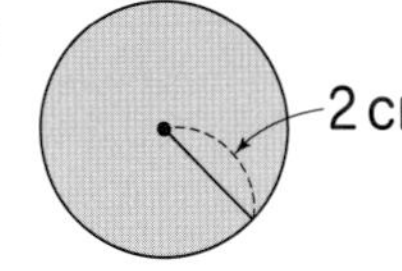

(　　　　　　　　　　)

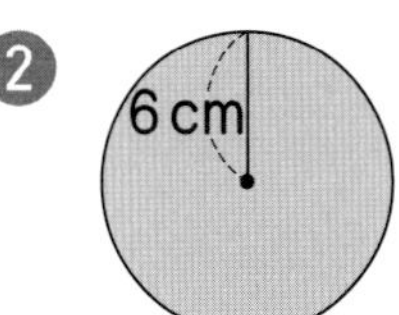

(　　　　　　　　　　)

3
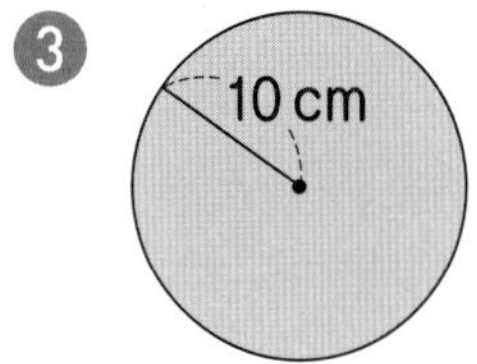

(　　　　　　　　　　)

4
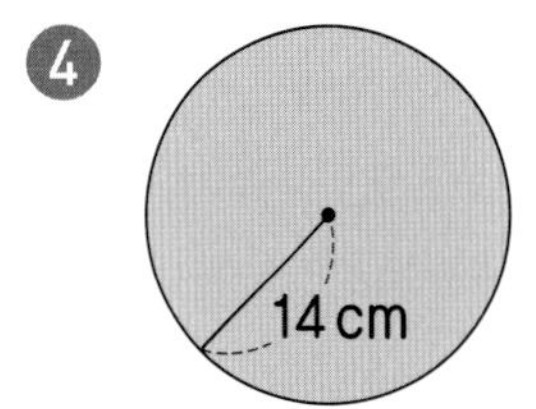

(　　　　　　　　　　)

5
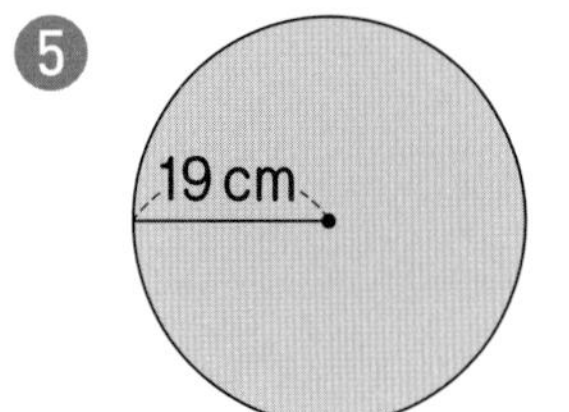

(　　　　　　　　　　)

6
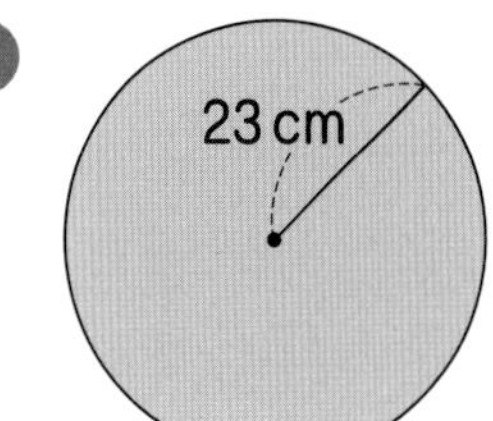

(　　　　　　　　　　)

○ 원의 넓이를 구해 보시오. (원주율: 3.1)

7
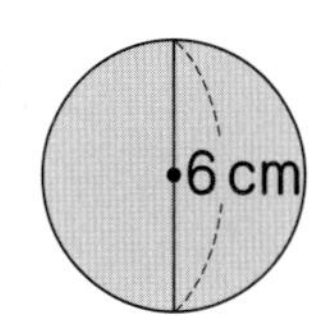

(　　　　　　　　　　)

8
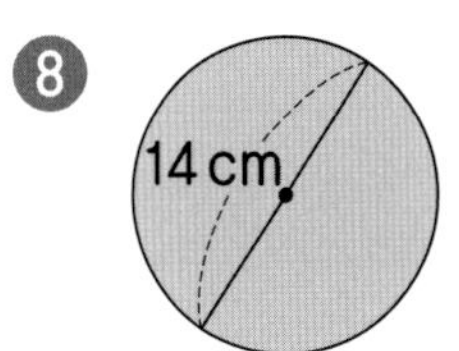

(　　　　　　　　　　)

9
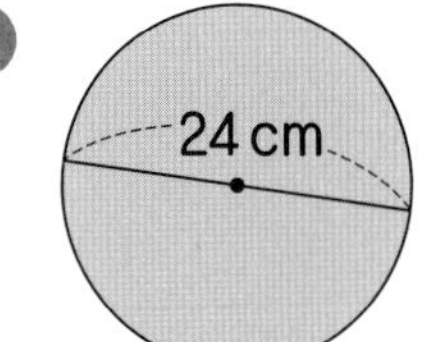

(　　　　　　　　　　)

10
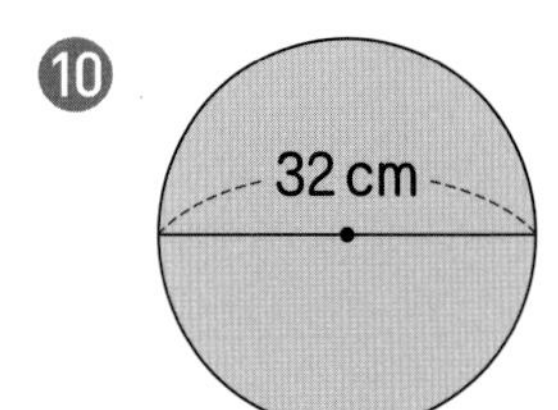

(　　　　　　　　　　)

원기둥

정답 • 30쪽

○ 원기둥이면 ○표, 원기둥이 아니면 ×표 하시오.

❶
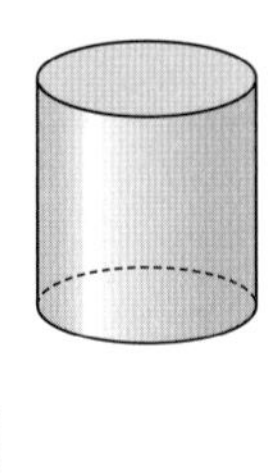
(　　　　)

❷
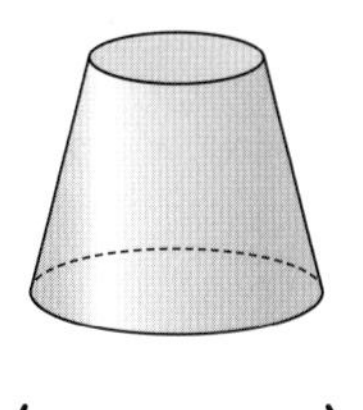
(　　　　)

❸
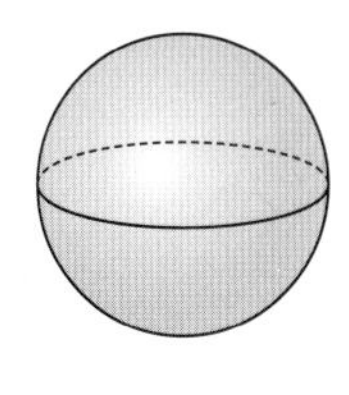
(　　　　)

❹
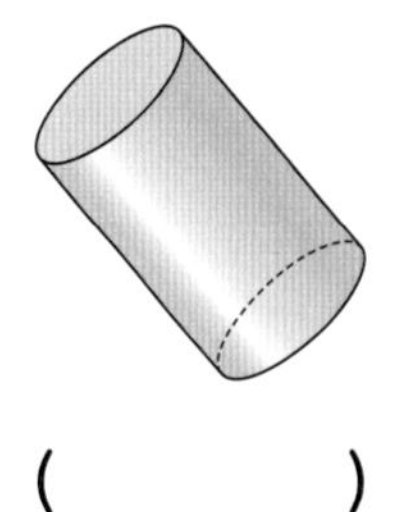
(　　　　)

❺
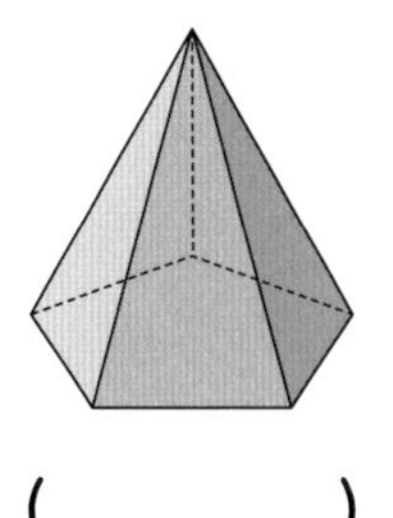
(　　　　)

❻
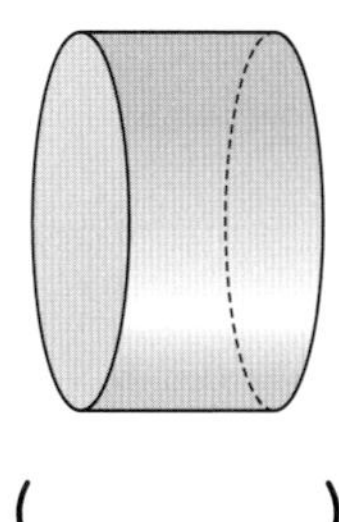
(　　　　)

○ 원기둥에서 밑면의 지름과 높이는 각각 몇 cm인지 구해 보시오.

❼
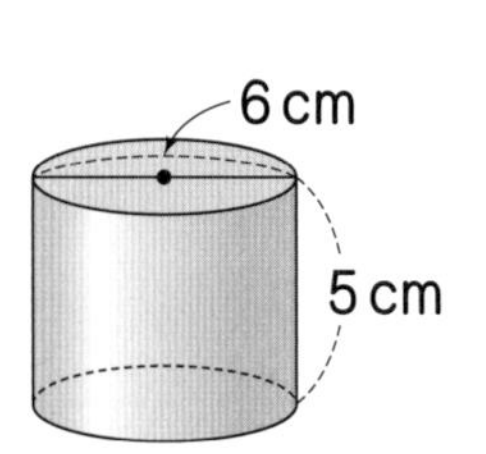

밑면의 지름(cm)	
높이(cm)	

❽
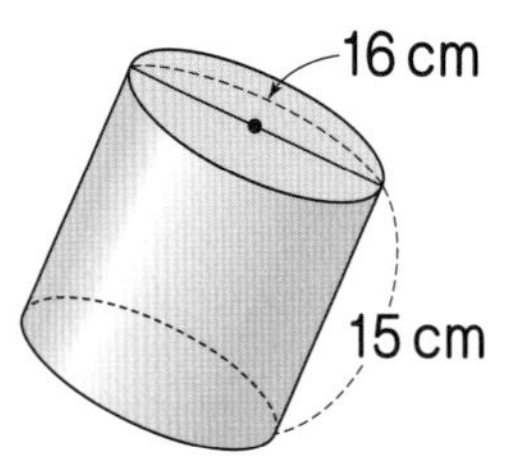

밑면의 지름(cm)	
높이(cm)	

❾
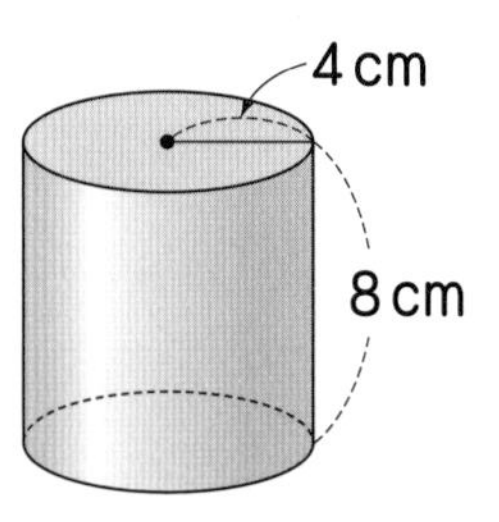

밑면의 지름(cm)	
높이(cm)	

❿
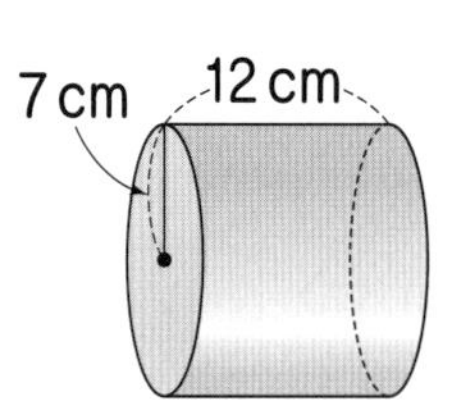

밑면의 지름(cm)	
높이(cm)	

2 원기둥의 전개도

정답 • 30쪽

○ 원기둥과 원기둥의 전개도를 보고 □ 안에 알맞은 수를 써넣으시오. (원주율: 3.1)

❶

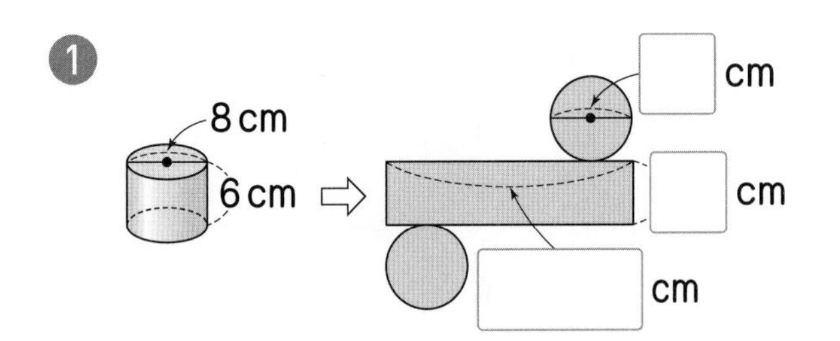

❷

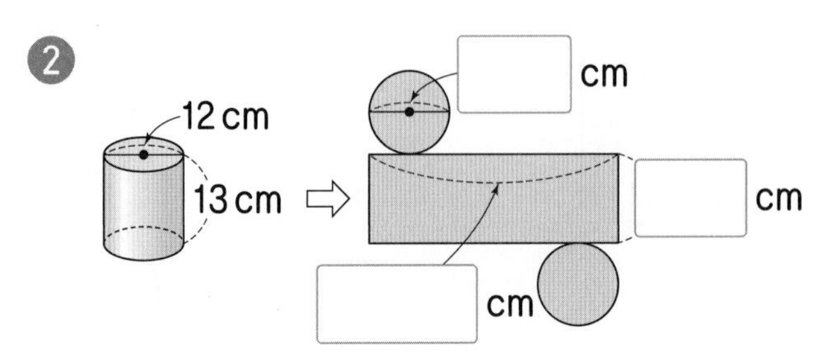

❸

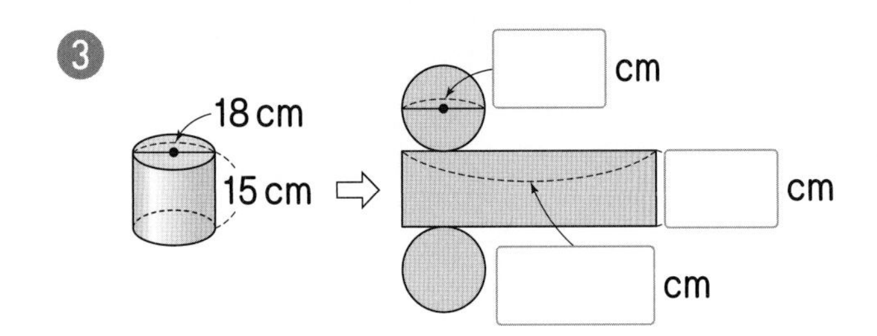

❹

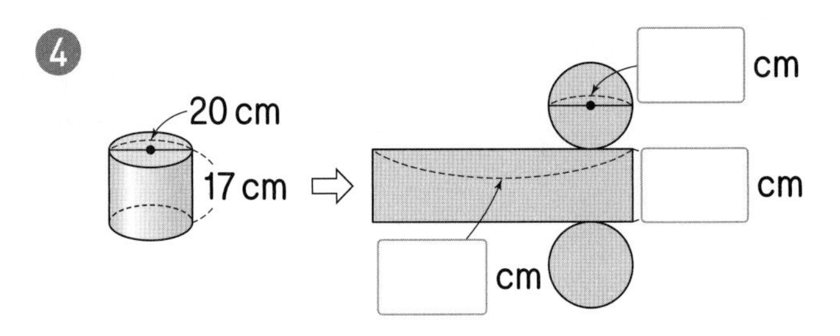

❺

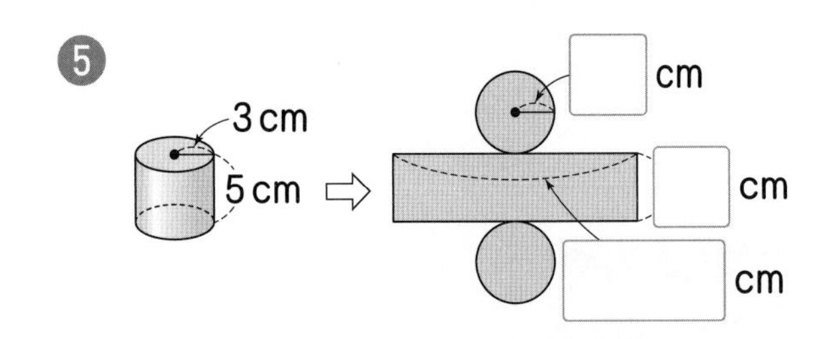

❻

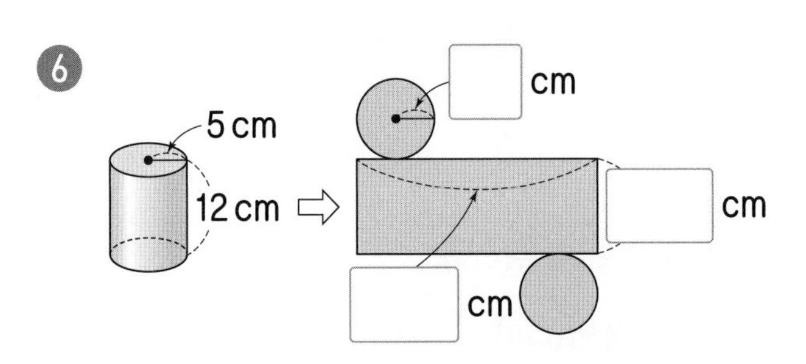

❼

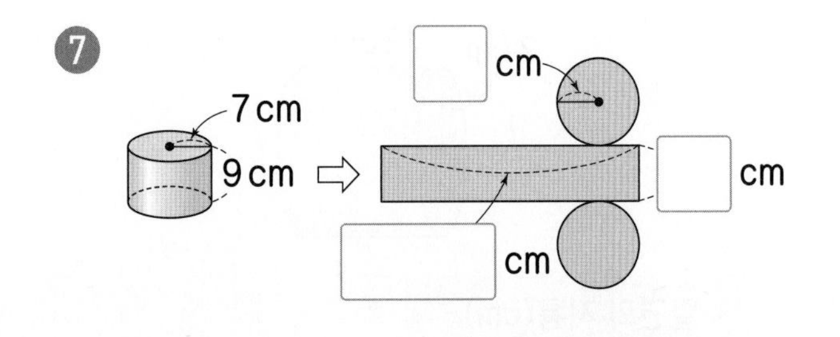

❽

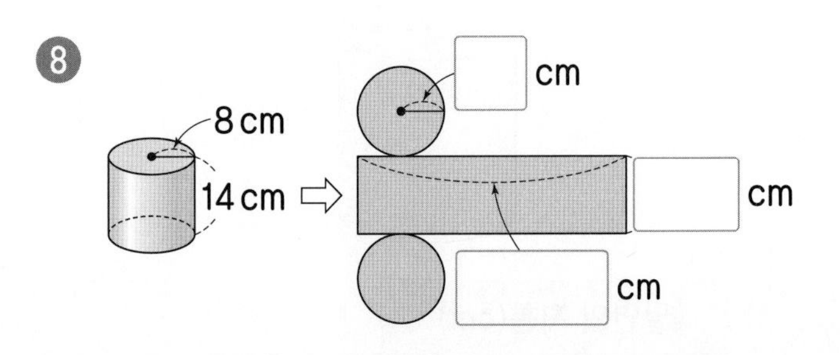

3 원뿔

정답 • 30쪽

○ 원뿔이면 ◯표, 원뿔이 아니면 ×표 하시오.

❶
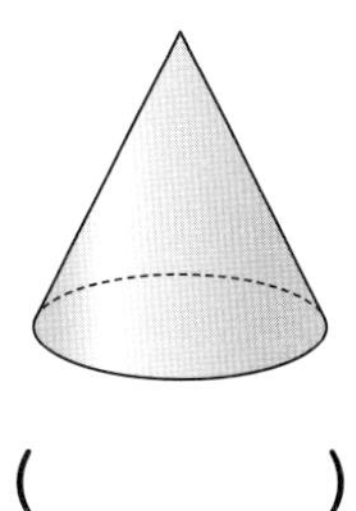
(　　　　)

❷
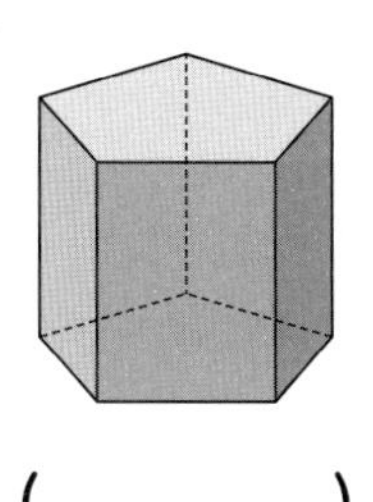
(　　　　)

❸
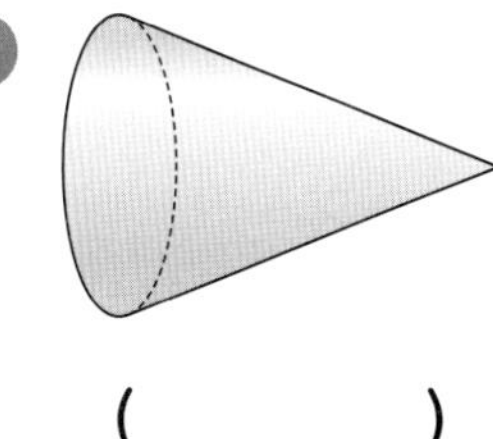
(　　　　)

❹
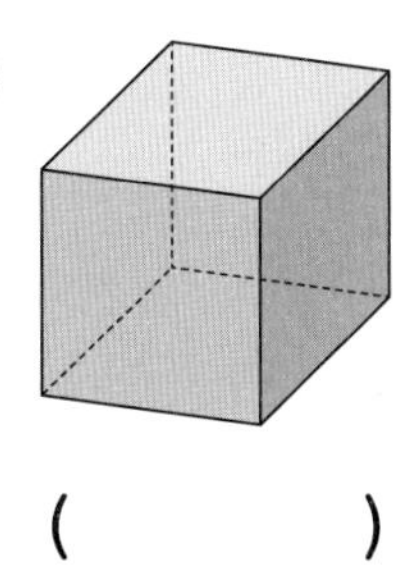
(　　　　)

❺
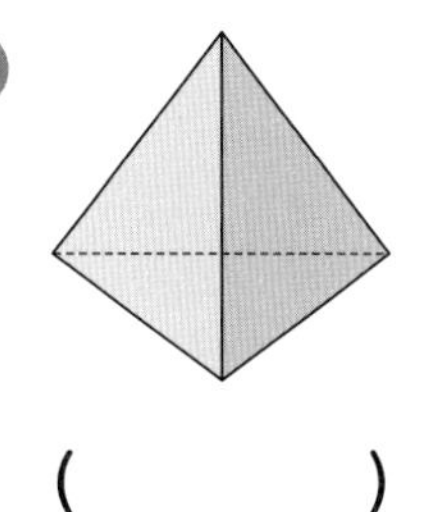
(　　　　)

❻
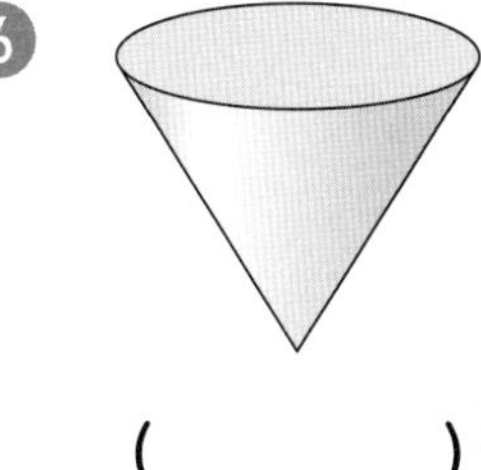
(　　　　)

○ 원뿔에서 높이와 모선의 길이, 밑면의 지름은 각각 몇 cm인지 구해 보시오.

❼
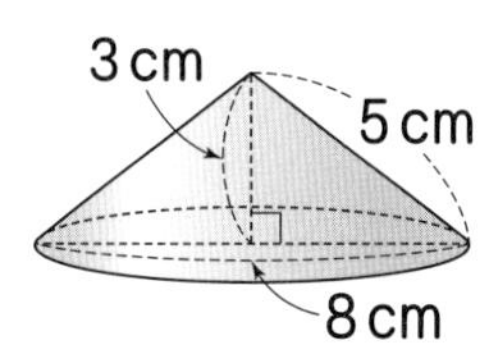

높이(cm)	
모선의 길이(cm)	
밑면의 지름(cm)	

❽
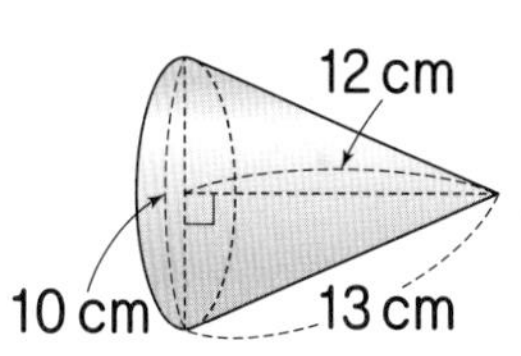

높이(cm)	
모선의 길이(cm)	
밑면의 지름(cm)	

❾
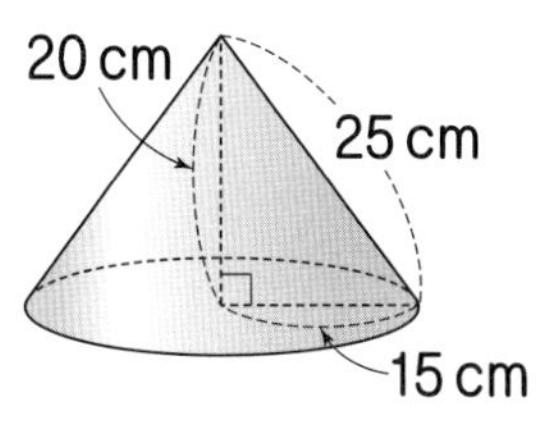

높이(cm)	
모선의 길이(cm)	
밑면의 지름(cm)	

❿
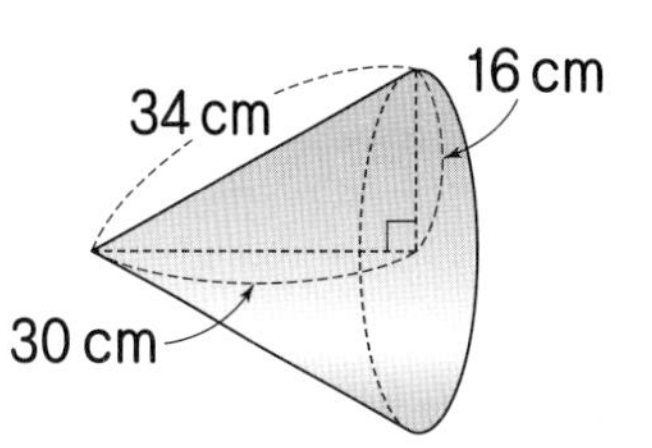

높이(cm)	
모선의 길이(cm)	
밑면의 지름(cm)	

4 구

정답 • 30쪽

○ 구이면 ○표, 구가 아니면 ×표 하시오.

❶ 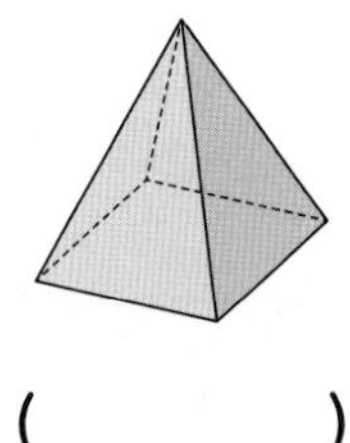

(　　　　)

❷ 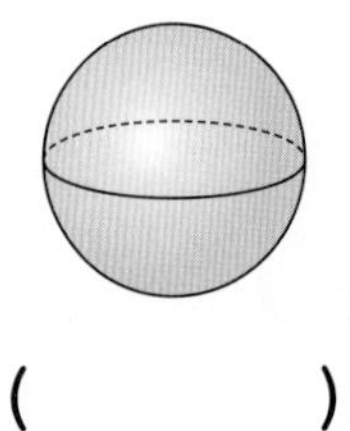

(　　　　)

❸ 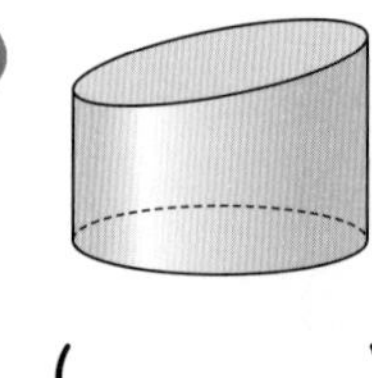

(　　　　)

❹ 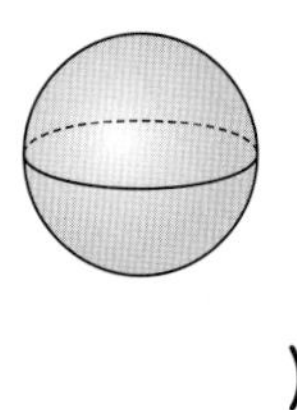

(　　　　)

❺ 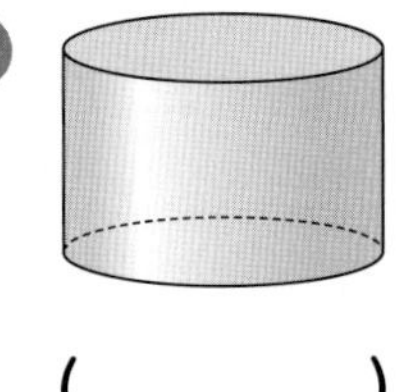

(　　　　)

❻ 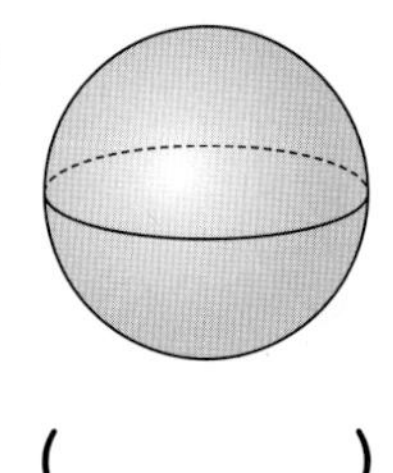

(　　　　)

○ 구에서 반지름은 몇 cm인지 구해 보시오.

❼ 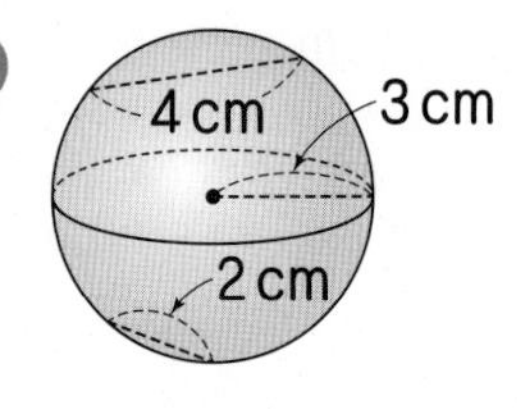

(　　　　　　　　)

❽ 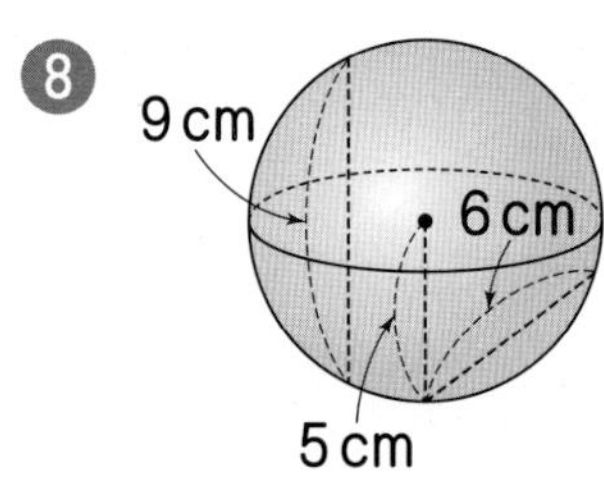

(　　　　　　　　)

❾ 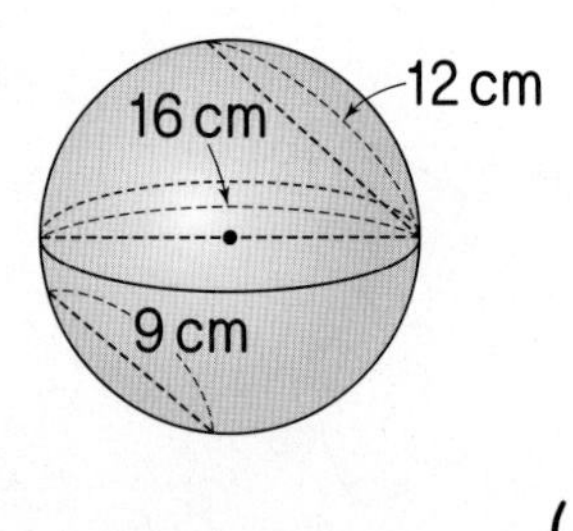

(　　　　　　　　)

❿ 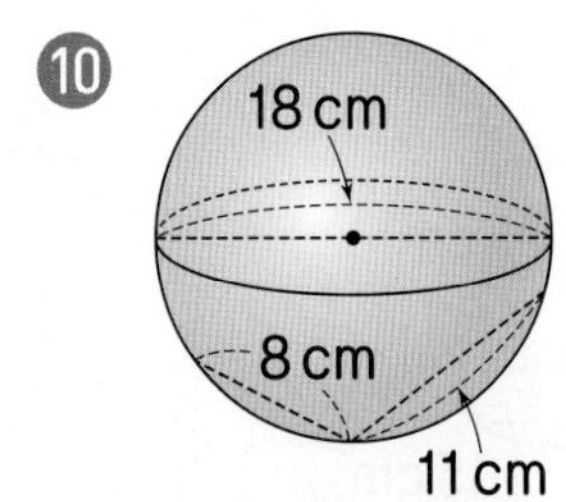

(　　　　　　　　)

초등수학

6·2

개념+연산 라이트

책 속의 가접 별책 (특허 제 0557442호)

'정답'은 본책에서 쉽게 분리할 수 있도록 제작되었으므로
유통 과정에서 분리될 수 있으나 파본이 아닌 정상제품입니다.

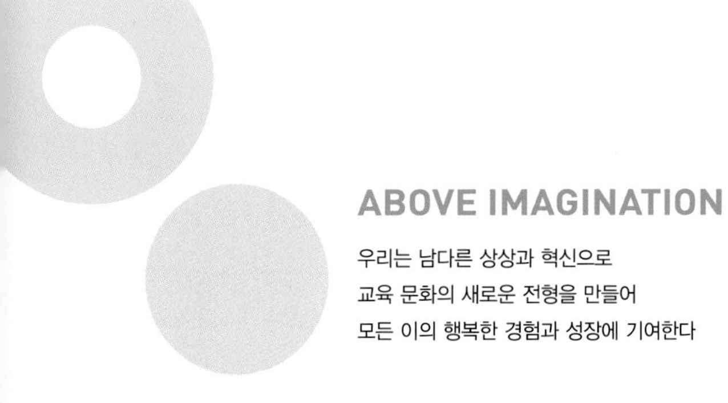

ABOVE IMAGINATION

우리는 남다른 상상과 혁신으로
교육 문화의 새로운 전형을 만들어
모든 이의 행복한 경험과 성장에 기여한다

개념+연산

정답

초등수학

12 단계

6·2

1. 분수의 나눗셈

① 분자끼리 나누어떨어지는 분모가 같은 (진분수) ÷ (진분수)

1일 차

08쪽

❶ 1 ❷ 2 ❸ 3 ❹ 5 ❺ 7 ❻ 8 ❼ 5 ❽ 2 ❾ 2 ❿ 2 ⓫ 2 ⓬ 3 ⓭ 2 ⓮ 3

09쪽

⓯ 2 ⓰ 3 ⓱ 2 ⓲ 2 ⓳ 2 ⓴ 3 ㉑ 4 ㉒ 4 ㉓ 2 ㉔ 3 ㉕ 2 ㉖ 5 ㉗ 2 ㉘ 2 ㉙ 3 ㉚ 2 ㉛ 2 ㉜ 6 ㉝ 4 ㉞ 2 ㉟ 3

2일 차

10쪽

❶ 3 ❷ 5 ❸ 2 ❹ 4 ❺ 9 ❻ 8 ❼ 7 ❽ 2 ❾ 2 ❿ 4 ⓫ 5 ⓬ 2 ⓭ 3 ⓮ 2 ⓯ 4 ⓰ 7 ⓱ 2 ⓲ 5 ⓳ 2 ⓴ 2 ㉑ 2

11쪽

㉒ 2 ㉓ 2 ㉔ 3 ㉕ 4 ㉖ 2 ㉗ 4 ㉘ 3 ㉙ 3 ㉚ 6 ㉛ 2 ㉜ 7 ㉝ 3 ㉞ 5 ㉟ 3 ㊱ 7 ㊲ 5 ㊳ 3 ㊴ 6 ㊵ 3 ㊶ 3 ㊷ 2

② 분자끼리 나누어떨어지지 않는 분모가 같은 (진분수) ÷ (진분수)

3일 차

12쪽

❗ 계산 결과를 기약분수 또는 대분수로 나타내지 않아도 정답으로 인정합니다.

❶ $\frac{1}{3}$ ❷ $\frac{1}{6}$ ❸ $\frac{1}{7}$ ❹ $1\frac{2}{5}$ ❺ $\frac{1}{3}$ ❻ $\frac{2}{5}$ ❼ $1\frac{4}{7}$ ❽ $\frac{1}{6}$ ❾ $\frac{3}{5}$ ❿ $3\frac{1}{4}$ ⓫ $1\frac{2}{7}$ ⓬ $\frac{1}{7}$ ⓭ $3\frac{2}{5}$ ⓮ $\frac{10}{17}$

13쪽

⓯ $\frac{8}{11}$ ⓰ $1\frac{3}{5}$ ⓱ $\frac{5}{9}$ ⓲ $\frac{2}{5}$ ⓳ $6\frac{2}{3}$ ⓴ $\frac{18}{23}$ ㉑ $3\frac{4}{5}$ ㉒ $1\frac{4}{17}$ ㉓ $\frac{11}{16}$ ㉔ $\frac{1}{2}$ ㉕ $2\frac{1}{11}$ ㉖ $\frac{14}{15}$ ㉗ $2\frac{3}{7}$ ㉘ $\frac{5}{9}$ ㉙ $\frac{3}{5}$ ㉚ $2\frac{1}{13}$ ㉛ $\frac{16}{31}$ ㉜ $\frac{9}{16}$ ㉝ $5\frac{3}{4}$ ㉞ $3\frac{1}{2}$ ㉟ $\frac{17}{29}$

4일 차

14쪽 ❶ 계산 결과를 기약분수 또는 대분수로 나타내지 않아도 정답으로 인정합니다.

① $\frac{1}{2}$ ② $\frac{1}{3}$ ③ $\frac{2}{3}$ ④ $1\frac{1}{5}$ ⑤ $1\frac{2}{3}$ ⑥ $\frac{1}{4}$ ⑦ $1\frac{2}{7}$

⑧ $3\frac{1}{3}$ ⑨ $\frac{3}{5}$ ⑩ $\frac{8}{11}$ ⑪ $4\frac{1}{3}$ ⑫ $\frac{2}{7}$ ⑬ $\frac{7}{15}$ ⑭ $\frac{1}{5}$

⑮ $1\frac{2}{3}$ ⑯ $\frac{12}{17}$ ⑰ $3\frac{2}{3}$ ⑱ $\frac{1}{4}$ ⑲ $2\frac{5}{7}$ ⑳ $\frac{1}{2}$ ㉑ $4\frac{1}{2}$

15쪽

㉒ $\frac{7}{13}$ ㉓ $2\frac{3}{5}$ ㉔ $\frac{1}{6}$ ㉕ $1\frac{5}{16}$ ㉖ $\frac{17}{25}$ ㉗ $1\frac{4}{19}$ ㉘ $1\frac{4}{7}$

㉙ $6\frac{1}{2}$ ㉚ $5\frac{2}{3}$ ㉛ $1\frac{2}{23}$ ㉜ $\frac{3}{4}$ ㉝ $\frac{7}{19}$ ㉞ $1\frac{2}{5}$ ㉟ $\frac{11}{15}$

㊱ $\frac{4}{5}$ ㊲ $1\frac{8}{13}$ ㊳ $1\frac{2}{29}$ ㊴ $\frac{27}{31}$ ㊵ $6\frac{2}{3}$ ㊶ $\frac{7}{11}$ ㊷ $\frac{17}{41}$

③ 분모가 다른 (진분수) ÷ (진분수)

5일 차

16쪽 ❶ 계산 결과를 기약분수 또는 대분수로 나타내지 않아도 정답으로 인정합니다.

① 2 ② $\frac{3}{4}$ ③ $3\frac{1}{3}$ ④ $\frac{3}{10}$ ⑤ $1\frac{1}{2}$ ⑥ 2 ⑦ $2\frac{4}{5}$

⑧ $2\frac{2}{9}$ ⑨ $1\frac{2}{7}$ ⑩ 4 ⑪ $\frac{25}{36}$ ⑫ $\frac{1}{3}$ ⑬ $\frac{14}{27}$ ⑭ $\frac{2}{5}$

17쪽

⑮ 6 ⑯ $\frac{10}{11}$ ⑰ $1\frac{7}{18}$ ⑱ $2\frac{5}{8}$ ⑲ $\frac{8}{39}$ ⑳ $2\frac{4}{13}$ ㉑ $1\frac{1}{12}$

㉒ $\frac{32}{75}$ ㉓ 4 ㉔ $\frac{25}{72}$ ㉕ $\frac{3}{17}$ ㉖ $\frac{25}{34}$ ㉗ $\frac{2}{9}$ ㉘ $1\frac{7}{10}$

㉙ $\frac{14}{19}$ ㉚ $\frac{18}{19}$ ㉛ 10 ㉜ $1\frac{1}{2}$ ㉝ $\frac{7}{18}$ ㉞ $1\frac{7}{8}$ ㉟ $3\frac{3}{7}$

6일 차

18쪽 ❶ 계산 결과를 기약분수 또는 대분수로 나타내지 않아도 정답으로 인정합니다.

① $1\frac{1}{2}$ ② $\frac{5}{9}$ ③ 6 ④ $\frac{4}{15}$ ⑤ $2\frac{4}{5}$ ⑥ $1\frac{1}{5}$ ⑦ $3\frac{1}{3}$

⑧ $\frac{18}{35}$ ⑨ $\frac{8}{9}$ ⑩ $1\frac{1}{7}$ ⑪ $\frac{1}{2}$ ⑫ $\frac{15}{16}$ ⑬ $\frac{21}{22}$ ⑭ $1\frac{23}{27}$

⑮ $1\frac{1}{6}$ ⑯ $1\frac{5}{11}$ ⑰ 2 ⑱ $1\frac{1}{8}$ ⑲ $\frac{7}{22}$ ⑳ 4 ㉑ $\frac{2}{3}$

19쪽

㉒ $1\frac{1}{54}$ ㉓ $\frac{24}{65}$ ㉔ $\frac{33}{52}$ ㉕ $\frac{1}{4}$ ㉖ $\frac{20}{49}$ ㉗ $2\frac{8}{9}$ ㉘ $\frac{27}{44}$

㉙ 6 ㉚ $\frac{14}{17}$ ㉛ 12 ㉜ $1\frac{1}{7}$ ㉝ $\frac{8}{33}$ ㉞ $\frac{11}{14}$ ㉟ $\frac{1}{3}$

㊱ $\frac{14}{29}$ ㊲ $\frac{5}{16}$ ㊳ $1\frac{11}{24}$ ㊴ $\frac{1}{2}$ ㊵ $\frac{5}{39}$ ㊶ $\frac{3}{8}$ ㊷ $\frac{14}{15}$

①~③ 다르게 풀기

7일 차

20쪽 ❶ 계산 결과를 기약분수 또는 대분수로 나타내지 않아도 정답으로 인정합니다.

❶ 2
❷ $\frac{8}{9}$
❸ 2
❹ $2\frac{1}{3}$
❺ $\frac{2}{5}$
❻ $2\frac{4}{9}$
❼ $3\frac{1}{2}$
❽ 5

21쪽

❾ $\frac{1}{5}$
❿ 3
⓫ $4\frac{1}{20}$
⓬ 2
⓭ 2
⓮ $\frac{11}{17}$
⓯ 4
⓰ $6\frac{1}{2}$
⓱ $\frac{4}{5}$, $\frac{1}{5}$, 4

④ (자연수) ÷ (진분수)

8일 차

22쪽 ❶ 계산 결과를 기약분수 또는 대분수로 나타내지 않아도 정답으로 인정합니다.

❶ 3
❷ 8
❸ 18
❹ 20
❺ 15
❻ 12
❼ 49
❽ $1\frac{1}{3}$
❾ 5
❿ $5\frac{1}{3}$
⓫ 5
⓬ $3\frac{1}{2}$
⓭ 7
⓮ $6\frac{2}{5}$

23쪽

⓯ $7\frac{1}{2}$
⓰ 8
⓱ $5\frac{1}{2}$
⓲ 15
⓳ 20
⓴ $8\frac{2}{3}$
㉑ $9\frac{1}{3}$
㉒ $8\frac{3}{4}$
㉓ $13\frac{1}{3}$
㉔ 22
㉕ 21
㉖ $40\frac{1}{2}$
㉗ 16
㉘ $11\frac{1}{9}$
㉙ 26
㉚ 21
㉛ $22\frac{1}{2}$
㉜ 70
㉝ 32
㉞ $31\frac{1}{2}$
㉟ 36

9일 차

24쪽 ❶ 계산 결과를 기약분수 또는 대분수로 나타내지 않아도 정답으로 인정합니다.

❶ 10
❷ 6
❸ 12
❹ 30
❺ 24
❻ 14
❼ 56
❽ $1\frac{1}{2}$
❾ $1\frac{1}{5}$
❿ $3\frac{1}{3}$
⓫ $2\frac{2}{7}$
⓬ $4\frac{1}{2}$
⓭ 4
⓮ $3\frac{3}{5}$
⓯ 10
⓰ $4\frac{4}{7}$
⓱ $4\frac{4}{9}$
⓲ $12\frac{1}{2}$
⓳ $5\frac{5}{6}$
⓴ 14
㉑ $7\frac{1}{3}$

25쪽

㉒ $24\frac{1}{2}$
㉓ $11\frac{1}{5}$
㉔ 9
㉕ $14\frac{2}{3}$
㉖ 12
㉗ $11\frac{3}{7}$
㉘ 22
㉙ $13\frac{1}{5}$
㉚ 27
㉛ 20
㉜ $19\frac{1}{2}$
㉝ $21\frac{1}{3}$
㉞ 33
㉟ 91
㊱ 28
㊲ $37\frac{1}{2}$
㊳ 45
㊴ 49
㊵ $34\frac{2}{7}$
㊶ 42
㊷ 65

5 (가분수) ÷ (진분수)

10일 차

26쪽

❶ 계산 결과를 기약분수 또는 대분수로 나타내지 않아도 정답으로 인정합니다.

① $2\frac{1}{4}$
② 15
③ $4\frac{2}{3}$
④ $5\frac{5}{8}$
⑤ $1\frac{1}{2}$
⑥ $4\frac{1}{6}$
⑦ $2\frac{4}{5}$
⑧ 12
⑨ $3\frac{1}{3}$
⑩ $2\frac{5}{8}$
⑪ 6
⑫ $19\frac{1}{4}$
⑬ $1\frac{1}{3}$
⑭ $2\frac{2}{5}$

27쪽

⑮ $3\frac{3}{5}$
⑯ $4\frac{2}{3}$
⑰ $2\frac{17}{30}$
⑱ $5\frac{5}{12}$
⑲ $8\frac{1}{2}$
⑳ $1\frac{13}{35}$
㉑ $1\frac{41}{49}$
㉒ $2\frac{2}{7}$
㉓ $3\frac{1}{7}$
㉔ 6
㉕ $3\frac{3}{32}$
㉖ $2\frac{9}{28}$
㉗ $9\frac{3}{8}$
㉘ $8\frac{1}{3}$
㉙ $3\frac{2}{3}$
㉚ $1\frac{25}{27}$
㉛ $1\frac{13}{15}$
㉜ $1\frac{37}{40}$
㉝ $4\frac{19}{25}$
㉞ $7\frac{1}{8}$
㉟ $5\frac{1}{25}$

11일 차

28쪽

❶ 계산 결과를 기약분수 또는 대분수로 나타내지 않아도 정답으로 인정합니다.

① $3\frac{1}{3}$
② $5\frac{2}{5}$
③ $8\frac{1}{4}$
④ $7\frac{3}{7}$
⑤ 8
⑥ $7\frac{1}{2}$
⑦ $4\frac{2}{3}$
⑧ $14\frac{2}{3}$
⑨ $2\frac{1}{2}$
⑩ $2\frac{13}{16}$
⑪ $4\frac{1}{2}$
⑫ $6\frac{3}{4}$
⑬ $1\frac{4}{5}$
⑭ $1\frac{23}{25}$
⑮ $5\frac{13}{15}$
⑯ $7\frac{1}{5}$
⑰ 2
⑱ $3\frac{7}{15}$
⑲ $3\frac{7}{9}$
⑳ $4\frac{3}{4}$
㉑ $1\frac{32}{49}$

29쪽

㉒ $5\frac{5}{7}$
㉓ 18
㉔ $2\frac{19}{28}$
㉕ $1\frac{11}{16}$
㉖ $9\frac{3}{4}$
㉗ 6
㉘ $9\frac{1}{2}$
㉙ $2\frac{2}{9}$
㉚ $2\frac{2}{3}$
㉛ $3\frac{2}{3}$
㉜ $5\frac{5}{24}$
㉝ $1\frac{5}{8}$
㉞ 6
㉟ $6\frac{2}{15}$
㊱ $6\frac{3}{5}$
㊲ $1\frac{29}{55}$
㊳ $5\frac{8}{11}$
㊴ $2\frac{2}{11}$
㊵ $1\frac{4}{9}$
㊶ $6\frac{1}{4}$
㊷ $6\frac{8}{9}$

4 ~ 5 다르게 풀기

12일 차

30쪽

❶ 계산 결과를 기약분수 또는 대분수로 나타내지 않아도 정답으로 인정합니다.

① 5
② $5\frac{5}{8}$
③ $2\frac{2}{3}$
④ $1\frac{2}{3}$
⑤ 4
⑥ 14
⑦ $14\frac{2}{3}$
⑧ $11\frac{1}{4}$

31쪽

⑨ 4
⑩ $3\frac{8}{9}$
⑪ $4\frac{1}{5}$
⑫ 18
⑬ $3\frac{2}{21}$
⑭ $11\frac{3}{7}$
⑮ $2\frac{14}{33}$
⑯ 35
⑰ 6, $\frac{3}{5}$, 10

⑥ (대분수) ÷ (진분수)

13일 차

32쪽 ❗계산 결과를 기약분수 또는 대분수로 나타내지 않아도 정답으로 인정합니다.

❶ $2\frac{1}{4}$ ❷ 2 ❸ $3\frac{3}{4}$ ❹ $4\frac{3}{8}$ ❺ $2\frac{4}{5}$ ❻ $3\frac{3}{5}$ ❼ $1\frac{1}{3}$
❽ $3\frac{2}{3}$ ❾ $1\frac{13}{14}$ ❿ $1\frac{23}{32}$ ⓫ $2\frac{1}{4}$ ⓬ $3\frac{8}{9}$ ⓭ 10 ⓮ $3\frac{1}{5}$

33쪽

⓯ $14\frac{2}{5}$ ⓰ $4\frac{17}{25}$ ⓱ $4\frac{1}{5}$ ⓲ $3\frac{7}{9}$ ⓳ $5\frac{5}{7}$ ⓴ $5\frac{5}{7}$ ㉑ $2\frac{21}{32}$
㉒ $6\frac{1}{8}$ ㉓ 4 ㉔ 10 ㉕ $4\frac{4}{15}$ ㉖ $5\frac{2}{5}$ ㉗ $15\frac{5}{6}$ ㉘ $14\frac{1}{7}$
㉙ $4\frac{20}{21}$ ㉚ $18\frac{3}{4}$ ㉛ $4\frac{2}{3}$ ㉜ $6\frac{2}{9}$ ㉝ $5\frac{3}{5}$ ㉞ $6\frac{2}{7}$ ㉟ $7\frac{1}{3}$

14일 차

34쪽 ❗계산 결과를 기약분수 또는 대분수로 나타내지 않아도 정답으로 인정합니다.

❶ 2 ❷ $3\frac{1}{3}$ ❸ $3\frac{1}{8}$ ❹ 2 ❺ $2\frac{1}{10}$ ❻ $2\frac{4}{25}$ ❼ $12\frac{5}{6}$
❽ $2\frac{4}{7}$ ❾ $3\frac{4}{7}$ ❿ $6\frac{1}{2}$ ⓫ $2\frac{4}{5}$ ⓬ 6 ⓭ $4\frac{1}{8}$ ⓮ $2\frac{17}{30}$
⓯ $4\frac{4}{5}$ ⓰ $3\frac{1}{5}$ ⓱ $3\frac{1}{4}$ ⓲ $2\frac{4}{7}$ ⓳ $3\frac{5}{21}$ ⓴ $6\frac{3}{7}$ ㉑ $9\frac{1}{2}$

35쪽

㉒ $4\frac{5}{16}$ ㉓ $15\frac{1}{3}$ ㉔ $3\frac{11}{18}$ ㉕ $6\frac{3}{5}$ ㉖ $7\frac{7}{12}$ ㉗ $27\frac{1}{5}$ ㉘ 4
㉙ $15\frac{1}{5}$ ㉚ $10\frac{2}{9}$ ㉛ $9\frac{3}{7}$ ㉜ $8\frac{3}{14}$ ㉝ $5\frac{1}{7}$ ㉞ $10\frac{2}{7}$ ㉟ $4\frac{1}{6}$
㊱ $20\frac{1}{4}$ ㊲ $6\frac{2}{9}$ ㊳ 6 ㊴ $5\frac{3}{7}$ ㊵ $6\frac{3}{5}$ ㊶ 12 ㊷ $18\frac{2}{3}$

⑦ (대분수) ÷ (대분수)

15일 차

36쪽 ❗계산 결과를 기약분수 또는 대분수로 나타내지 않아도 정답으로 인정합니다.

❶ $\frac{8}{21}$ ❷ $\frac{10}{11}$ ❸ $\frac{14}{15}$ ❹ $\frac{14}{15}$ ❺ $\frac{21}{40}$ ❻ $\frac{12}{25}$ ❼ $\frac{7}{15}$
❽ $\frac{1}{2}$ ❾ $\frac{15}{28}$ ❿ $1\frac{2}{7}$ ⓫ $\frac{45}{52}$ ⓬ $\frac{49}{99}$ ⓭ $1\frac{1}{3}$ ⓮ $\frac{4}{9}$

37쪽

⓯ $\frac{24}{35}$ ⓰ $2\frac{13}{25}$ ⓱ $1\frac{13}{72}$ ⓲ $2\frac{2}{63}$ ⓳ $1\frac{22}{35}$ ⓴ $\frac{16}{21}$ ㉑ $\frac{1}{4}$
㉒ $\frac{1}{3}$ ㉓ 3 ㉔ $1\frac{17}{27}$ ㉕ 2 ㉖ $1\frac{17}{25}$ ㉗ $2\frac{41}{65}$ ㉘ $1\frac{47}{48}$
㉙ $1\frac{11}{21}$ ㉚ $1\frac{19}{21}$ ㉛ $\frac{9}{20}$ ㉜ $1\frac{29}{39}$ ㉝ $3\frac{3}{5}$ ㉞ $1\frac{1}{4}$ ㉟ 2

16일 차

38쪽

❗계산 결과를 기약분수 또는 대분수로 나타내지 않아도 정답으로 인정합니다.

❶ $1\frac{1}{8}$
❷ $\frac{2}{3}$
❸ $\frac{25}{32}$
❹ $\frac{49}{100}$
❺ $1\frac{3}{25}$
❻ $\frac{24}{35}$
❼ $1\frac{7}{48}$
❽ $\frac{48}{77}$
❾ $\frac{25}{49}$
❿ $\frac{9}{14}$
⓫ $\frac{63}{128}$
⓬ $\frac{99}{152}$
⓭ $\frac{16}{33}$
⓮ 2
⓯ $1\frac{8}{25}$
⓰ $\frac{4}{5}$
⓱ $1\frac{1}{90}$
⓲ $1\frac{1}{7}$
⓳ $2\frac{1}{42}$
⓴ $1\frac{5}{49}$
㉑ $1\frac{23}{72}$

39쪽

㉒ $2\frac{1}{4}$
㉓ $2\frac{1}{80}$
㉔ $\frac{19}{21}$
㉕ $\frac{4}{9}$
㉖ 2
㉗ $1\frac{9}{16}$
㉘ $1\frac{63}{65}$
㉙ $\frac{3}{5}$
㉚ $\frac{2}{3}$
㉛ $1\frac{3}{7}$
㉜ $\frac{4}{7}$
㉝ $\frac{4}{7}$
㉞ $1\frac{5}{7}$
㉟ $1\frac{7}{8}$
㊱ $\frac{1}{2}$
㊲ $1\frac{1}{9}$
㊳ $1\frac{11}{45}$
㊴ $1\frac{1}{3}$
㊵ $\frac{3}{4}$
㊶ 2
㊷ $2\frac{1}{24}$

⑥~⑦ 다르게 풀기

17일 차

40쪽

❗계산 결과를 기약분수 또는 대분수로 나타내지 않아도 정답으로 인정합니다.

❶ $\frac{5}{6}$
❷ $2\frac{2}{5}$
❸ $\frac{11}{27}$
❹ 3
❺ $1\frac{1}{5}$
❻ $3\frac{1}{16}$
❼ $9\frac{1}{6}$
❽ $5\frac{3}{5}$

41쪽

❾ 10
❿ $\frac{7}{10}$
⓫ $\frac{3}{10}$
⓬ $8\frac{1}{6}$
⓭ $6\frac{14}{15}$
⓮ $\frac{2}{3}$
⓯ 6
⓰ $1\frac{23}{40}$
⓱ $6\frac{5}{12}$, $2\frac{3}{4}$, $2\frac{1}{3}$

비법 강의 초등에서 푸는 방정식 계산 비법

18일 차

42쪽

❗계산 결과를 기약분수 또는 대분수로 나타내지 않아도 정답으로 인정합니다.

❶ 6, 6
❷ 2, 2
❸ 8, 8
❹ $1\frac{23}{25}$, $1\frac{23}{25}$
❺ $2\frac{1}{3}$, $2\frac{1}{3}$
❻ $2\frac{1}{4}$, $2\frac{1}{4}$
❼ 12, 12
❽ $2\frac{1}{12}$, $2\frac{1}{12}$

43쪽

❾ 4, 4
❿ $1\frac{6}{7}$, $1\frac{6}{7}$
⓫ 3, 3
⓬ 25, 25
⓭ $4\frac{1}{5}$, $4\frac{1}{5}$
⓮ 3, 3
⓯ $1\frac{3}{5}$, $1\frac{3}{5}$
⓰ $13\frac{5}{7}$, $13\frac{5}{7}$
⓱ $1\frac{1}{2}$, $1\frac{1}{2}$
⓲ $1\frac{13}{27}$, $1\frac{13}{27}$

평가 1. 분수의 나눗셈

19일 차

44쪽 ❶ 계산 결과를 기약분수 또는 대분수로 나타내지 않아도 정답으로 인정합니다.

1 2
2 3
3 4
4 $\frac{1}{4}$
5 $2\frac{1}{2}$
6 $1\frac{1}{7}$
7 $\frac{9}{10}$
8 $\frac{16}{39}$
9 $\frac{1}{3}$
10 $5\frac{2}{5}$
11 21
12 10
13 $3\frac{1}{8}$
14 $4\frac{5}{18}$

45쪽

15 $5\frac{1}{15}$
16 $4\frac{1}{5}$
17 $5\frac{1}{2}$
18 $4\frac{1}{2}$
19 $\frac{17}{40}$
20 $1\frac{1}{2}$
21 $\frac{3}{7}$
22 $1\frac{7}{15}$
23 $4\frac{1}{2}$
24 $3\frac{3}{4}$
25 $\frac{3}{5}$

틀린 문제는 클리닉 북에서 보충할 수 있습니다.

1 1쪽
2 1쪽
3 1쪽
4 2쪽
5 2쪽
6 2쪽
7 3쪽
8 3쪽
9 3쪽
10 4쪽
11 4쪽
12 4쪽
13 5쪽
14 5쪽
15 5쪽
16 6쪽
17 6쪽
18 6쪽
19 7쪽
20 7쪽
21 2쪽
22 3쪽
23 4쪽
24 6쪽
25 7쪽

2. 소수의 나눗셈

① 자연수의 나눗셈을 이용한 (소수)÷(소수)

1일 차

48쪽 ❶ 정답을 위에서부터 확인합니다.

❶ 10, 4, 11
❷ 10, 56, 7
❸ 10, 48, 24, 24
❹ 10, 7, 9, 9

49쪽

❺ 75, 5, 15, 15
❻ 324, 9, 36, 36
❼ 100, 14, 6
❽ 100, 189, 21
❾ 100, 66, 3, 3
❿ 100, 17, 13, 13
⓫ 114, 3, 38, 38
⓬ 162, 18, 9, 9

2일 차

50쪽 ❶ 정답을 위에서부터 확인합니다.

❶ 10, 10 / 16, 2, 8 / 8
❷ 10, 10 / 45, 3, 15 / 15
❸ 10, 10 / 77, 7, 11 / 11
❹ 10, 10 / 85, 5, 17 / 17
❺ 10, 10 / 92, 4, 23 / 23
❻ 10, 10 / 135, 9, 15 / 15
❼ 10, 10 / 162, 6, 27 / 27
❽ 10, 10 / 248, 8, 31 / 31

51쪽

❾ 100, 100 / 62, 31, 2 / 2
❿ 100, 100 / 76, 4, 19 / 19
⓫ 100, 100 / 104, 13, 8 / 8
⓬ 100, 100 / 112, 28, 4 / 4
⓭ 100, 100 / 165, 5, 33 / 33
⓮ 100, 100 / 224, 8, 28 / 28
⓯ 100, 100 / 273, 21, 13 / 13
⓰ 100, 100 / 315, 45, 7 / 7

② (소수 한 자리 수)÷(소수 한 자리 수)

3일 차

52쪽

① 2
② 2
③ 2
④ 3
⑤ 3
⑥ 3
⑦ 4
⑧ 6
⑨ 7
⑩ 8

53쪽

⑪ 12
⑫ 11
⑬ 16
⑭ 15
⑮ 13
⑯ 16
⑰ 19
⑱ 21
⑲ 18
⑳ 17
㉑ 23
㉒ 26
㉓ 25
㉔ 29
㉕ 32

4일 차

54쪽

① 5
② 4
③ 6
④ 5
⑤ 7
⑥ 9
⑦ 8
⑧ 13
⑨ 11
⑩ 23
⑪ 18
⑫ 13
⑬ 22
⑭ 19
⑮ 27

55쪽

⑯ 3
⑰ 2
⑱ 6
⑲ 7
⑳ 3
㉑ 3
㉒ 5
㉓ 3
㉔ 7
㉕ 8
㉖ 4
㉗ 12
㉘ 11
㉙ 17
㉚ 13
㉛ 16
㉜ 14
㉝ 19
㉞ 15
㉟ 21
㊱ 34

③ (소수 두 자리 수)÷(소수 두 자리 수)

5일 차

56쪽

① 4
② 3
③ 6
④ 7
⑤ 4
⑥ 3
⑦ 8
⑧ 7
⑨ 6
⑩ 9

57쪽

⑪ 11
⑫ 12
⑬ 13
⑭ 14
⑮ 21
⑯ 18
⑰ 19
⑱ 19
⑲ 17
⑳ 21
㉑ 23
㉒ 22
㉓ 21
㉔ 24
㉕ 28

6일 차

58쪽

① 5
② 9
③ 4
④ 7
⑤ 8
⑥ 11
⑦ 16
⑧ 14
⑨ 11
⑩ 15
⑪ 19
⑫ 18
⑬ 12
⑭ 23
⑮ 32

59쪽

⑯ 2
⑰ 6
⑱ 8
⑲ 3
⑳ 9
㉑ 5
㉒ 7
㉓ 8
㉔ 16
㉕ 14
㉖ 19
㉗ 17
㉘ 17
㉙ 22
㉚ 15
㉛ 23
㉜ 35
㉝ 18
㉞ 15
㉟ 24
㊱ 27

①~③ 다르게 풀기

7일 차

60쪽

❶ 3
❷ 9
❸ 12
❹ 7
❺ 6
❻ 16
❼ 9
❽ 21
❾ 18
❿ 24

61쪽

⓫ 2
⓬ 3
⓭ 6
⓮ 8
⓯ 9
⓰ 17
⓱ 14
⓲ 27
⓳ 16.8, 1.2, 14

④ (소수 두 자리 수)÷(소수 한 자리 수)

8일 차

62쪽

❶ 1.3
❷ 1.6
❸ 1.5
❹ 1.9
❺ 1.8
❻ 1.6
❼ 1.9
❽ 1.7
❾ 1.2
❿ 0.9

63쪽

⓫ 2.2
⓬ 1.9
⓭ 2.4
⓮ 2.8
⓯ 2.5
⓰ 2.3
⓱ 2.6
⓲ 3.2
⓳ 3.5
⓴ 3.1
㉑ 2.8
㉒ 2.9
㉓ 3.3
㉔ 3.7
㉕ 4.4

9일 차

64쪽

❶ 1.5
❷ 2.3
❸ 2.8
❹ 2.9
❺ 4.1
❻ 3.2
❼ 2.9
❽ 3.7
❾ 4.3
❿ 4.8
⓫ 4.1
⓬ 3.4
⓭ 2.8
⓮ 3.7
⓯ 4.2

65쪽

⓰ 2.9
⓱ 1.9
⓲ 3.4
⓳ 0.7
⓴ 1.7
㉑ 2.4
㉒ 3.7
㉓ 4.9
㉔ 2.2
㉕ 3.1
㉖ 0.9
㉗ 4.8
㉘ 2.6
㉙ 3.7
㉚ 1.4
㉛ 3.2
㉜ 4.1
㉝ 2.7
㉞ 3.9
㉟ 3.6
㊱ 4.8

⑤ (자연수)÷(소수 한 자리 수)

10일 차

66쪽

❶ 5
❷ 5
❸ 8
❹ 5
❺ 5
❻ 5
❼ 5
❽ 6
❾ 15
❿ 10

67쪽

⓫ 15
⓬ 16
⓭ 15
⓮ 15
⓯ 18
⓰ 20
⓱ 25
⓲ 26
⓳ 25
⓴ 35
㉑ 22
㉒ 25
㉓ 25
㉔ 28
㉕ 30

11일 차

68쪽

❶ 4
❷ 5
❸ 5
❹ 6
❺ 5
❻ 5
❼ 5
❽ 12
❾ 15
❿ 18
⓫ 25
⓬ 20
⓭ 26
⓮ 25
⓯ 32

69쪽

⓰ 2
⓱ 15
⓲ 4
⓳ 5
⓴ 5
㉑ 15
㉒ 6
㉓ 15
㉔ 15
㉕ 16
㉖ 15
㉗ 20
㉘ 25
㉙ 25
㉚ 22
㉛ 30
㉜ 25
㉝ 45
㉞ 35
㉟ 38
㊱ 40

⑥ (자연수)÷(소수 두 자리 수)

12일 차

70쪽

❶ 4
❷ 25
❸ 16
❹ 25
❺ 20
❻ 25
❼ 16
❽ 25
❾ 24
❿ 40

71쪽

⓫ 16
⓬ 25
⓭ 25
⓮ 24
⓯ 40
⓰ 25
⓱ 32
⓲ 25
⓳ 44
⓴ 50
㉑ 28
㉒ 25
㉓ 24
㉔ 25
㉕ 36

13일 차

72쪽

❶ 12
❷ 25
❸ 28
❹ 75
❺ 40
❻ 16
❼ 40
❽ 36
❾ 25
❿ 44
⓫ 32
⓬ 25
⓭ 28
⓮ 25
⓯ 32

73쪽

⓰ 8
⓱ 4
⓲ 25
⓳ 12
⓴ 25
㉑ 16
㉒ 40
㉓ 50
㉔ 25
㉕ 48
㉖ 75
㉗ 24
㉘ 25
㉙ 24
㉚ 25
㉛ 50
㉜ 75
㉝ 25
㉞ 44
㉟ 72
㊱ 36

④~⑥ 다르게 풀기

14일 차

74쪽

❶ 1.2
❷ 25
❸ 4.3
❹ 4
❺ 2.9
❻ 16
❼ 18
❽ 3.8
❾ 25
❿ 35

75쪽

⓫ 12
⓬ 3.7
⓭ 8
⓮ 4.1
⓯ 25
⓰ 2.6
⓱ 15
⓲ 24
⓳ 341, 15.5, 22

⑦ 몫을 반올림하여 나타내기

15일 차

76쪽

❶ 1
❷ 1
❸ 2
❹ 3
❺ 1
❻ 3
❼ 8
❽ 5

77쪽

❾ 2.7
❿ 1.7
⓫ 1.9
⓬ 2.4
⓭ 2.6
⓮ 2.3
⓯ 3.1
⓰ 3.8
⓱ 7.4
⓲ 5.5
⓳ 9.1
⓴ 7.7

16일 차

78쪽

❶ 0.67
❷ 4.67
❸ 5.14
❹ 0.92
❺ 2.17
❻ 3.01
❼ 8.86
❽ 6.38
❾ 6.18

79쪽

❿ 2
⓫ 2.2
⓬ 7.71
⓭ 7.9
⓮ 1
⓯ 2.69
⓰ 2.7
⓱ 4
⓲ 9.33
⓳ 5
⓴ 8.1
㉑ 7.99

⑧ 나누어 주고 남는 양

17일 차

80쪽

❶ 1, 1.3
❷ 3, 0.5
❸ 3, 1.6
❹ 2, 2.2
❺ 3, 1.4
❻ 5, 1.7
❼ 4, 3.9
❽ 5, 1.8

81쪽

❾ 5, 4.3
❿ 6, 3.6
⓫ 7, 0.4
⓬ 8, 3.2
⓭ 8, 1.7
⓮ 8, 4.8
⓯ 8, 7.6
⓰ 10, 0.5
⓱ 12, 1.4
⓲ 11, 8.5
⓳ 12, 2.7
⓴ 14, 3.4

18일 차

82쪽

❶ 2, 1.8
❷ 2, 2.9
❸ 4, 2.1
❹ 5, 0.7
❺ 7, 1.9
❻ 6, 3.7
❼ 9, 2.4
❽ 11, 3.5
❾ 10, 1.2
❿ 11, 7.7
⓫ 12, 0.3
⓬ 23, 7.9

83쪽

⓭ 3, 1.1
⓮ 6, 0.5
⓯ 7, 2.7
⓰ 9, 2.4
⓱ 11, 3.3
⓲ 10, 1.8
⓳ 11, 0.9
⓴ 10, 2.4
㉑ 12, 4.2
㉒ 11, 5.6
㉓ 13, 4.1
㉔ 14, 0.5

⑦~⑧ 다르게 풀기

19일 차

84쪽

❶ 1.7
❷ 12.83
❸ 4
❹ 1.35
❺ 3
❻ 3.8
❼ 5
❽ 2.2
❾ 4.89
❿ 3

85쪽

⓫ 2, 0.6
⓬ 3, 2.8
⓭ 7, 1.5
⓮ 6, 5.2
⓯ 10, 0.1
⓰ 12, 3.7
⓱ 3, 7, 0.42, 0.4

비법 강의 초등에서 푸는 방정식 계산 비법

20일 차

86쪽

❶ 6, 6
❷ 7, 7
❸ 1.4, 1.4
❹ 12, 12
❺ 8, 8
❻ 16, 16
❼ 3.7, 3.7
❽ 15, 15

87쪽

❾ 9, 9
❿ 4, 4
⓫ 2.2, 2.2
⓬ 5, 5
⓭ 8, 8
⓮ 13, 13
⓯ 23, 23
⓰ 1.8, 1.8
⓱ 26, 26
⓲ 12, 12

평가 2. 소수의 나눗셈

21일 차

88쪽

1 (위에서부터) 10, 10 / 78, 6, 13 / 13
2 (위에서부터) 100, 100 / 96, 12, 8 / 8
3 7
4 9
5 6.4
6 15
7 12
8 6
9 11
10 25
11 4.1
12 3.7
13 18
14 25

89쪽

15 3
16 4.5
17 3.75
18 4, 0.6
19 9, 2.7
20 12, 1.1
21 9
22 12
23 3.8
24 26
25 50

틀린 문제는 클리닉 북에서 보충할 수 있습니다.

1 9쪽
2 9쪽
3 10쪽
4 11쪽
5 12쪽
6 13쪽
7 14쪽
8 10쪽
9 11쪽
10 11쪽
11 12쪽
12 12쪽
13 13쪽
14 14쪽
15 15쪽
16 15쪽
17 15쪽
18 16쪽
19 16쪽
20 16쪽
21 10쪽
22 11쪽
23 12쪽
24 13쪽
25 14쪽

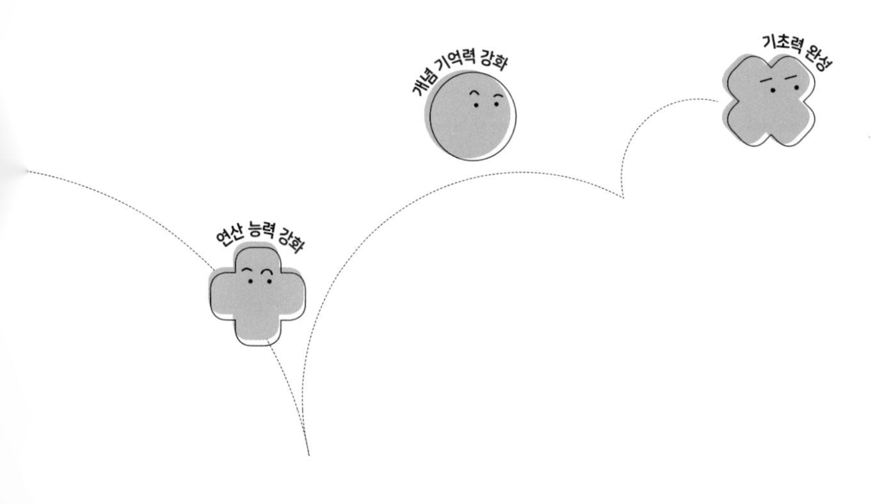

3. 공간과 입체

① 쌓기나무로 쌓은 모양과 위에서 본 모양을 보고 쌓은 모양과 쌓기나무의 개수 알아보기

1일 차

92쪽

❶ 5개
❷ 6개
❸ 9개
❹ 8개

93쪽

❺ 10개
❻ 11개
❼ 12개
❽ 14개
❾ 6개
❿ 7개
⓫ 8개
⓬ 10개

② 쌓기나무로 쌓은 모양을 보고 위, 앞, 옆에서 본 모양 그리기

2일 차

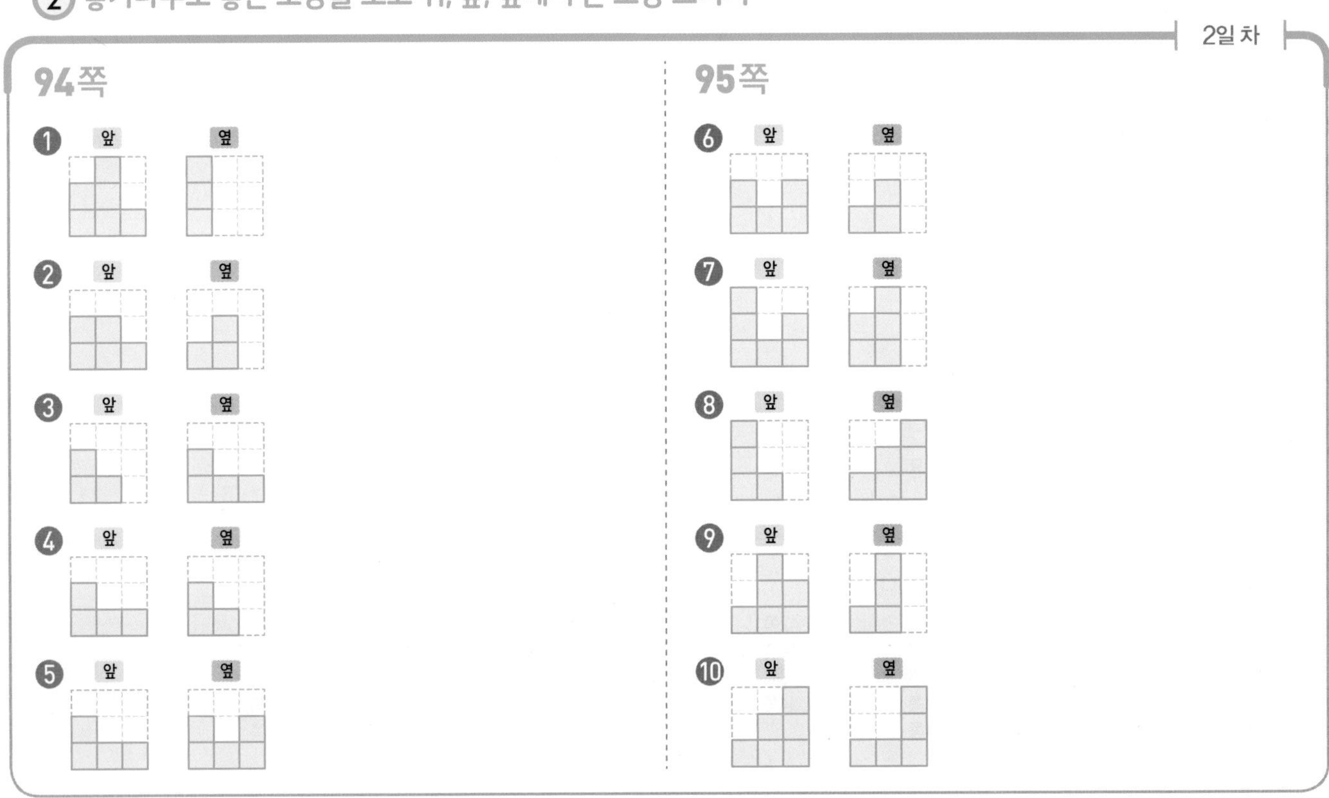

③ 위, 앞, 옆에서 본 모양을 보고 쌓은 모양과 쌓기나무의 개수 알아보기

3일 차

96쪽

❶ 5개
❷ 9개
❸ 11개
❹ 9개
❺ 14개

97쪽

❻ 10개
❼ 11개
❽ 11개
❾ 10개
❿ 12개
⓫ 9개
⓬ 6개
⓭ 9개
⓮ 12개
⓯ 11개

④ 위에서 본 모양에 수를 써서 쌓기나무의 개수 알아보기

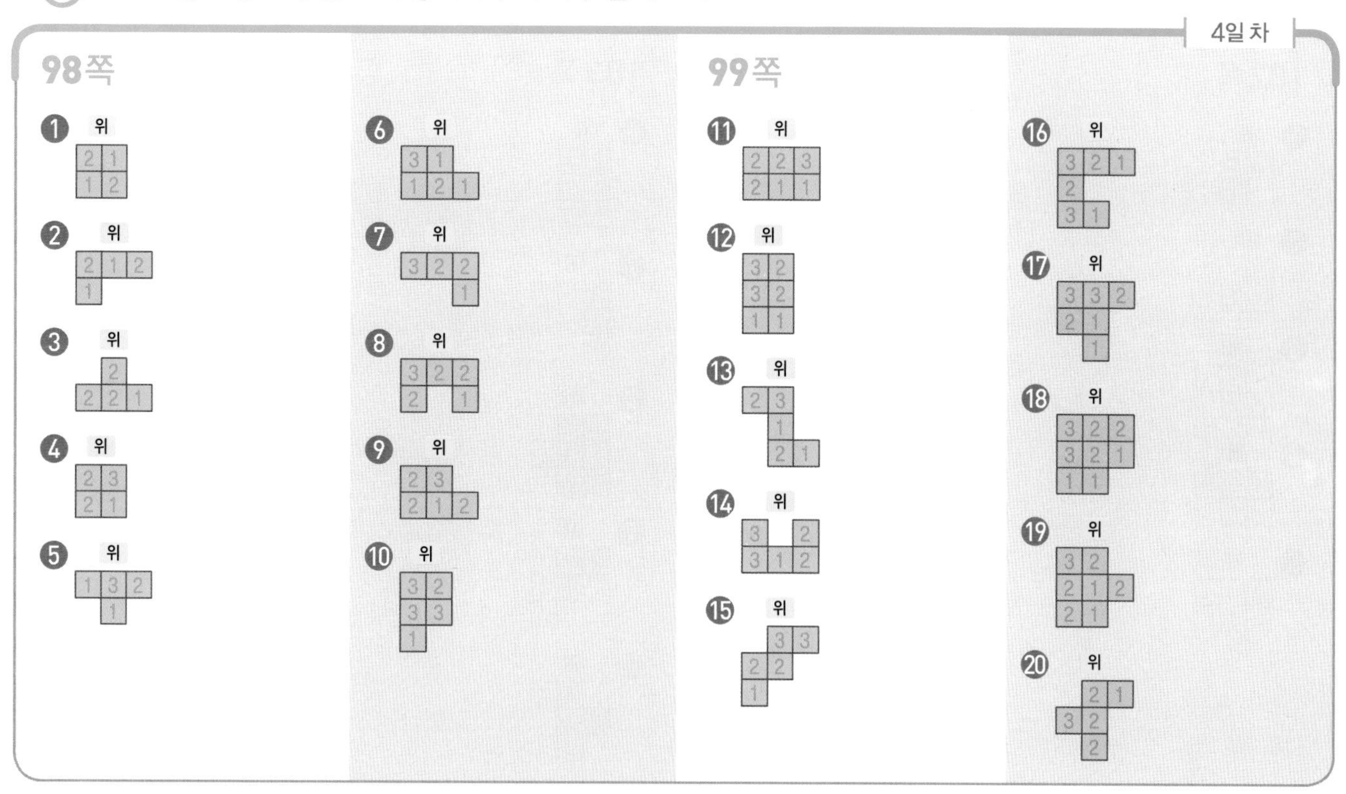

⑤ 쌓기나무로 쌓은 모양을 보고 층별로 나타낸 모양 그리기

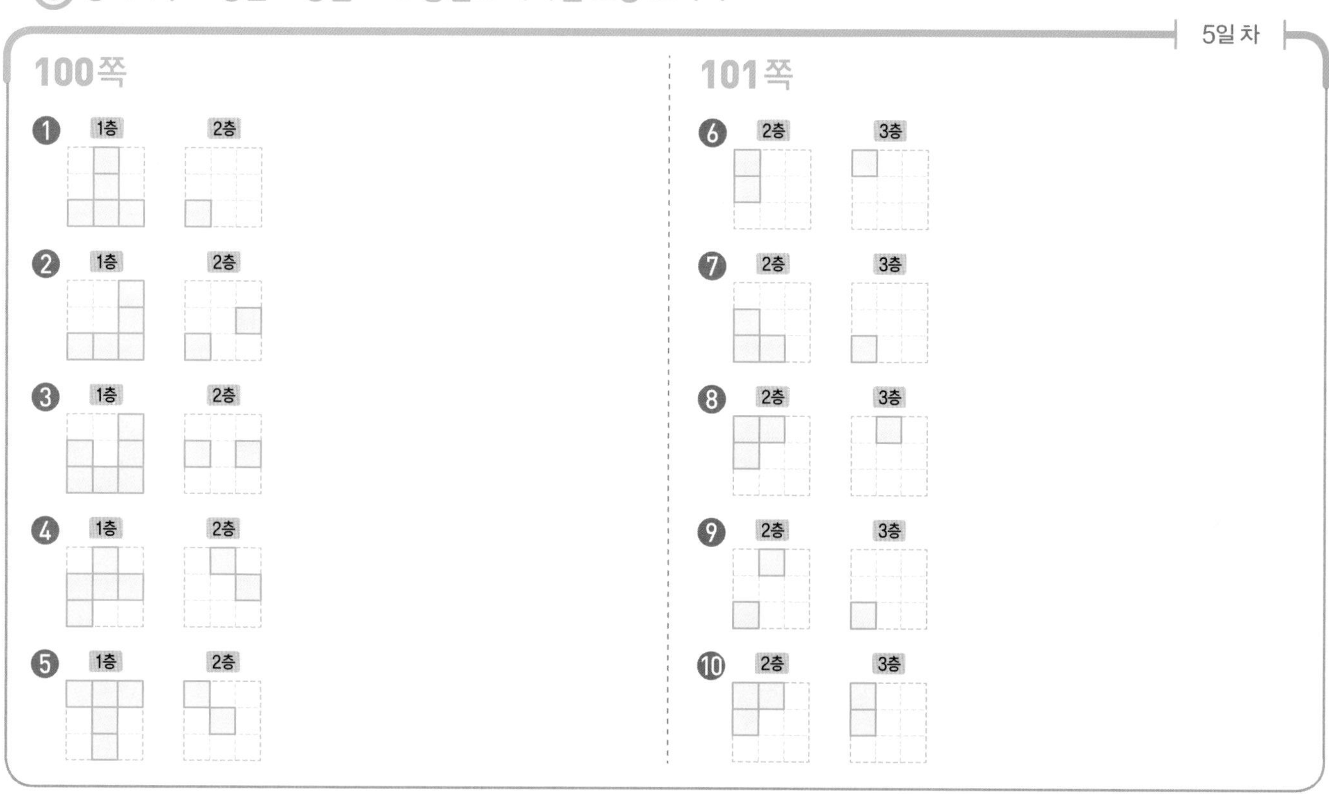

⑥ 층별로 나타낸 모양을 보고 쌓은 모양과 쌓기나무의 개수 알아보기

6일 차

102쪽

❶ 위

2	3
	1

❷ 위

3	
1	2

❸ 위

	2	3
1	3	

❹ 위

1	2	3
	1	

❺ 위

2	3	1
2	1	

103쪽

❻ 위

2	3
1	3
1	2

❼ 위

3	3	1
3		
1		

❽ 위

1	1	
1	3	2
2	2	

❾ 위

2	2	1
	1	3
		3

❿ 위

	3	1
3	2	
	3	

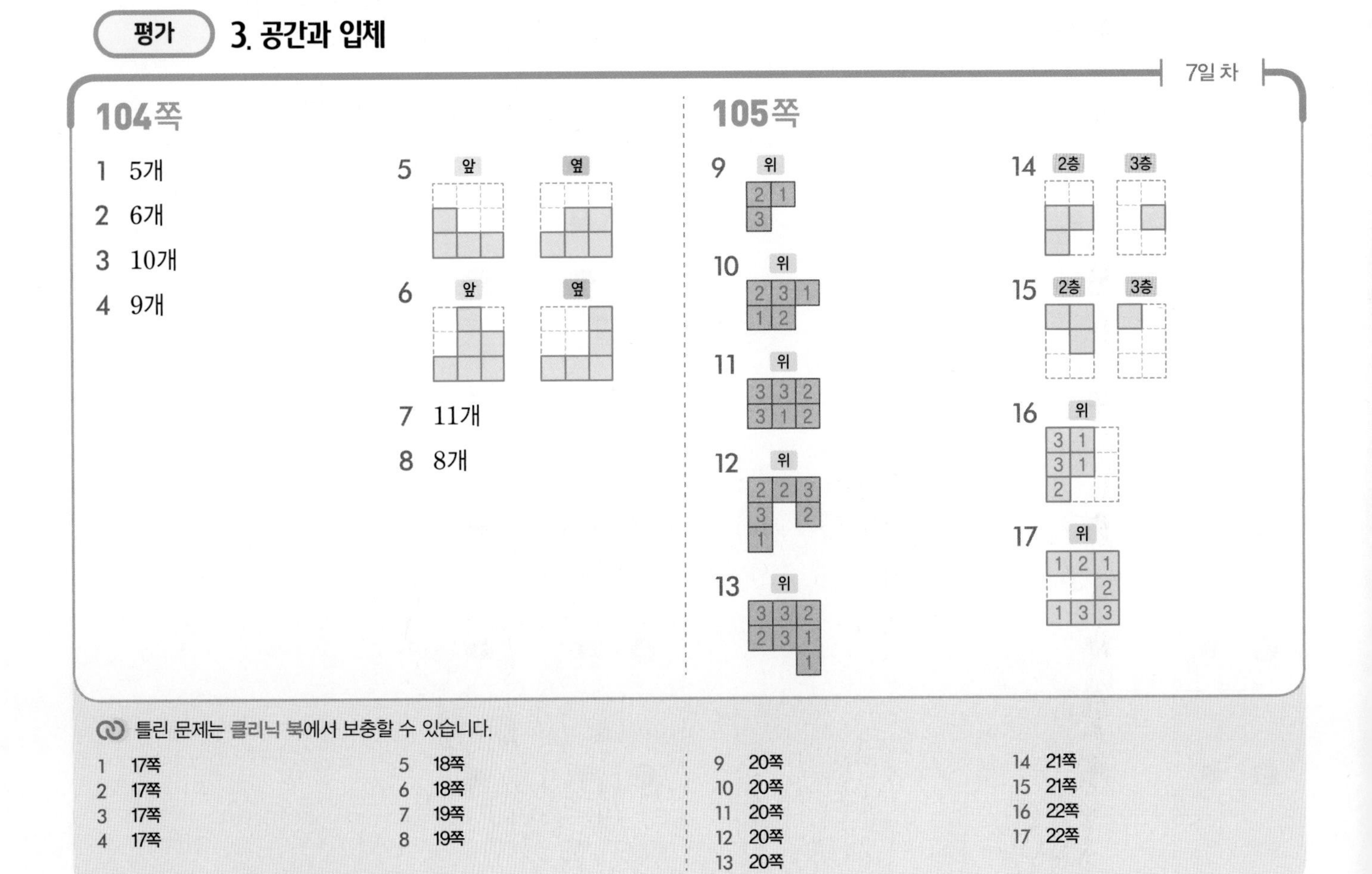

평가 3. 공간과 입체

7일 차

104쪽

1 5개
2 6개
3 10개
4 9개
5 앞 옆
6 앞 옆
7 11개
8 8개

105쪽

9 위

2	1
3	

10 위

2	3	1
1	2	

11 위

3	3	2
3	1	2

12 위

2	2	3
3		2
1		

13 위

3	3	2
2	3	1
		1

14 2층 3층

15 2층 3층

16 위

3	1	
3	1	
2		

17 위

1	2	1
		2
1	3	3

틀린 문제는 클리닉 북에서 보충할 수 있습니다.

1 17쪽
2 17쪽
3 17쪽
4 17쪽
5 18쪽
6 18쪽
7 19쪽
8 19쪽
9 20쪽
10 20쪽
11 20쪽
12 20쪽
13 20쪽
14 21쪽
15 21쪽
16 22쪽
17 22쪽

4. 비례식과 비례배분

① 비의 성질

1일 차

108쪽 ❶ 정답을 위에서부터 확인합니다.

❶ 6, 10 / 2
❷ 42, 35 / 7
❸ 32, 36 / 4
❹ 6 / 60, 18
❺ 3 / 36, 21

109쪽

❻ 3, 1 / 2
❼ 3, 2 / 3
❽ 3, 4 / 5
❾ 4, 8 / 7
❿ 9, 5 / 4
⓫ 6 / 8, 12
⓬ 8 / 7, 5
⓭ 9 / 9, 10
⓮ 25 / 4, 2
⓯ 50 / 6, 4

2일 차

110쪽 ❶ 정답을 위에서부터 확인합니다.

❶ 12, 15 / 3
❷ 6 / 30, 54
❸ 35, 20 / 5
❹ 7 / 77, 14
❺ 56, 32 / 4
❻ 8 / 128, 56
❼ 189, 54 / 9
❽ 4 / 112, 20
❾ 210, 120 / 6
❿ 10 / 440, 150

111쪽

⓫ 1, 2 / 8
⓬ 4 / 3, 8
⓭ 3, 7 / 6
⓮ 3 / 8, 7
⓯ 6, 5 / 9
⓰ 5 / 15, 13
⓱ 40, 18 / 2
⓲ 7 / 13, 9
⓳ 16, 8 / 15
⓴ 18 / 20, 15

② 간단한 자연수의 비로 나타내기

3일 차

112쪽

❶ 1 : 4
❷ 1 : 3
❸ 1 : 2
❹ 1 : 3
❺ 2 : 1
❻ 1 : 4
❼ 4 : 3
❽ 3 : 4
❾ 2 : 5
❿ 3 : 2
⓫ 7 : 1
⓬ 5 : 8
⓭ 2 : 5
⓮ 3 : 5

113쪽

⓯ 5 : 8
⓰ 7 : 3
⓱ 2 : 3
⓲ 3 : 2
⓳ 17 : 2
⓴ 3 : 1
㉑ 7 : 1
㉒ 16 : 7
㉓ 10 : 3
㉔ 3 : 2
㉕ 9 : 8
㉖ 5 : 2
㉗ 9 : 5
㉘ 23 : 5
㉙ 5 : 4
㉚ 4 : 3
㉛ 23 : 25
㉜ 16 : 9
㉝ 10 : 13
㉞ 42 : 31
㉟ 110 : 127

4일 차

114쪽

❶ 1 : 5
❷ 1 : 6
❸ 2 : 3
❹ 1 : 4
❺ 2 : 5
❻ 4 : 7
❼ 3 : 10
❽ 5 : 8
❾ 2 : 1
❿ 2 : 5
⓫ 5 : 4
⓬ 4 : 11
⓭ 1 : 3
⓮ 4 : 5
⓯ 7 : 20
⓰ 2 : 3
⓱ 3 : 2
⓲ 9 : 2
⓳ 7 : 2
⓴ 16 : 7
㉑ 7 : 10

115쪽

㉒ 9 : 8
㉓ 3 : 2
㉔ 7 : 10
㉕ 2 : 3
㉖ 7 : 6
㉗ 10 : 3
㉘ 17 : 16
㉙ 10 : 21
㉚ 6 : 5
㉛ 4 : 3
㉜ 11 : 4
㉝ 13 : 6
㉞ 3 : 1
㉟ 7 : 8
㊱ 2 : 1
㊲ 21 : 10
㊳ 36 : 19
㊴ 4 : 1
㊵ 92 : 51
㊶ 10 : 7
㊷ 105 : 71

③ 소수의 비를 간단한 자연수의 비로 나타내기

5일 차

116쪽

❶ 2 : 5
❷ 3 : 8
❸ 4 : 7
❹ 6 : 19
❺ 3 : 1
❻ 13 : 17
❼ 14 : 9
❽ 5 : 2
❾ 3 : 2
❿ 23 : 2
⓫ 8 : 7
⓬ 38 : 21
⓭ 16 : 11
⓮ 9 : 4

117쪽

⓯ 8 : 31
⓰ 15 : 14
⓱ 16 : 7
⓲ 1 : 2
⓳ 24 : 35
⓴ 6 : 11
㉑ 54 : 13
㉒ 57 : 124
㉓ 63 : 25
㉔ 18 : 61
㉕ 19 : 27
㉖ 33 : 4
㉗ 105 : 16
㉘ 53 : 101
㉙ 20 : 21
㉚ 23 : 25
㉛ 5 : 3
㉜ 97 : 130
㉝ 110 : 41
㉞ 46 : 25
㉟ 68 : 25

6일 차

118쪽

❶ 1 : 3
❷ 4 : 9
❸ 5 : 13
❹ 2 : 3
❺ 11 : 21
❻ 4 : 13
❼ 7 : 4
❽ 16 : 7
❾ 3 : 4
❿ 27 : 43
⓫ 5 : 2
⓬ 36 : 17
⓭ 14 : 19
⓮ 23 : 14
⓯ 5 : 3
⓰ 1 : 2
⓱ 13 : 29
⓲ 18 : 103
⓳ 27 : 154
⓴ 16 : 21
㉑ 45 : 94

119쪽

㉒ 56 : 75
㉓ 21 : 61
㉔ 9 : 4
㉕ 13 : 21
㉖ 39 : 22
㉗ 171 : 218
㉘ 127 : 76
㉙ 9 : 10
㉚ 20 : 17
㉛ 7 : 12
㉜ 40 : 89
㉝ 26 : 15
㉞ 20 : 31
㉟ 93 : 40
㊱ 150 : 97
㊲ 29 : 30
㊳ 250 : 219
㊴ 21 : 10
㊵ 110 : 51
㊶ 89 : 65
㊷ 210 : 97

④ 분수의 비를 간단한 자연수의 비로 나타내기

7일 차

120쪽

❶ 3 : 2
❷ 15 : 4
❸ 36 : 35
❹ 5 : 12
❺ 16 : 35
❻ 9 : 16
❼ 10 : 9
❽ 18 : 5
❾ 2 : 9
❿ 25 : 49
⓫ 77 : 32
⓬ 2 : 3

121쪽

⓭ 15 : 22
⓮ 10 : 9
⓯ 3 : 4
⓰ 28 : 13
⓱ 7 : 10
⓲ 8 : 7
⓳ 70 : 81
⓴ 39 : 32
㉑ 9 : 11
㉒ 1 : 2
㉓ 11 : 6
㉔ 88 : 63
㉕ 25 : 3
㉖ 32 : 65
㉗ 32 : 21
㉘ 9 : 44
㉙ 7 : 20
㉚ 3 : 2

8일 차

122쪽

1 5 : 8
2 8 : 3
3 6 : 5
4 5 : 14
5 21 : 20
6 2 : 3
7 12 : 5
8 25 : 44
9 1 : 4
10 8 : 27
11 55 : 12
12 4 : 3
13 5 : 6
14 28 : 55
15 5 : 12
16 39 : 49
17 9 : 4
18 32 : 51

123쪽

19 9 : 10
20 24 : 25
21 5 : 6
22 19 : 27
23 25 : 54
24 4 : 5
25 2 : 5
26 21 : 8
27 15 : 32
28 42 : 5
29 25 : 33
30 27 : 7
31 46 : 9
32 4 : 7
33 16 : 5
34 21 : 68
35 40 : 23
36 1 : 6

5 소수와 분수의 비를 간단한 자연수의 비로 나타내기

9일 차

124쪽

1 1 : 5
2 3 : 10
3 8 : 5
4 27 : 10
5 4 : 5
6 8 : 15
7 6 : 5
8 7 : 3
9 27 : 5
10 25 : 24
11 33 : 10
12 81 : 50

125쪽

13 5 : 9
14 5 : 36
15 15 : 32
16 25 : 7
17 15 : 8
18 25 : 63
19 18 : 1
20 5 : 18
21 7 : 12
22 1 : 7
23 11 : 39
24 12 : 7
25 5 : 9
26 5 : 2
27 70 : 73
28 5 : 6
29 15 : 4
30 95 : 56

10일 차

126쪽

1 1 : 4
2 1 : 5
3 9 : 25
4 8 : 5
5 27 : 20
6 77 : 100
7 6 : 5
8 9 : 28
9 69 : 50
10 33 : 4
11 2 : 1
12 24 : 5
13 72 : 25
14 3 : 2
15 3 : 1
16 9 : 5
17 2 : 1
18 13 : 5

127쪽

19 1 : 5
20 8 : 3
21 3 : 7
22 5 : 16
23 25 : 12
24 5 : 18
25 25 : 36
26 15 : 8
27 5 : 36
28 1 : 3
29 3 : 4
30 14 : 13
31 3 : 1
32 4 : 7
33 35 : 12
34 17 : 10
35 90 : 11
36 14 : 9

6 비례식

11일 차

128쪽

1 4, 8
2 6, 9
3 12, 15
4 12, 10
5 28, 8
6 24, 9

129쪽

7 3, 4
8 5, 20
9 4, 7
10 7, 3
11 9, 3
12 8, 7
13 27, 15
14 10, 6
15 16, 6
16 20, 12
17 36, 8
18 21, 18

⑦ 비례식의 성질

12일 차

130쪽

❶ 6
❷ 15
❸ 8
❹ 18
❺ 21
❻ 7
❼ 9
❽ 16
❾ 5
❿ 6
⓫ 10
⓬ 20
⓭ 5
⓮ 6

131쪽

⓯ 25
⓰ 18
⓱ 27
⓲ 19
⓳ 81
⓴ 100
㉑ 120
㉒ 8
㉓ 6
㉔ 5
㉕ 18
㉖ 7
㉗ 9
㉘ 15

13일 차

132쪽

❶ 8
❷ 4
❸ 9
❹ 4
❺ 12
❻ 33
❼ 7
❽ 9
❾ 3
❿ 27
⓫ 45
⓬ 72
⓭ 20
⓮ 8

133쪽

⓯ 2
⓰ 2.5
⓱ 1.2
⓲ 14
⓳ 15
⓴ 20
㉑ 0.3
㉒ 7
㉓ $\frac{1}{3}$
㉔ $\frac{5}{9}$
㉕ 12
㉖ 16
㉗ 21
㉘ $\frac{1}{2}$

⑧ 비례배분

14일 차

134쪽

❶ 2, 1
❷ 1, 3
❸ 2, 3
❹ 6, 1
❺ 5, 4
❻ 8, 6
❼ 5, 10

135쪽

❽ 10, 16
❾ 21, 14
❿ 12, 30
⓫ 42, 6
⓬ 15, 35
⓭ 24, 39
⓮ 42, 36
⓯ 48, 40
⓰ 40, 56
⓱ 52, 64
⓲ 30, 100
⓳ 99, 45
⓴ 90, 99
㉑ 108, 117

15일 차

136쪽

❶ 1, 5
❷ 5, 2
❸ 3, 5
❹ 7, 2
❺ 2, 8
❻ 8, 4
❼ 10, 6
❽ 14, 8
❾ 10, 14
❿ 27, 3
⓫ 24, 15
⓬ 10, 35
⓭ 21, 28
⓮ 24, 30

137쪽

⓯ 40, 15
⓰ 12, 52
⓱ 55, 20
⓲ 28, 48
⓳ 9, 72
⓴ 69, 23
㉑ 35, 63
㉒ 65, 55
㉓ 84, 52
㉔ 99, 63
㉕ 165, 20
㉖ 63, 161
㉗ 189, 91
㉘ 80, 232

평가 **4. 비례식과 비례배분**

16일 차

138쪽

1 (위에서부터) 15, 9 / 3
2 (위에서부터) 8 / 9, 11
3 10, 8
4 21, 14
5 1 : 5
6 6 : 5
7 2 : 7
8 15 : 8
9 3 : 8
10 8 : 21
11 15 : 14
12 31 : 26

139쪽

13 10 : 9
14 4 : 5
15 49 : 6
16 13 : 4
17 5 : 12
18 25 : 3
19 3
20 6
21 1.5
22 12
23 10, 15
24 32, 36
25 105, 49

틀린 문제는 클리닉 북에서 보충할 수 있습니다.

문제	쪽	문제	쪽	문제	쪽	문제	쪽	문제	쪽	문제	쪽	문제	쪽
1	23쪽	5	24쪽	9	25쪽	13	26쪽	17	27쪽	19	29쪽	23	30쪽
2	23쪽	6	24쪽	10	25쪽	14	26쪽	18	27쪽	20	29쪽	24	30쪽
3	28쪽	7	24쪽	11	25쪽	15	26쪽			21	29쪽	25	30쪽
4	28쪽	8	24쪽	12	25쪽	16	27쪽			22	29쪽		

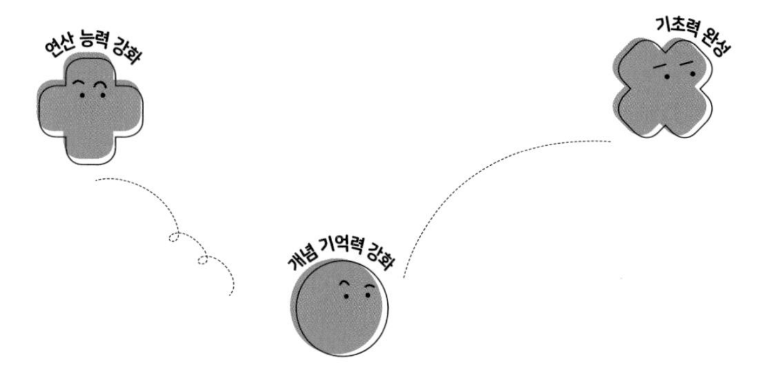

5. 원의 넓이

① 원주와 원주율

1일 차

142쪽

❶ 3 cm
❷ 15 cm
❸ 24 cm
❹ 33 cm
❺ 60 cm

143쪽

❻ 12.4 cm
❼ 37.2 cm
❽ 80.6 cm
❾ 111.6 cm
❿ 155 cm
⓫ 18.6 cm
⓬ 52.7 cm
⓭ 99.2 cm
⓮ 142.6 cm
⓯ 173.6 cm

2일 차

144쪽

❶ 21.7 cm
❷ 40.3 cm
❸ 55.8 cm
❹ 89.9 cm
❺ 133.3 cm
❻ 27.9 cm
❼ 49.6 cm
❽ 68.2 cm
❾ 114.7 cm
❿ 148.8 cm

145쪽

⓫ 6.28 cm
⓬ 62.8 cm
⓭ 94.2 cm
⓮ 119.32 cm
⓯ 163.28 cm
⓰ 43.96 cm
⓱ 78.5 cm
⓲ 106.76 cm
⓳ 131.88 cm
⓴ 188.4 cm

② 원주를 이용하여 지름 구하기

3일 차

146쪽

❶ 3 cm
❷ 4 cm
❸ 7 cm
❹ 12 cm
❺ 15 cm

147쪽

❻ 1 cm
❼ 5 cm
❽ 11 cm
❾ 14 cm
❿ 21 cm
⓫ 4 cm
⓬ 7.5 cm
⓭ 12 cm
⓮ 19 cm
⓯ 27 cm

4일 차

148쪽

❶ 2 cm
❷ 10 cm
❸ 14 cm
❹ 19 cm
❺ 27 cm
❻ 9 cm
❼ 12 cm
❽ 17 cm
❾ 21 cm
❿ 30 cm

149쪽

⓫ 3 cm
⓬ 9 cm
⓭ 13 cm
⓮ 20 cm
⓯ 23 cm
⓰ 6 cm
⓱ 8 cm
⓲ 16.5 cm
⓳ 22 cm
⓴ 29 cm

비법 강의 외우면 빨라지는 계산 비법

5일 차

150쪽

❶ 25, 36, 49
❷ 81, 100, 121
❸ 169, 196, 225
❹ 289, 324, 361

151쪽

❺ 144
❻ 169
❼ 256
❽ 225
❾ 196
❿ 361
⓫ 289
⓬ 11, 11
⓭ 14, 14
⓮ 15, 15
⓯ 12, 12
⓰ 16, 16
⓱ 13, 13
⓲ 18, 18

③ 원의 넓이

6일 차

152쪽

❶ 3 cm^2
❷ 147 cm^2
❸ 432 cm^2
❹ 768 cm^2
❺ 1323 cm^2

153쪽

❻ 12.4 cm^2
❼ 77.5 cm^2
❽ 251.1 cm^2
❾ 607.6 cm^2
❿ 1240 cm^2
⓫ 49.6 cm^2
⓬ 111.6 cm^2
⓭ 375.1 cm^2
⓮ 895.9 cm^2
⓯ 1639.9 cm^2

7일 차

154쪽

❶ 48 cm^2
❷ 108 cm^2
❸ 363 cm^2
❹ 675 cm^2
❺ 1200 cm^2
❻ 75 cm^2
❼ 243 cm^2
❽ 588 cm^2
❾ 867 cm^2
❿ 1728 cm^2

155쪽

⓫ 3.14 cm^2
⓬ 153.86 cm^2
⓭ 452.16 cm^2
⓮ 803.84 cm^2
⓯ 1519.76 cm^2
⓰ 28.26 cm^2
⓱ 200.96 cm^2
⓲ 530.66 cm^2
⓳ 1017.36 cm^2
⓴ 1962.5 cm^2

평가 5. 원의 넓이

8일 차

156쪽		157쪽	
1 9.3 cm	6 6 cm	11 192 cm^2	16 310 cm^2
2 43.4 cm	7 13 cm	12 507 cm^2	17 697.5 cm^2
3 117.8 cm	8 24 cm	13 972 cm^2	18 1119.1 cm^2
4 105.4 cm	9 7 cm	14 1875 cm^2	19 1367.1 cm^2
5 179.8 cm	10 15 cm	15 2700 cm^2	20 1785.6 cm^2

틀린 문제는 클리닉 북에서 보충할 수 있습니다.

1 31쪽	6 32쪽	11 33쪽	16 33쪽
2 31쪽	7 32쪽	12 33쪽	17 33쪽
3 31쪽	8 32쪽	13 33쪽	18 33쪽
4 31쪽	9 32쪽	14 33쪽	19 33쪽
5 31쪽	10 32쪽	15 33쪽	20 33쪽

6. 원기둥, 원뿔, 구

① 원기둥

1일 차

160쪽		161쪽	
❶ ×	❻ ○	⓫ 6, 5	⓯ 14, 19
❷ ×	❼ ×	⓬ 10, 15	⓰ 22, 25
❸ ○	❽ ×	⓭ 16, 14	⓱ 24, 9
❹ ×	❾ ○	⓮ 20, 7	⓲ 26, 17
❺ ○	❿ ×		

② 원기둥의 전개도

2일 차

162쪽 ❶ 정답을 위에서부터 확인합니다.

162쪽	163쪽	
❶ 4, 12, 5	❺ 3, 7, 18.6	❾ 11, 30, 68.2
❷ 8, 24, 6	❻ 7, 10, 43.4	❿ 12, 18, 74.4
❸ 12, 7, 36	❼ 9, 11, 55.8	⓫ 13, 33, 80.6
❹ 14, 5, 42	❽ 10, 21, 62	⓬ 14, 27, 86.8

③ 원뿔

3일 차

164쪽

❶ ×
❷ ○
❸ ×
❹ ○
❺ ×
❻ ×
❼ ×
❽ ○
❾ ×
❿ ○

165쪽

⓫ 4, 5, 6
⓬ 8, 10, 12
⓭ 5, 13, 24
⓮ 15, 17, 16
⓯ 24, 26, 20
⓰ 15, 25, 40

④ 구

4일 차

166쪽

❶ ○
❷ ×
❸ ×
❹ ○
❺ ×
❻ ×
❼ ×
❽ ○
❾ ×
❿ ○

167쪽

⓫ 5 cm
⓬ 6 cm
⓭ 8 cm
⓮ 9 cm
⓯ 4 cm
⓰ 5 cm
⓱ 10 cm
⓲ 12 cm

평가 6. 원기둥, 원뿔, 구

5일 차

168쪽

1 ○
2 ×
3 ○
4 8, 7
5 18, 24
6 (위에서부터) 10, 8, 31
7 (위에서부터) 16, 11, 49.6
8 (위에서부터) 4, 7, 24.8
9 (위에서부터) 6, 14, 37.2

169쪽

10 ×
11 ×
12 ○
13 6, 10, 16
14 12, 13, 10
15 ×
16 ×
17 ○
18 4 cm
19 9 cm

틀린 문제는 클리닉 북에서 보충할 수 있습니다.

1 35쪽
2 35쪽
3 35쪽
4 35쪽
5 35쪽
6 36쪽
7 36쪽
8 36쪽
9 36쪽
10 37쪽
11 37쪽
12 37쪽
13 37쪽
14 37쪽
15 38쪽
16 38쪽
17 38쪽
18 38쪽
19 38쪽

1. 분수의 나눗셈

1쪽 1 분자끼리 나누어떨어지는 분모가 같은 (진분수)÷(진분수)

① 2	② 3	③ 2
④ 7	⑤ 5	⑥ 2
⑦ 3	⑧ 7	⑨ 5
⑩ 3	⑪ 3	⑫ 4
⑬ 2	⑭ 8	⑮ 2
⑯ 5	⑰ 5	⑱ 3
⑲ 4	⑳ 3	㉑ 2

2쪽 2 분자끼리 나누어떨어지지 않는 분모가 같은 (진분수)÷(진분수)

① $\frac{1}{3}$	② $1\frac{1}{3}$	③ $\frac{1}{5}$
④ $\frac{1}{2}$	⑤ $3\frac{1}{2}$	⑥ $\frac{4}{5}$
⑦ $3\frac{1}{3}$	⑧ $\frac{5}{9}$	⑨ $2\frac{1}{7}$
⑩ $6\frac{1}{2}$	⑪ $\frac{7}{9}$	⑫ $3\frac{2}{3}$
⑬ $2\frac{1}{2}$	⑭ $\frac{3}{4}$	⑮ $3\frac{2}{7}$
⑯ $\frac{2}{7}$	⑰ $1\frac{5}{8}$	⑱ $\frac{2}{3}$
⑲ $2\frac{1}{3}$	⑳ $\frac{17}{29}$	㉑ $4\frac{1}{9}$

3쪽 3 분모가 다른 (진분수)÷(진분수)

① $2\frac{1}{2}$	② $\frac{4}{9}$	③ $1\frac{1}{2}$
④ $\frac{14}{25}$	⑤ $1\frac{2}{5}$	⑥ $2\frac{2}{9}$
⑦ $\frac{3}{7}$	⑧ $1\frac{1}{35}$	⑨ $\frac{7}{16}$
⑩ $\frac{35}{36}$	⑪ $2\frac{2}{15}$	⑫ $2\frac{2}{5}$
⑬ 4	⑭ $\frac{28}{33}$	⑮ $2\frac{2}{3}$
⑯ $1\frac{7}{32}$	⑰ $1\frac{1}{24}$	⑱ $\frac{16}{39}$
⑲ $\frac{14}{45}$	⑳ $5\frac{3}{4}$	㉑ $\frac{24}{25}$

4쪽 4 (자연수)÷(진분수)

① 12	② 8	③ 18
④ 3	⑤ $3\frac{3}{4}$	⑥ $4\frac{4}{5}$
⑦ $5\frac{5}{7}$	⑧ 9	⑨ $9\frac{4}{5}$
⑩ $8\frac{4}{5}$	⑪ $19\frac{1}{2}$	⑫ 14
⑬ 15	⑭ $13\frac{1}{3}$	⑮ 18
⑯ 27	⑰ 28	⑱ $43\frac{1}{5}$
⑲ 36	⑳ 51	㉑ $37\frac{1}{2}$

5쪽 5 (가분수)÷(진분수)

① 2	② $5\frac{5}{6}$	③ $3\frac{1}{3}$
④ $4\frac{2}{3}$	⑤ $2\frac{7}{10}$	⑥ $4\frac{2}{5}$
⑦ $2\frac{7}{10}$	⑧ $1\frac{13}{15}$	⑨ $2\frac{16}{25}$
⑩ $3\frac{1}{2}$	⑪ $8\frac{1}{4}$	⑫ $1\frac{13}{14}$
⑬ $2\frac{4}{7}$	⑭ $2\frac{7}{16}$	⑮ $2\frac{1}{12}$
⑯ $3\frac{1}{2}$	⑰ $1\frac{7}{9}$	⑱ $2\frac{2}{3}$
⑲ $2\frac{8}{9}$	⑳ $4\frac{11}{20}$	㉑ $3\frac{3}{4}$

6쪽 6 (대분수)÷(진분수)

① $2\frac{1}{2}$	② $2\frac{11}{12}$	③ $2\frac{1}{4}$
④ $1\frac{4}{5}$	⑤ $1\frac{4}{5}$	⑥ $4\frac{7}{12}$
⑦ $1\frac{5}{7}$	⑧ $7\frac{1}{2}$	⑨ $1\frac{22}{27}$
⑩ $2\frac{2}{3}$	⑪ $4\frac{7}{12}$	⑫ $2\frac{4}{5}$
⑬ $6\frac{3}{10}$	⑭ $7\frac{1}{12}$	⑮ $2\frac{4}{7}$
⑯ $4\frac{3}{8}$	⑰ $4\frac{2}{3}$	⑱ $6\frac{3}{10}$
⑲ 12	⑳ $28\frac{1}{2}$	㉑ $7\frac{1}{2}$

7쪽 7 (대분수)÷(대분수)

❶ $\frac{9}{10}$ ❷ $\frac{20}{27}$ ❸ $1\frac{1}{6}$
❹ $\frac{21}{50}$ ❺ $\frac{36}{55}$ ❻ $1\frac{13}{42}$
❼ $\frac{32}{77}$ ❽ $1\frac{4}{21}$ ❾ $\frac{15}{26}$
❿ $\frac{13}{15}$ ⓫ $1\frac{5}{6}$ ⓬ $\frac{33}{50}$
⓭ $\frac{84}{85}$ ⓮ $1\frac{3}{10}$ ⓯ $\frac{5}{7}$
⓰ $\frac{1}{2}$ ⓱ $\frac{23}{42}$ ⓲ $\frac{4}{7}$
⓳ $1\frac{1}{24}$ ⓴ $\frac{50}{69}$ ㉑ $1\frac{2}{7}$

2. 소수의 나눗셈

9쪽 1 자연수의 나눗셈을 이용한 (소수)÷(소수)

❶ (위에서부터) 10, 10 / 21, 3, 7 / 7
❷ (위에서부터) 10, 10 / 45, 5, 9 / 9
❸ (위에서부터) 10, 10 / 77, 7, 11 / 11
❹ (위에서부터) 10, 10 / 132, 4, 33 / 33
❺ (위에서부터) 100, 100 / 189, 9, 21 / 21
❻ (위에서부터) 100, 100 / 208, 16, 13 / 13
❼ (위에서부터) 100, 100 / 504, 84, 6 / 6
❽ (위에서부터) 100, 100 / 624, 52, 12 / 12

10쪽 2 (소수 한 자리 수)÷(소수 한 자리 수)

❶ 4 ❷ 9 ❸ 13
❹ 17 ❺ 16 ❻ 21
❼ 19 ❽ 18 ❾ 24
❿ 3 ⓫ 8 ⓬ 9
⓭ 12 ⓮ 14 ⓯ 13
⓰ 18 ⓱ 22 ⓲ 29

11쪽 3 (소수 두 자리 수)÷(소수 두 자리 수)

❶ 8 ❷ 9 ❸ 11
❹ 14 ❺ 17 ❻ 19
❼ 21 ❽ 16 ❾ 25
❿ 3 ⓫ 7 ⓬ 12
⓭ 16 ⓮ 19 ⓯ 14
⓰ 18 ⓱ 21 ⓲ 23

12쪽 4 (소수 두 자리 수)÷(소수 한 자리 수)

❶ 1.2 ❷ 2.7 ❸ 2.4
❹ 3.1 ❺ 1.9 ❻ 2.8
❼ 1.6 ❽ 3.7 ❾ 4.2
❿ 1.4 ⓫ 1.7 ⓬ 0.9
⓭ 1.8 ⓮ 2.3 ⓯ 2.9
⓰ 3.4 ⓱ 4.1 ⓲ 3.5

13쪽 5 (자연수)÷(소수 한 자리 수)

❶ 2 ❷ 5 ❸ 12
❹ 15 ❺ 14 ❻ 20
❼ 16 ❽ 25 ❾ 32
❿ 5 ⓫ 8 ⓬ 5
⓭ 15 ⓮ 25 ⓯ 24
⓰ 28 ⓱ 26 ⓲ 35

14쪽 6 (자연수)÷(소수 두 자리 수)

❶ 8 ❷ 16 ❸ 20
❹ 25 ❺ 50 ❻ 36
❼ 32 ❽ 25 ❾ 24
❿ 25 ⓫ 8 ⓬ 16
⓭ 25 ⓮ 12 ⓯ 28
⓰ 16 ⓱ 50 ⓲ 40

15쪽 7 몫을 반올림하여 나타내기

❶ 2 ❷ 4 ❸ 7
❹ 2.3 ❺ 0.7 ❻ 9.6
❼ 0.67 ❽ 1.52 ❾ 3.82
❿ 3 ⓫ 1.08 ⓬ 6.1

16쪽 8 나누어 주고 남는 양

❶ 2, 0.1 ❷ 3, 1.1 ❸ 8, 1.7
❹ 9, 0.3 ❺ 12, 3.5 ❻ 13, 7.6
❼ 3, 0.9 ❽ 6, 1.4 ❾ 5, 2.7
❿ 10, 3.9 ⓫ 11, 3.3 ⓬ 14, 1.6

3. 공간과 입체

17쪽 1 쌓기나무로 쌓은 모양과 위에서 본 모양을 보고 쌓은 모양과 쌓기나무의 개수 알아보기

❶ 6개 ❷ 7개
❸ 9개 ❹ 11개
❺ 13개 ❻ 14개
❼ 8개 ❽ 8개

18쪽 2 쌓기나무로 쌓은 모양을 보고 위, 앞, 옆에서 본 모양 그리기

❶
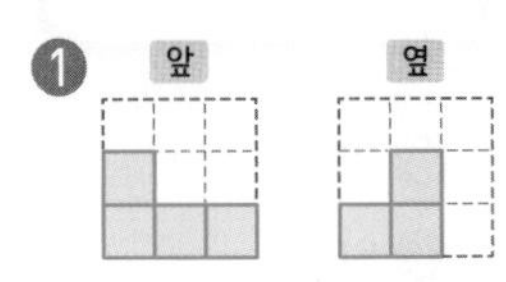

❷
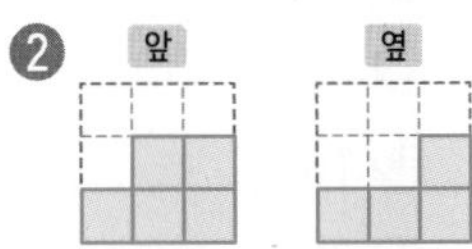

❸ 앞 옆

❹ 앞 옆

❺
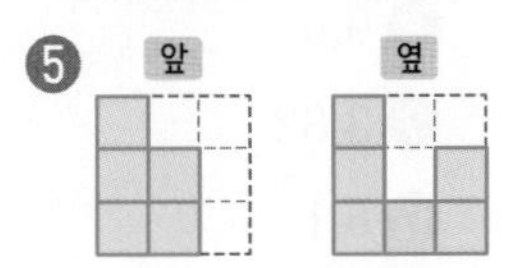

19쪽 3 위, 앞, 옆에서 본 모양을 보고 쌓은 모양과 쌓기나무의 개수 알아보기

❶ 6개 ❷ 9개
❸ 9개 ❹ 11개
❺ 13개 ❻ 13개
❼ 10개 ❽ 10개
❾ 11개 ❿ 9개

20쪽 4 위에서 본 모양에 수를 써서 쌓기나무의 개수 알아보기

❶
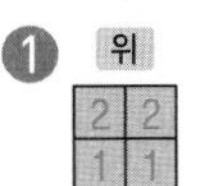

❷
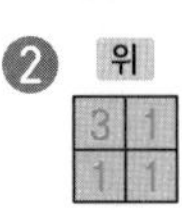

❸
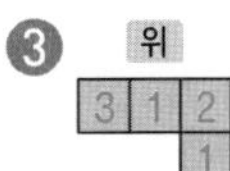

❹
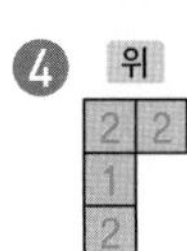

❺ 위
3 1
1 1 2

❻
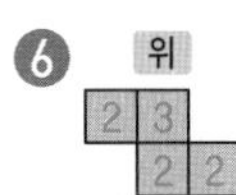

❼ 위
2 2
3 1
1 2

❽
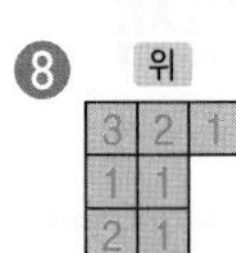

❾ 위
3 3 3
1 2 1
1 1

❿
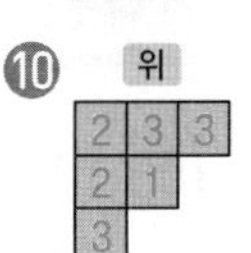

21쪽 5 쌓기나무로 쌓은 모양을 보고 층별로 나타낸 모양 그리기

❶ 1층 2층

❷
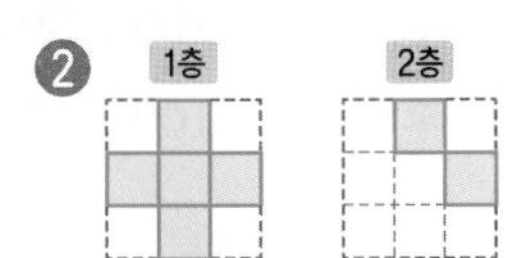

❸ 1층 2층

❹
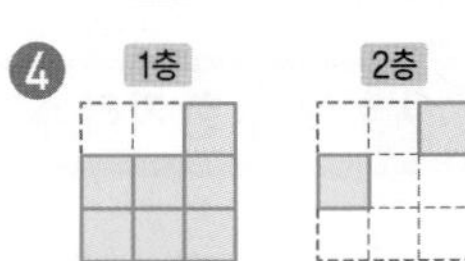

❺ 2층 3층

❻
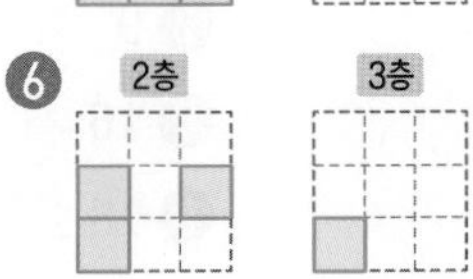

❼ 2층 3층

22쪽 6 층별로 나타낸 모양을 보고 쌓은 모양과 쌓기나무의 개수 알아보기

❶ 위

3	1
	2

❷ 위

2	3	1
3		

❸ 위

1	1	2
3	3	
2		

❹ 위

	3	2
2	2	1
	1	

❺ 위

3	3	3
2		
1	1	1

4. 비례식과 비례배분

23쪽 1 비의 성질

❶ (위에서부터) 9, 12 / 3 ❷ (위에서부터) 54, 42 / 6
❸ (위에서부터) 5 / 120, 150 ❹ (위에서부터) 8 / 256, 120
❺ (위에서부터) 4, 3 / 2 ❻ (위에서부터) 5, 3 / 5
❼ (위에서부터) 7 / 8, 11 ❽ (위에서부터) 9 / 12, 7

24쪽 2 간단한 자연수의 비로 나타내기

❶ 2 : 1 ❷ 1 : 5 ❸ 3 : 4
❹ 1 : 2 ❺ 5 : 7 ❻ 3 : 1
❼ 5 : 7 ❽ 3 : 5 ❾ 5 : 3
❿ 2 : 9 ⓫ 2 : 3 ⓬ 1 : 2
⓭ 5 : 8 ⓮ 2 : 3 ⓯ 13 : 20
⓰ 39 : 16 ⓱ 9 : 20 ⓲ 31 : 27
⓳ 51 : 83 ⓴ 51 : 28 ㉑ 12 : 11

25쪽 3 소수의 비를 간단한 자연수의 비로 나타내기

❶ 2 : 3 ❷ 3 : 4 ❸ 6 : 13
❹ 2 : 1 ❺ 5 : 9 ❻ 4 : 3
❼ 4 : 1 ❽ 29 : 7 ❾ 4 : 5
❿ 3 : 4 ⓫ 5 : 17 ⓬ 21 : 38
⓭ 9 : 14 ⓮ 109 : 77 ⓯ 5 : 2
⓰ 14 : 85 ⓱ 10 : 29 ⓲ 31 : 40
⓳ 80 : 47 ⓴ 3 : 5 ㉑ 120 : 73

26쪽 4 분수의 비를 간단한 자연수의 비로 나타내기

❶ 3 : 4 ❷ 9 : 10 ❸ 18 : 7
❹ 55 : 48 ❺ 45 : 56 ❻ 51 : 44
❼ 25 : 18 ❽ 1 : 2 ❾ 33 : 80
❿ 110 : 63 ⓫ 46 : 75 ⓬ 155 : 136
⓭ 6 : 1 ⓮ 2 : 3 ⓯ 21 : 8
⓰ 7 : 24 ⓱ 58 : 21 ⓲ 5 : 14

27쪽 5 소수와 분수의 비를 간단한 자연수의 비로 나타내기

❶ 8 : 25 ❷ 1 : 5 ❸ 3 : 20
❹ 24 : 55 ❺ 26 : 25 ❻ 13 : 21
❼ 42 : 25 ❽ 57 : 55 ❾ 49 : 40
❿ 5 : 3 ⓫ 16 : 21 ⓬ 15 : 64
⓭ 25 : 18 ⓮ 5 : 21 ⓯ 17 : 56
⓰ 2 : 3 ⓱ 20 : 9 ⓲ 100 : 81

28쪽 6 비례식

❶ 9, 6 ❷ 12, 3
❸ 18, 24 ❹ 4, 5
❺ 3, 7 ❻ 5, 3
❼ 6, 11 ❽ 3, 2
❾ 8, 6 ❿ 6, 9
⓫ 15, 12 ⓬ 10, 4

29쪽 7 비례식의 성질

❶ 4 ❷ 9
❸ 20 ❹ 25
❺ 9 ❻ 18
❼ 26 ❽ 33
❾ 75 ❿ 8
⓫ 3.5 ⓬ 25
⓭ $\frac{3}{10}$ ⓮ 40

30쪽 8 비례배분

❶ 1, 2 ❷ 3, 2
❸ 3, 7 ❹ 4, 10
❺ 14, 4 ❻ 18, 10
❼ 12, 21 ❽ 30, 27
❾ 32, 40 ❿ 35, 49
⓫ 91, 21 ⓬ 96, 54
⓭ 138, 66 ⓮ 60, 186

5. 원의 넓이

31쪽 1 원주와 원주율

❶ 6 cm ❷ 18 cm
❸ 30 cm ❹ 42 cm
❺ 57 cm ❻ 75 cm
❼ 24.8 cm ❽ 68.2 cm
❾ 124 cm ❿ 167.4 cm

32쪽 2 원주를 이용하여 지름 구하기

❶ 5 cm ❷ 8 cm
❸ 13 cm ❹ 18 cm
❺ 22 cm ❻ 26 cm
❼ 10 cm ❽ 15 cm
❾ 17 cm ❿ 24 cm

33쪽 3 원의 넓이

❶ 12 cm^2 ❷ 108 cm^2
❸ 300 cm^2 ❹ 588 cm^2
❺ 1083 cm^2 ❻ 1587 cm^2
❼ 27.9 cm^2 ❽ 151.9 cm^2
❾ 446.4 cm^2 ❿ 793.6 cm^2

6. 원기둥, 원뿔, 구

35쪽 1 원기둥

❶ ○ ❷ × ❸ ×
❹ ○ ❺ × ❻ ○
❼ 6, 5 ❽ 16, 15
❾ 8, 8 ❿ 14, 12

36쪽 2 원기둥의 전개도

❶ (위에서부터) 8, 6, 24.8 ❷ (위에서부터) 12, 13, 37.2
❸ (위에서부터) 18, 15, 55.8 ❹ (위에서부터) 20, 17, 62
❺ (위에서부터) 3, 5, 18.6 ❻ (위에서부터) 5, 12, 31
❼ (위에서부터) 7, 9, 43.4 ❽ (위에서부터) 8, 14, 49.6

37쪽 3 원뿔

❶ ○ ❷ × ❸ ○
❹ × ❺ × ❻ ○
❼ 3, 5, 8 ❽ 12, 13, 10
❾ 20, 25, 30 ❿ 30, 34, 32

38쪽 4 구

❶ × ❷ ○ ❸ ×
❹ ○ ❺ × ❻ ○
❼ 3 cm ❽ 5 cm
❾ 8 cm ❿ 9 cm

visang

교과서 발행사가 만든

11,694개 학교에서 사용하는 비상 교과서

검증된 학습법으로

직접 쓰고 그리고 말하는 개뼈노트 업로드 74만 건 돌파!

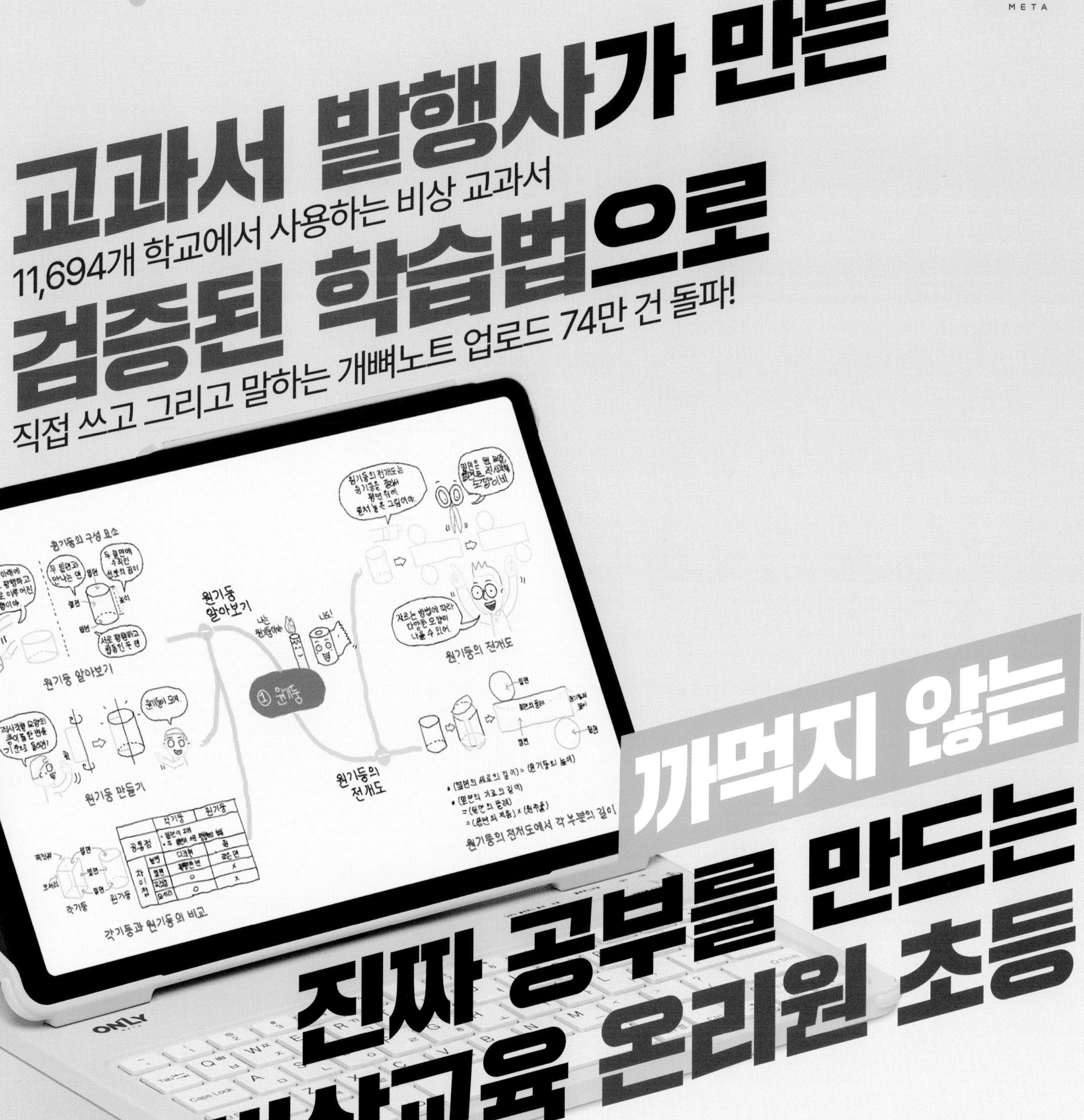

까먹지 않는

진짜 공부를 만드는

비상교육 온리원 초등

업계 유일! 전과목 그룹형 라이브 화상수업

특허* 받은 메타인지 학습법으로 오래 기억되는 공부

초등 베스트셀러 교재 독점 강의 제공

10일간 전 과목 전학년

0원 무제한 학습!

무료체험 알아보기

비상교육 온리원 ▼

문의 1588-6563 | www.only1.co.kr

* 특허 등록번호 제 10-2374101호 개뼈노트

* 2014~2022 국가 브랜드 대상 '초중고교과서', '중고등교재' 부문 1위

개념·플러스·연산 개념과 연산이 만나 수학의 즐거운 학습 시너지를 일으킵니다.

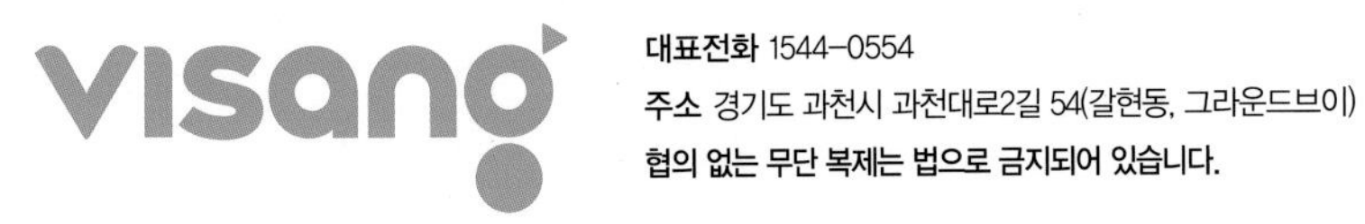

대표전화 1544-0554
주소 경기도 과천시 과천대로2길 54(갈현동, 그라운드브이)
협의 없는 무단 복제는 법으로 금지되어 있습니다.